Das Buch

»Das Volk schaute gen Himmel und wartete darauf, daß ein Wunder passierte und der Himmel ein Opferlamm schickte als Geschenk für seine Geduld und seinen Gehorsam. Aber der Himmel hatte schon vor langer Zeit aufgehört, Lämmer zu schicken, um die Menschen, die ihre Hälse den Sultanen überließen, vor dem Opfertod zu retten.« (Ahmed Ibrahim al-Faqih, Libyen) Die arabischen Erzählerinnen und Erzähler sind nicht auf die Hilfe des Himmels angewiesen, um von Glück und Leid, Alltag und Festtag, Macht und Ohnmacht ihrer Völker zu erzählen, und sie verstehen es seit den Zeiten Scheherezades, den Sultanen und ihren modernen Nachfolgern Wahrheiten zu servieren. Ihre Geschichten eröffnen Perspektiven, die hinter den Schleier gängiger Klischees und Vorurteile blicken lassen. Die arabische Literatur dieses Jahrhunderts hat aus der Verbindung von arabischer und europäischer Tradition eine eigenständige arabische Erzählkunst entwickelt, von deren inhaltlicher und formaler Vielfalt die vorliegende Sammlung Zeugnis ablegt. Sie enthält Beiträge aus fast allen arabischen Ländern von Marokko im Westen über den Sudan bis zur arabischen Halbinsel im Osten.

Der Herausgeber

Suleman Taufiq, gebor[...] Studium der Philosoph[...] desrepublik. Lebt in Aachen und arbeitet als freier Schriftsteller, Publizist und Übersetzer. Träger des Literaturpreises der Stadt Aachen. Mitherausgeber und Autor zahlreicher Veröffentlichungen, u.a.: ›Wir sind fremd, wir gehen fremd‹ (1979), ›Im neuen Land‹ (1980), ›Zwischen Fabrik und Bahnhof‹ (1981), ›Dies ist nicht die Welt, die wir suchen‹ (1983), ›Layali‹ (1984), ›Zu Gast bei den Entwickelten‹ (1986), ›Das Schweigen der Sprache‹, ›Oh, wie schön ist das Fliegen‹ (1988).

Arabische Erzählungen

Herausgegeben von Suleman Taufiq

Deutscher
Taschenbuch
Verlag

Ebenfalls im Deutschen Taschenbuch Verlag erschienen:
Türkische Erzählungen (11056)
Chinesische Erzählungen (11202)

Von Suleman Taufiq herausgegeben:
Frauen in der arabischen Welt (10934)

Originalausgabe
April 1991
2. Auflage Juni 1991
Deutscher Taschenbuch Verlag GmbH & Co. KG,
München
Alle Rechte vorbehalten
(Siehe auch Quellenhinweise S. 352 ff.)
Umschlaggestaltung: Celestino Piatti
Gesamtherstellung: C. H. Beck'sche Buchdruckerei,
Nördlingen
Printed in Germany · ISBN 3-423-11368-7

Inhalt

Ägypten

NAGIB MACHFUS
Die Moschee in der Gasse

Die Zeit der nachmittäglichen Religionsstunde rückte
heran, aber in der Moschee gab es nur einen einzigen
Zuhörer. Das war nicht neu für den Scheich Abd Rabbuh, den Imam. Seitdem er Dienst in dieser Moschee tat,
hatte er für seine Ansprache keinen anderen Zuhörer gefunden als Onkel Hasanein, den Verkäufer von Zucker-
rohrsaft. Deswegen hatten sich der Muezzin und der
Moscheediener dem Mann zugesellt, teils um ihre Ehrerbietung gegenüber der Religionsstunde zu bekunden,
teils um dem Imam einen Gefallen zu tun. Der Scheich
Abd Rabbuh hätte zu Recht darüber ärgerlich sein können, aber er kannte das schon gar nicht mehr anders.
Vielleicht hatte er auch noch Schlimmeres erwartet an
dem Tag, als beschlossen wurde, ihn an diese Moschee zu
versetzen, die unmittelbar vor einem Stadtteil gelegen
war, in dem das Laster regierte. Damals war er ärgerlich
geworden und hatte versucht, seine Versetzung rückgän-
gig machen zu lassen oder an eine andere Moschee zu
kommen, aber er mußte sich, wenn auch widerwillig, fü-
gen und obendrein deswegen den Hohn seiner Feinde
und die Witzeleien seiner Freunde ertragen. Wo sollte er
hier einen Teilnehmer an seiner Stunde finden? Die Moschee stand an der Kreuzung zweier Gassen, der berühmten Gasse des Lasters und einer anderen, die gewisserma-
ßen ein Zentrum der Kuppler, Zuhälter und kleinen
Rauschgifthändler war. Es sah so aus, als gäbe es keinen
rechtschaffenen, ja nicht einmal einen gewöhnlichen
Mann in dem ganzen Viertel außer Onkel Hasanein, dem
Saftverkäufer. Eine Zeitlang erschrak er jedesmal, wenn
er einen Blick in die eine oder die andere Gasse warf, als
ob er fürchtete, daß mit der eingeatmeten Luft sich Keime der Verworfenheit und des Verbrechens in seine Brust
stehlen könnten. Trotzdem, mit demselben Eifer, mit
dem Onkel Hasanein erschien, fuhr er fort, seine tägliche
Stunde zu halten. Eines Tages sagte er ermutigend zu
dem Mann: »Bei diesem Fleiß wirst du in kurzer Zeit ein

Imam werden, an den man sich wendet.« Der alte Mann
lächelte scheu und erwiderte: »Allahs Wissen ist grenzen-
los.«

Die heutige Stunde handelte von der Reinheit des Gewissens als Grundpfeiler aufrichtigen Handelns und des
Anstands eines Menschen sich selbst und anderen gegenüber und als das Beste, womit der Mensch seinen Tag
beginnen könne. Onkel Hasanein hörte wie gewöhnlich
aufmerksam zu. Er fragte nur wenig, höchstens einmal
nach der Bedeutung eines Koranverses oder der Ausle-
gung einer göttlichen Vorschrift.

Zu dieser Tageszeit, am Nachmittag, wird es in der Gasse
lebendig. Man kann die ganze Gasse durch das Südfenster
der Moschee sehen: eng, an einigen Stellen im Zickzack
verlaufend, und langgestreckt, zu beiden Seiten die Tore
der abgewohnten Häuser und die Kaffeestuben. Ein seltsamer, erregender Anblick. Nachmittags kriecht das Leben durch die Gasse, als ob sie sich auf etwas vorbereitet,
einem Schlaftrunkenen gleich, der – kaum erwacht – sich
reckt und streckt. Der Boden wird mit Wasser besprengt.
Auf seltsame Art öffnen sich Türen und schlagen wieder
zu. In den Cafés werden Stühle gerückt. Frauen an den
Fenstern putzen sich und reden miteinander. Freches Gelächter hallt in der Luft wider. Räucherwerk wird in den
Korridoren verbrannt. Da gibt es auch eine Frau, die
weint, so daß die »Chefin« ihr zuredet, sich zu fassen,
damit der Tagesverdienst ihr nicht ebenso verlorengeht
wie der verstorbene Zuhälter, und eine andere, die hyste-
risch lacht, weil sie immer noch nicht vergessen hat, wie
ihre Gefährtin ums Leben kam, als sie neben ihr saß. Eine
rauhe Stimme sagt mißbilligend: »Sogar die Europäer! Sogar die Europäer, o je! Ein Europäer lacht über Firdaus. Er
entwendet ihr hundert Pfund und verläßt sie!«

Da gibt es Stimmen, die wie gewöhnlich abgedrosche-
ne, schmutzige Lieder singen. Am anderen Ende der Gasse artet ein Streit mit Worten in eine Schlacht mit Stühlen
aus. Dann kommt Libliba heraus, um sich vor die Tür des
ersten Hauses zu setzen. Die erste Lampe wird angezün-
det. Jeder spürt, daß die Gasse binnen kurzem dem Leben
entgegentreten wird.

Eines Tages wurde der Scheich Abd Rabbuh telefonisch zu einem Zusammentreffen mit dem Generalinspektor für religiöse Angelegenheiten gerufen. Es wurde ihm gesagt, daß eine allgemeine Aufforderung an alle Imame ergangen sei. Das war nicht ungewöhnlich, ganz besonders unter den Umständen, die der Aufforderung vorangegangen waren. Trotzdem fragte sich der Mann mit einer gewissen Unruhe, was hinter der Einladung stecken könnte. Warum auch nicht, besaß doch der Inspektor einiges Gewicht, das ihm die Verwandtschaft mit einem hohen Beamten verlieh, dem jedermann fluchte, der nichtsdestoweniger Minister einsetzte und sie ihrer Posten enthob und mit allem, was dem Volk heilig war, seinen Spott trieb. Wenn sie vor ihm erschienen, würden sie sein wie verlorene Schafe, und wegen des geringsten Vergehens würde sie sein Zorn treffen.

Der Scheich sprach die Bismallah* und rüstete sich zu der Versammlung mit seinen besten Kleidungsstücken. Er zog eine schwarze Gubba an, einen fast neuen Kaftan, er wickelte seinen Turban, dann ging er los im Vertrauen auf Allah. Er fand den Gang vor dem Büro des Inspektors voller Menschen, so als sei – wie er sich ausdrückte – der Auferstehungstag angebrochen. Die Imame tauschten Vermutungen und Fragen darüber aus, was es mit der Zusammenkunft auf sich haben könne. Dann wurde die große Tür geöffnet, und sie erhielten die Erlaubnis einzutreten. Nacheinander betraten sie den großen Raum, bis er fast überquoll von Menschen. Der Inspektor empfing sie mit ernstem, ehrfurchtgebietendem Gesicht. Als wäre er unangenehm berührt, hörte er auf die Verse des Lobgedichts, das man ihm vortrug, und zwang sich zu einem undurchsichtigen Lächeln. Er begrüßte sie kurz und versicherte sie seines Vertrauens dergestalt, daß sie der guten Meinung entsprächen, die er von ihnen hege. Er zeigte auf das Bild, das oberhalb seines Kopfes hing, und sagte: »Es ist unsere Pflicht ihm und seiner hohen Familie gegenüber, die uns hier zusammenkommen läßt.« Vielen krampfte sich das Herz zusammen, ohne daß die gekünstelte Freude aus ihren Gesichtern wich.

---

* ›Im Namen Allahs ...‹ (Beginn der Koransuren).

Der Inspektor sagte: »Die feste Beziehung, die euch an ihn bindet, ist schwer in Worte zu fassen, es ist historisch verwurzelte gegenseitige Zuneigung.«

Die Gesichter der Anwesenden strahlten Zustimmung aus, um über die innere Abneigung hinwegzutäuschen.

Der Mann fuhr fort: »Während der Krise, die unser Land betroffen hat, verlangt er von euch loyale Arbeit.«

Die innere Unruhe wuchs.

»Zeigt dem Volk die Wahrheit! Reißt den Betrügern und Unruhestiftern den Schleier vom Gesicht, damit sich die Macht in den Händen desjenigen festigt, dem sie zusteht!«

Der Inspektor gebrauchte noch viele solcher Worte und kostete sie aus. Dann fragte er, wobei er prüfend auf die Gesichter vor sich schaute, ob jemand dazu etwas sagen wolle. Schweigen herrschte im Raum, bis schließlich ein mutiger Imam versicherte, daß der Inspektor über Dinge gesprochen habe, die auch sie seit langem im Innersten fühlten und daß sie schon von selbst schnellstens darangegangen wären, die ihnen nun auferlegte Pflicht zu erfüllen, hätte sie nicht ihre Furcht vor der Verletzung der Vorschriften immer wieder zurückgehalten.

Die Unruhe schwand aus Abd Rabbuhs Herzen, nachdem der Inspektor mit seiner Rede angefangen hatte. Er begriff sofort, daß sie nicht zu irgendeiner Abrechnung oder Rechenschaftslegung zusammengerufen worden waren, sondern daß ihnen die Staatsmacht diesmal mit ausgestreckten Händen entgegentrat. Wer konnte wissen, ob nicht vielleicht eine ernsthafte Maßnahme zur Aufbesserung ihrer Gehälter und Pensionen dem folgen würde? Aber seine Unruhe kehrte schnell zurück, so wie eine Welle vom reinen, sandigen Ufer des Meeres aufschäumend zurückschlägt. Es wurde ihm klar, daß er gezwungen sein würde, in der Freitagspredigt Dinge zu sagen, die sein Gewissen ablehnte und die den Leuten verhaßt waren. Er zweifelte nicht daran, daß viele der Anwesenden seine Gefühle teilten und von denselben Skrupeln geplagt wurden wie er, aber offenbar sah niemand einen Ausweg. So kehrte er, von neuen Sorgen erfüllt, in die Moschee zurück.

Schaldam, der im ganzen Viertel bekannte Zuhälter, hatte sich mit seinen Freunden im Lokal »Herzlich Willkommen« getroffen, das nur wenige Meter von der Moschee entfernt lag. Er kochte offenbar vor Zorn, und jedes Glas Rotwein, das er trank, steigerte seine Wut noch.

Er brüllte wie ein Stier: »Nabawiyya, das verrückte Stück, ist in Hasan, den gerissenen Halunken, verknallt, das ist mir völlig klar!«

Ein Kumpan versuchte ihn zu beschwichtigen: »Vielleicht ist er ein Kunde, nur ein Kunde, und weiter nichts?«

Schaldam hieb mit eiserner Faust auf den Tisch, so daß die Lupinenkerne und die Erdnüsse umherflogen, und sagte mit brutalem Ton: »Nein, er nimmt nur und gibt nicht, das weiß ich so genau, wie ein Dolchstoß von mir tödlich ist. Er zahlt nicht einen Millim, aber läßt sich alles mögliche schenken.«

In den Gesichtern waren Abscheu und Verachtung zu lesen, und aus den trunkenen Augen sprachen Bereitschaft und Gehorsam.

Schaldam gab ihnen zu verstehen: »Der Bursche kommt gewöhnlich, wenn die Schlange tanzt. Wartet, bis er da ist, dann fangt ihr eine Schlägerei an, alles Weitere werden wir sehen ...«

Sie schlürften die Gläser leer, und in ihren Augen spiegelten sich ihre bösen Absichten.

Nach dem Nachmittagsgebet besuchten zwei Imame, ehemalige Studienkollegen, den Scheich Abd Rabbuh. Der eine hieß Khalid und der andere Mubarak. Sie saßen mit finsteren Gesichtern neben ihm und berichteten, daß einige Imame bereits ihres Amtes enthoben worden wären, weil sie sich geweigert hätten, sich an der geplanten Kampagne zu beteiligen. Khalid sagte murrend: »Gottesdienst ist nicht zu politischem Gezänk und zur Unterstützung von Tyrannen da!«

Abd Rabbuh hatte das Gefühl, als ob das, was sein Freund sagte, bei ihm eine Wunde aufriß. So fragte er: »Ja, willst du denn lieber vor Hunger sterben?«

Düsteres Schweigen herrschte. Der Scheich wollte seine Niederlage nicht eingestehen. Um vor den beiden anderen das Gesicht zu wahren, tat er so, als wolle er einzig und allein nach seiner Überzeugung handeln. Und er meinte: »Was einige für Gezänk halten, ist doch vielleicht genau das Richtige.«

Khalid erschrak über den Gesinnungswandel des Scheichs und verzichtete darauf, etwas zu entgegnen.

Mubarak aber sagte mit Nachdruck: »Damit würden wir gegen ein islamisches Gebot verstoßen, das uns aufträgt, zum Geziemenden aufzufordern und alles Unziemliche zu verbieten.«

Abd Rabbuhs Ärger wuchs mit der Not, die ihm seine Gewissensqualen bereiteten, und er sagte: »O nein, wir werden vielmehr ein anderes islamisches Gebot befolgen, das uns auffordert, zum Gehorsam gegenüber Allah, seinem Propheten und den weltlichen Machthabern zu ermahnen!«

Mubarak fragte voll heftiger Mißbilligung: »Hältst du denn jene Leute für unsere wahren Machthaber?«

Abd Rabbuh entgegnete herausfordernd: »Willst du etwa die Freitagspredigt ausfallen lassen?«

Mubarak stand verärgert auf und verließ den Raum, Khalid folgte ihm. Der Scheich verwünschte alle beide genauso wie sein rebellisches Herz.

Vor Mitternacht füllte sich der Hof des siebenten Hauses auf der rechten Seite mit Betrunkenen. Sie saßen auf Holzklötzen und bildeten einen Kreis auf dem sandigen Boden, der vom Licht einer Petroleumlampe erhellt wurde. In ihrem Schein glitt Nabawiyya dahin. Sie tanzte in einem rosa Nachthemd, in der rechten Hand hielt sie spielerisch einen Stock, der spiralenförmig von einer Schnur umwickelt war, in der Blumen steckten. Hände klatschten rhythmisch. Aus trunkenen Kehlen stiegen tierische Laute auf. Die Zuhälter hatten sich in die Ecken gedrückt und warteten, während Schaldam sich an den Fuß der Treppe lehnte und unverwandt auf den Hauseingang starrte.

Da kam Hasan herein mit gestriegeltem Haar und einem strahlenden Lächeln um den Mund. Schaldam verschlang ihn förmlich mit seinem brennenden Blick. Hasan blieb stehen und schaute Nabawiyya zu, bis sie auf ihn aufmerksam wurde, ihn mit einem breiten Lächeln, einer spielerischen Bewegung ihres tanzenden Leibes und einem Augenzwinkern begrüßte. Hasan zeigte eine gebieterische Miene, ging zu einem leeren Stuhl und setzte sich. In Schaldams Adern kochte das Blut, er schnipste mit den Fingern und pfiff leise. Sofort gingen zwei aus seiner Truppe aufeinander los und bearbeiteten sich mit Schlägen. Die anderen mischten sich ein, und die Schlägerei wurde immer heftiger, bis schließlich die Betrunkenen verwirrt aufstanden und sich nach der Tür drängten. Ein Holzsitz flog gegen die Lampe und zertrümmerte sie. Da legte sich Dunkelheit über den Platz wie ein Alptraum. Stimmen wurden laut, Schreie ertönten, Füße stampften auf. Als der Sturm, der in der Dunkelheit toste, seinen Höhepunkt erreichte, durchbrach den Lärm der gellende Schrei einer Frauenstimme. Ihm folgte das tiefe Aufstöhnen eines Mannes. Sofort leerte sich der Hof, der nun träge unter einer Staubwolke ruhte, nur zwei menschliche Leiber blieben in der schweigenden Dunkelheit liegen.

Der nächste Tag war ein Freitag. Als die Zeit des Gebets heranrückte, füllte sich die Moschee mit weit mehr Menschen, als es sonst üblich war. Das Freitagsgebet zog auch Leute an, die in entfernteren Stadtteilen wohnten, in al-Khasindar und in al-Ataba. Der Koran wurde rezitiert. Dann stand Scheich Abd Rabbuh auf, um die Predigt zu halten. Die Gläubigen zeigten sich von der politischen Predigt, auf die niemand eingestellt war, völlig überrascht. Unruhig und beklommen nahmen sie die in gereimter Prosa gehaltenen Sätze über Gehorsam, Pflicht und Staatstreue auf. Nun aber griff gar die Predigt diejenigen an, die das Volk »verführten«, die es aufriefen zur Rebellion um ihrer »persönlichen Interessen« willen, da lief schon ein Murmeln in der Moschee um. Stimmen erhoben sich protestierend und zornig, einige widersprachen laut, andere beschimpften den Imam. Mit einemmal stürzten sich Polizeispitzel, die sich unter die Beter gemengt hatten, auf diejenigen, die am heftigsten aufbegehrten, und trieben sie unter lautem Einspruch und zornigen Rufen der anderen hinaus.

Viele verließen die Moschee. Aber der Imam forderte die übrigen zum Gebet auf. Es war ein trauriges, ernstes Gebet.

Während das alles geschah, saß Sammara in einem Zimmer im zweiten Haus auf der linken Seite der Gasse mit einem neuen Kunden. Sammara hockte halbnackt auf dem Rand des Bettes. Sie nahm ein Stück Gurke aus einem zur Hälfte mit Wasser gefüllten Glas und biß hinein. Auf einem Stuhl vor dem Bett saß der Kunde, zog sein Jackett aus und trank Kognak aus einer Flasche. Sein Blick wanderte abwesend durch das kahle Zimmer und fiel dann auf Sammara. Er setzte ihr die Flasche an den Mund, sie nahm einen Schluck und gab sie zurück. Die Stimmen der Betenden drangen aus der Moschee an sein Ohr. Ein leichtes, kaum wahrnehmbares Lächeln umspielte seine Lippen. Er blickte zu Boden und murmelte gequält: »Warum bauen sie ausgerechnet hier eine Moschee? Ist ihnen die Welt sonst zu eng?«

Sammara entgegnete, immer noch die Gurke kauend: »Hier ist es genauso wie überall sonst in der Welt!«

Er trank einen großen Schluck, blickte ihr prüfend ins Gesicht und fragte: »Fürchtest du dich nicht vor Allah?«

Sie antwortete leicht verärgert: »Unser Herr vergibt uns unsere Schuld.«

Er lachte matt, nahm ein Stück Gurke und steckte es in den Mund. In jenem Moment hielt Abd Rabbuh gerade seine Predigt. Er hörte zu und schüttelte den Kopf. Dann lächelte er spöttisch: »Dieser Heuchler! Hör doch, was er sagt!«

Wieder wanderte sein Blick im Zimmer umher, bis er auf einem Bild von Saad Saghlul hängenblieb. Er zeigte auf das Bild und fragte: »Kennst du den?«

»Wer kennt ihn nicht?«

Er leerte die Flasche endgültig und sagte mit schwerer Zunge: »Eine patriotische Sammara und ein heuchlerischer Scheich!«

Sie entgegnete seufzend: »Was hat er für ein Glück! Für zwei Worte bekommt er Gold. Wir aber erhalten kaum einen Piaster für den Schweiß unseres ganzen Körpers.«

Er spottete bissig: »Es gibt angesehene Männer, die sich in nichts von dir unterscheiden, aber wer wagt es, das laut zu sagen!«

»Alle wissen, wer Nabawiyya ermordet hat, aber wer findet den Mut, das zu bezeugen?«

Und indem er bedauernd den Kopf schüttelte: »Naba-wiyya! Die Arme! Wer hat sie umgebracht?«

»Schaldam, zur Hölle mit ihm!«

»O Gott, wer gegen ihn aussagt, ist verloren. Zu unse-rem Glück sind wir nicht die einzigen in diesem Lande, die Schuld auf sich geladen haben!«

Sie wurde ärgerlich: »Du vergeudest die Zeit mit dei-nem Gerede!«

Scheich Abd Rabbuh war entschlossen, das, was in der Moschee geschehen war, zu seinen Gunsten auszunut-zen. Er verfaßte eine Beschwerde an das Ministerium über den Anschlag, den man auf Grund seiner »patrioti-schen« Predigt auf ihn verübt hatte, und machte den Vor-fall in übertriebener Form auch in einigen Zeitungen pu-blik, besonders bauschte er auf: wie die Polizei zu seiner Verteidigung eingeschritten sei und die verhaftet habe, die ihn angreifen wollten. Er wiegte sich in der Hoff-nung, daß sich das Ministerium nun vielleicht doch seiner etwas annehmen werde. Aber als die Zeit der nachmittäg-lichen Religionsstunde herankam, fand er überhaupt kei-nen Zuhörer vor. Er ließ den Blick von der Tür zum Stand des Sirupverkäufers wandern und sah den Mann in seine Arbeit vertieft. Da er meinte, dieser habe die An-sprache vergessen, ging er zur Tür und rief freundlich: »Die Stunde, Onkel Hasanein!«

Der Mann wandte sich beim Klang der Stimme unwill-kürlich um, drehte aber dann mit einer entschiedenen Bewegung den Kopf weg. Abd Rabbuh war beschämt, er bereute es, gerufen zu haben, ging zurück und schimpfte insgeheim heftig auf ihn.

Zur Zeit der Morgendämmerung, noch in der kühlen Stil-le der Nacht, stieg der Muezzin auf das Minarett. Der volle Mond leuchtete, es herrschte tiefes Schweigen. Er rief laut: »Allahu akbar.« Als er sich anschicken wollte, den Gebetsruf fortzusetzen, heulte fürchterlich abge-hackt die Luftschutzsirene auf. Ihm schlug heftig das Herz, so war er erschrocken. Er flehte Allah um Hilfe an, versuchte sich zu beherrschen und stellte sich darauf ein, mit dem Gebetsruf fortzufahren, sobald die Sirene verstummte. Seitdem Italien den Alliierten den Krieg erklärt hatte, war die nächtliche Warnung vor einem Angriff schon zu einer Gewohnheit geworden, ohne daß bisher tatsächlich etwas geschehen war. Er rief aus tiefster Kehle: »La illaha illa 'llah« und gab seiner Stimme einen angenehmen Klang. Da plötzlich erfolgte eine fürchterliche Detonation, die den Erdboden erzittern ließ. Ihm versagte die Stimme. Erstarrt, mit schlotternden Gliedern blieb er stehen, den Blick auf den fernen Horizont geheftet, wo ein roter Feuerbrand aufleuchtete. Er riß sich los, lief zur Tür und stieg mit bebenden Knien die Treppe hinunter. Als er unten ankam, herrschte dort völlige Finsternis. Er wandte sich dem Imam und dem Moscheediener zu, die ihn durch ihr Flüstern auf sich aufmerksam gemacht hatten, und fragte mit ängstlicher Stimme: »Das ist ja ein richtiger Angriff, Freunde! Was sollen wir nur tun?«

Der Imam entgegnete heiser: »Der Luftschutzkeller ist zu weit von hier und vielleicht schon voll von allem, was kreucht und fleucht. Die Moschee ist ein massiver Bau, sie ist die beste Zufluchtsstätte!«

Sie setzten sich in eine Ecke und begannen gleich, aus dem Koran zu rezitieren. Von draußen drangen Stimmen herein. Man hörte eilige Schritte, Rufe, wirres Gerede, das Quietschen von Türen, die geöffnet oder geschlossen wurden.

Wieder fielen Bomben. Die Nerven bebten, und die Herzen verstummten.

Der Moscheediener schrie: »Meine Kinder sind noch zu Hause! Es ist ein altes Gebäude, Herr!«

Der Imam rang nach Luft: »Unser Gott ist doch da! Rühr dich nicht vom Fleck!«

Eine Anzahl Menschen drang in das Innere der Moschee, einer meinte: »Hier sind wir sicher!«

Darauf eine rauhe Stimme: »Das ist ein richtiger Angriff, nicht so wie in den vergangenen Nächten.«

Dem Imam wurde beklommen zumute, als er die Stimme vernahm. Diese menschliche Bestie, kündete ihr Hiersein nicht Schlimmes an?

Eine weitere Gruppe kam, größer als die erste. Frauenstimmen waren zu hören, die dem Scheich nicht fremd zu sein schienen. Jemand rief: »Jetzt ist der Wein aus seinem Kopf verflogen!«

Da verlor der Imam die Gewalt über sich. Er sprang auf und schrie nervös: »Geht in den Luftschutzkeller! Habt Ehrfurcht vor Allahs Haus, geht alle!«

Jemand schrie zurück: »Schweigt, Herr!«

Ein spöttisches Gelächter wurde laut. Aber eine neue Detonation folgte, so daß ihnen fast das Trommelfell platzte. Schreie erfüllten die Moschee. Der Imam war von Furcht geschüttelt und schrie seinerseits wie besessen, als ob er sich an die Bombe selbst wendete: »So geht doch! Entweiht Allahs Häuser nicht!«

Eine Frau entrüstete sich: »Du solltest dich schämen!«

Da schrie der Imam zurück: »Geht doch endlich! Allahs Fluch über euch!«

Die Frau war außer sich: »Dies ist das Haus Allahs, nicht das deines Vaters!«

Die rauhe Stimme schrie: »Schweigt endlich, Herr, sonst stopfe ich Euch den Mund!«

Heftige Zwischenrufe und beißender Spott wurden laut. Da flüsterte der Muezzin dem Imam ins Ohr: »Ich beschwöre dich bei Allah, schweig!«

Abd Rabbuh entgegnete stotternd, wie wenn es ihm Mühe machte zu sprechen: »Bist du denn damit einverstanden, daß die Moschee eine Zufluchtsstätte für diese Leute wird?«

Der Muezzin meinte vermittelnd: »Sie haben doch keine andere! Hast du denn vergessen, daß dies ein altes Stadtviertel ist, das schon bei Faustschlägen zusammenbrechen kann, wie dann erst bei einer Bombe?«

Der Imam schlug die Faust in die Hand und verzweifelte: »Ich kann einfach keine Ruhe finden, wenn ich sehe, daß alle diese Bösewichte an einem solchen Ort zusammenkommen. Allah hat sie hier nur vereint, um ...«

Eine Bombe explodierte; den aufgepeitschten Nerven schien es, als käme die Detonation vom nahen al-Khasindar-Platz.

Wie von einem flüchtigen Blitz erhellt, waren einen Augenblick lang im Innenraum der Moschee zitternde Gestalten zu sehen, bevor die blinde Dunkelheit sie wieder verschlang. Gequältes Schreien erklang, Frauen kreischten. Der Scheich Abd Rabbuh selbst schrie, ohne es zu merken. Er flog am ganzen Leibe und lief zur Tür der Moschee. Der Moscheediener wollte ihn zurückhalten, aber der Imam stieß ihn mit kräftigem Stoß zurück und rief: »Folgt mir beide, bevor ihr zugrunde geht!«

Er sagte zitternd, als er durch die Tür entfloh: »Allah hat sie hier nur zusammenkommen lassen, um ...«

Schnell lief er davon und verschwand in der tiefen Dunkelheit. Der Angriff dauerte noch zehn Minuten. Vier Bomben fielen in dieser Zeit. Eine Viertelstunde lang erfüllte Schweigen die Stadt, dann ertönte die Entwarnungssirene.

Die Dunkelheit wurde durchsichtig vor dem langsam nahenden Morgen. Dann endlich kam Helligkeit, süß wie die Rettung.

Scheich Abd Rabbuh aber – man fand seinen Leichnam erst, als die Sonne schon aufgegangen war.

ALBERT COSSERY
Das Mädchen und der Haschisch-Raucher

Der plötzliche Aufruhr ihrer entflammten Sinne trug Fa'iza in eine andere Welt. Sie fühlte sich wachsen und verströmen, vielfältig bis in die Unendlichkeit. Es war ihr, als ob sie das lebendige Leben bis in die letzten Fasern ihres Seins erfülle, während das Leben des Mannes in grenzenloser Abwesenheit verrann. In ihrem Innern war etwas von der gespannten, aufreizenden Trägheit einer Stadt, einer orientalischen Stadt mit ihren Palästen und Lichtern.

Ihre Leidenschaft wogte im Rhythmus einer barbarischen Musik auf und nieder. Wie einem Tänzer in der Besessenheit des Tanzes die Hüften zucken, so wurde sie immer wieder von jähen Wellen heißer Lust ergriffen. Kastagnettenklang kam aus dumpfem Umkreis immer näher auf sie zu. Sie hörte die Schreie einer Schar gestikulierender Frauen, wie bei den Festen, bei denen ein Dämon ausgetrieben wird. All das spielte sich in der äußersten, überaus schmerzempfindlichen Grenze ihres Seins ab. Ihre Nerven waren zum Zerreißen angespannt. Die Männlichkeit dieses Mannes durchdrang sie wie eine Klinge. Er war ungestüm wie ein Strom. Welcher Strom? Der riesige Nil mit seinen heimtückischen Strömungen flutete durch sie hin. Sie sah sich freundlich bis zu seiner Mündung in die Unendlichkeit des Meeres getragen. Und die heilige Flut befruchtete das Land ihres Glückes. Dieses Glücksgefühl schwoll an, stieg empor wie eine aufsteigende Woge. Sie war ganz von Glück durchtränkt, wandelte sich selbst zu Glück.

Sie lebten beide nur noch im gedankenlosen Auf und Nieder ihrer Begierde. Wie das Sagiya, das Wasserrad, mit seinen vielen Eimern sich dreht, drehten auch sie sich um den Mittelpunkt ihrer Wünsche.

Fa'iza war von einer Tollheit ergriffen, die nur immer noch wuchs. Die Teufelsaustreibung schien ihr einen ganz einzigartigen Grad von Heftigkeit zu erreichen. Der Teufel tobte in ihr selbst, die sie bereit war, ihm zu erliegen, und im Begriff, in Einsamkeit zu weinen. Sie war einfältig und hielt sich wirklich für die Beute eines bösen Geistes. Das war auch die Meinung aller ihrer Verwandten und vor allem ihres Vaters, Abu Affan Effendis, des Zollbeamten. Und das Mädchen glaubte, daß der böse Geist das Feuer sei, das in der Tiefe ihres Leibes loderte und sie Tag und Nacht verzehrte und das sie jedesmal nur in der herrischen Umarmung dieses merkwürdigen, schlafenden Mannes beschwichtigen konnte.

Mahmud zog sich langsam zurück, um für sich zu sein. Nach beendeter Umarmung fiel er wieder in seine gewohnte Lethargie. Sein erschöpfter Körper war wunschlos still. In ihm war nichts anderes mehr als Schlaf und eine seltsame Betäubung. Nie hatte er sich so müde gefühlt wie nach diesem Kampf. Es war etwas wie ein Gefühl von Reue in ihm, seinen Traumzustand durch dieses ermüdende Verhalten gestört zu haben. Sein ganzer Körper lehnte sich sozusagen dagegen auf. Er glühte. Und dieses Mädchen an seiner Seite, das ihn vom Schlafen abhielt ... Da war sie nun und seufzte. Ach, wie nutzlos ihm das alles vorkam!

»Hurensöhne, Hurensöhne!« murmelte er ins Leere.

Aber so schwach seine Stimme auch war, das Mädchen hörte doch die Beschimpfung. Sie hatte ihn das immer, wie im Traum, murmeln hören. Es war sein Lieblingskehrreim, mit dem er aus seinem häufigen Von-der-Welt-Abgekehrtsein wieder in sie zurückkehrte. Sie glaubte, daß er sie jedesmal verließ, um in die Tiefe der Hölle zu reisen.

»Was für Hurensöhne? Wen beschimpfst du denn die ganze Zeit in dieser Weise?«

Mit trübem, fast erloschenem Blick sah er von der Seite nach ihr hin und schien nachzudenken. Die Frage des Mädchens hatte die Betäubung, die ihn so wohlig erfüllte, zerstört. Er konnte Fragen nicht leiden, nicht einmal die harmlosen Worte, auf die sich eine Antwort von selbst ergibt.

»Wie soll ich das wissen?« meinte er, und seine abwesende Stimme schien aus einem tiefen Brunnen zu kommen. »Geschöpfe, Leute, Tiere, wer weiß das? Sie sind alle Hurensöhne, sag ich dir.«

»Aber wo sind sie? Sag mir das«, drang das Mädchen wieder in ihn, beunruhigt.

Sie war bleich, durch seine unklaren Reden ganz verwirrt. Es glückte ihr nie, irgend etwas aus ihm herauszubekommen. Seine Gespräche waren formlos und unzusammenhängend wie die Lumpen eines Bettlers. Sie konnte nie den Faden finden, mit dem sie sie hätte aneinanderheften können.

»Hör zu, antworte mir. Du bist ja schon wieder am Einschlafen«, sagte sie und tastete mit ängstlicher Hand nach seinem trägen Körper.

Ja, er war schon wieder am Einschlafen. Und sie wußte, daß sie ihn jetzt nicht mehr länger würde wachhalten können. So ließ sie ihn in Frieden und blieb einen Augenblick in Nachdenken versunken. Seltsam, sie hatte gar keine Angst, in diesem merkwürdig unheimlichen Gelaß unter dem Dach mit diesem Mann auf diese Art allein zu sein. Sie dachte weder an die Lage, in der sie sich befand, noch an den Ort. Sie dachte an all die Zeit, die sie, vor Hitze schwitzend und zitternd, in seinem Bett zugebracht hatte. Der Nachmittag war endlos gewesen; endlos auch das Abendessen mit der gesamten Familie. Sobald ihre Eltern schlafen gegangen waren, war sie entwischt und war dann noch eine Ewigkeit auf der düsteren Treppe herumgeschwankt, bis sie schließlich das Dach erreicht hatte. Und er, er hatte zuerst nicht einmal aufmachen wollen. Sie hatte selbst die Kerze anzünden müssen. Dann war sie zu ihm auf die stinkende, ekelerregende Fasermatratze geschlüpft. Unterwürfig hatte sie darauf gewartet, daß er von ihr Besitz ergriff, daß er wirklich von dem Wunsch erfüllt sein möge, sie aus ihrer Spannung zu erlösen. Um ihn aus seiner Trägheit herauszulocken, hatte sie sich an Zärtlichkeiten gewagt, die ihr bis zu diesem Tage unbekannt gewesen waren. Zärtlichkeiten, die unter dem Einfluß eines bösen Geistes aus der Tiefe ihres Wissens um den Körper hervorgeholt worden waren.

Fa'iza glaubte zu träumen. Alles um sie herum schien diese Meinung zu bekräftigen. Denn wenn sie nicht träumte, wie konnte sie dann hier sein, ohne Angst haben zu müssen? Nur in Träumen steht man so außerhalb aller

Zeiten. Sie war nicht fähig, die Wirklichkeit festzuhalten, außer in dem engen Rahmen, in dem sie großgeworden und zur Erkenntnis herangereift war. Aber außerhalb dieses Familienkreises war alles ein Traum. Und das war es gerade, was sie anzog, was ihr den Mut gab, all diese ungewöhnlichen Dinge zu tun.

Und diese beklemmende Hitze – war sie auch ein Traum? Nein, das konnte sie nicht länger glauben. Ihr stumpfer Geist weigerte sich einfach, sich noch länger an Unwirkliches zu klammern, mochte sie wollen oder nicht. Sie beschloß, Mahmud zu wecken.

Aus seinen Träumen aufgerüttelt, ließ der Mann matt und ferne, als ob sie ganze Welten durchwandert hätte, wieder seine Stimme vernehmen: »Hurensöhne! Hurensöhne!«

»Wieder? So hast du mit Lästern noch nicht aufgehört? Komm, wach auf, im Namen des Propheten! Warum schläfst du die ganze Zeit? Ich fürchte mich davor, hier immer so allein zu sein.«

»Alle diese Hurensöhne«, verkündete Mahmud langsam und strich sich mit der Hand über das Gesicht. »Nein, nun sind sie weg... Ich träumte gerade, ich würde von einer Hundemeute verfolgt. Es waren weiße und schwarze und solche mit rotem Fell. Diese flößten mir die größte Angst ein... Ich wich in schmale Heckenwege aus und verlor mich in Sackgassen, aber sie waren mit ihren langen, langen Zähnen immer hinter mir her. Vielleicht waren es Wölfe; ich weiß es nicht. Höre, Mädchen, geh nun weg.«

Es war ihm darum zu tun, sie schnell weggehen zu sehen, um ohne Zeugen im Schlaf sein schwindelerregendes Rennen wieder aufnehmen zu können. Dieses Mädchen, das sich ihm anbot, bedeutete ihm überhaupt nichts. Was für ihn Bedeutung hatte, das war das kleine Haschischkügelchen, das man genießerisch zerkaute, um allen Saft herauszuholen, oder das man im berauschenden Rauch einer Goza zergehen ließ. Dadurch, daß er das Mädchen einmal, als er unter dem Einfluß der himmlischen Droge stand, genommen hatte, konnte er sie nun nie mehr loswerden. Ja, wenn sie sich wenigstens ruhig verhalten wollte! Aber nein, sie hatte erschreckende und lächerliche Angewohnheiten, die ihn reizten. Er hätte sie gerne das Schlafen gelehrt, die Ehrfurcht vor dem Schlaf, diesem Bruder des Todes, den er so liebte, aber ach, sie verstand nichts von diesen Dingen. Sie war halsstarrig wie alle Mädchen ihrer Art.

Seit fünf Tagen schon hatte der arme Mahmud kein Stäubchen Haschisch mehr. Es war eine Leistung ohnegleichen, die wie der Anfang reuiger Umkehr aussah, in Wirklichkeit aber nichts anderem zu verdanken war als dem Fehlen jenes außergewöhnlichen Metalls, Silber genannt.

Er konnte weder begreifen, warum man diesem verfluchten Metall eine solche Bedeutung beimaß, noch warum es überhaupt vorhanden war. Gerade heute morgen noch hatte er Meister Darwisch, dem Besitzer einer Haschischspelunke in Abdin, vergeblich auseinandergesetzt, wie unmenschlich es sei, von Leuten Geld zu verlangen, die keines erwerben konnten, und wie unbedingt notwendig für ihn, Mahmud, es war, daß ihm die verhängnisvolle Droge nie ausgehe. Aber der Hurensohn wollte nicht zuhören. Er schüttelte nur den Kopf und streichelte einen kleinen, neben ihm sitzenden Jungen. Lauter engstirnige Leute, die ihn daran hinderten, das einzige, wirkliche Glück zu genießen, das er in dieser Welt des Elends gefunden hatte. Von dieser Sorte gab es vielleicht Tausende, die ihm störend über den Weg liefen, ihn aufhielten und ihn keinen Augenblick in Ruhe ließen. Wenn er durch die Straßen ging, sah er niemand an, so sehr haßte er sie alle. Alle diese geschäftigen Leute rings um ihn führten eine witzlose Arbeit aus, die ihm wie eine Last auf seinen eigenen Schultern lag und ihn zu zermalmen drohte.

»Warum liegst du so da und schaust ins Leere?« sagte das Mädchen, das gar nicht fühlte, daß es eigentlich weggehen sollte. »Schwarze und weiße Hunde und andere mit rotem Fell: was bedeutet das alles? Ich will Umm Hanafi fragen, sie kann gut Träume deuten. Aber träumst du denn die ganze Zeit? Was bist du denn nun in Wirklichkeit, ein Mann oder ein Dämon? Beim Barte des Propheten, wie lebst du eigentlich?«

Mahmud wollte im Grunde ja nicht antworten, aber die

letzte Frage beunruhigte ihn ein ganz klein wenig. Wie er lebte? Eine recht ausgefallene Frage. Er machte sich klar, daß sie eigentlich beantwortet werden müßte, aber er konnte es trotzdem nicht tun. Nein, er wußte nicht, wie er lebte. Und es war recht gut so. Er war sehr zufrieden, es nicht zu wissen.

»Wie ich lebe? Und was geht dich das an? Ja, ich träume die ganze Zeit. Deine Umm Hanafi ist eine Hure. Sie versteht gar nichts davon. Keine Frau versteht etwas davon. Nicht nur in meinen Träumen kommen Hunde vor; die Hunde sind immer hinter mir her; ich kann nicht aus dieser Kammer gehen, ohne daß sie mich entdecken und sich an meine Fersen heften; sie nehmen tausend Gestalten an und verwandeln sich in alle möglichen Fahrzeuge. Eines Tages werde ich, von ihnen überrannt, umkommen. Sie werden mich in einem alten Bauernofen bestatten . . .«

In einem alten Bauernofen bestattet zu werden, war keiner von den Haschischscherzen, die bei ihm üblich waren. Nein, er wußte es, und sein Mund lächelte in der grauen, schlaftrunkenen Landschaft seines Gesichts. Es verhielt sich so, daß er unter dem Einfluß des Haschischs häufig zu träumen pflegte, daß er sich in einem großen Bauernofen befände. Dessen Wände waren mit einer Rußkruste überzogen, und seine Decke verlor sich in dem wolkenverhangenen Himmel. Auf dem Boden glitzerten verlockend ganz neue Zwanzigpiasterstücke; widerstrebend hob er sie auf. In einer Ecke, aus der weiße Dampfwolken emporstiegen, ahmte ein halbwüchsiges Mädchen mit den unanständigen Gesten einer alten Jahrmarktstänzerin den Bauchtanz nach. In einer anderen Ecke standen zwerghafte Palmen, an denen an Stelle von Datteln kostbare Edelsteine aller Art herabhingen. Sich selbst fand Mahmud, wie er neben einem Apfelverkäufer kauerte, der unablässig ausrief: »Ich verkaufe Jungmädchenbrüste!« Von seinem Platz aus sah er, wie der Bäckermeister die großen Maisbrotlaibe, nachdem er sie aus dem Ofen gezogen hatte, in Reihen auslegte. Und dann ereignete sich das Lieblichste und Erstaunlichste von allem. Diese großen Brotlaibe, die der Bäckermeister gerade ausgerichtet hatte, nahmen das Aussehen lebendigen Fleisches an und schwollen und schwollen auf, bis sie schließlich wackelten wie dicke, blanke Weiberhintern. Mahmud versank über diesem lüsternen Aufschwellen in bestürzte Verwunderung. Und dann, ohne zu wissen wie, fand er sich plötzlich auf einem großen, verlassenen Feld, auf dem Haschisch in wildem Durcheinander wuchs.

»Ein alter Bauernofen? Wen bestattet man denn in einem alten Bauernofen? Das stimmt nicht, man bestattet doch niemand dort. Warum erzählst du immer solche Geschichten? Beim Barte des Propheten, du bist krank. Irgend jemand sagte neulich, daß du so eine schmutzige Droge rauchtest, die dich verrückt machen wird. Nein, ich weiß jetzt nicht mehr, wer es war. Aber sie sagen im Viertel alles mögliche über dich. Und mich schaudert's, wenn ich sie reden höre. Ich möchte am liebsten sterben.«

»Hör schon auf, du dummes Ding«, sagte Mahmud ungeduldig. »Willst du endlich aufhören, mir mit deinem verfluchten Geschwätz in den Ohren zu liegen? Was schert es mich, was sie über mich reden? Bin ich eine Jungfrau, die verheiratet werden soll? Alle Leute, die in diesem Viertel leben, sind Schafsköpfe. Und die Frauen sind alle Huren. Das einzige, was sie verstehen, wenn kein Mann bei der Hand ist, mit dem sie schlafen können, ist, Schwätzereien abzuhalten. Ich möchte ihnen am liebsten allen auf die Köpfe pissen! Und was die Droge betrifft, die mich verrückt machen soll, so habe ich schon seit fünf Tagen nichts mehr von ihr gerochen. Die Welt wird bald untergehen. Wenn das noch ein paar Tage andauert, wird die Welt nicht weiterbestehen.«

»Warum wird die Welt nicht mehr weiterbestehen?« fragte das Mädchen. Sie war in ihrer Harmlosigkeit ganz durcheinandergebracht.

»Ja, Mädchen, ich sage dir, die Welt wird nicht weiterbestehen. Wie kannst du wünschen, daß eine Welt ohne Haschisch weiterbesteht? Und Haschisch ist im Begriff, von der Erde zu verschwinden. Gott will das Haschischrauchen nicht mehr erlauben. Kaabour hat mir das erzählt. Kennst du Kaabour nicht? Er ist ein erstaunlicher Kerl. Weißt du, worauf er sich verlegt hat, seitdem er diese Nachricht erfahren hat? Er sammelt alles Haschisch, das er sich beschaffen kann, und versteckt es sorgfältig bei seinem Onkel, dem Schuster, im Laden. Aber er ist ein Hurensohn. Wie kann er es verstecken? Versteckt einer Haschisch?«

Mahmud hatte die seltsame Neuigkeit, die ihm Kaabour mitgeteilt hatte, nie geglaubt. Der Gedanke an das völlige Verschwinden von Haschisch hatte ihn mehrere Nächte hindurch beschäftigt, ohne daß er jedoch das geringste hätte finden können, das für seine Wahrheit sprach. Aber nun, nachdem es ihm nicht geglückt war, sich die so begehrte Droge zu verschaffen, bildete er sich ein, der verhängnisvolle Erlaß sei in Kraft getreten, und er gefiel sich darin, sich selbst als ein Opfer unter tausend anderen zu betrachten. Wenn es eine allgemeine Katastrophe war, schien sie ihm eher erträglich.

»Versteckt jemand Haschisch?« wiederholte er. »Sein Vater soll verflucht sein! Es muß verdorbenes Haschisch sein, weil er es versteckt, sonst hätte er es doch geraucht. Man kann nicht Haschisch besitzen, ohne es zu rauchen. Möge Allah all diese Hurensöhne in Schweine verwandeln. Ich möchte rauchen, Mädchen, ich muß rauchen.«

»Mußt du wirklich rauchen?« fragte das Mädchen einfältig. Und sie fing an, dieser geheimnisvollen Unbegreiflichkeiten allmählich überdrüssig zu werden. »Warum rauchen?«

»Warum rauchen? Um zu vergessen, Mädchen.«

»Was vergessen?«

»Verstehst du denn nicht? Alle diese Hurensöhne zu vergessen. Alle diese Hunde, die mit ihren langen, langen Zähnen immer hinter mir her sind. Zu vergessen – und all den Wagen, Zügen, Fahrzeugen und Verkäufern, die immer Geld verlangen, aus dem Wege zu gehen. Ach, in den Ofen zu entfliehen! Und dann auf die riesengroße Wiese, wo Haschisch wild wächst ... wie Klee.«

Er hielt inne, voll Erstaunen, so viel gesprochen zu haben. Wie nach einer Haschischausschweifung überkam ihn eine plötzliche Lust auf Obst und Leckereien. Die Luft im Raum war drückend; denn die Türe war geschlossen. Der Kerzenstumpf brannte in seinem Flaschenhals langsam herunter. Die Glieder des Mädchens lagen eng an Mahmuds Körper gepreßt, und er fühlte bei dieser Berührung seine Begierde wieder aufleben. Wie unter dem Zwang eines unabwendbaren Schicksals streichelte er ihre üppigen Hüften bis hinunter zu den Oberschenkeln.

In Fa'iza lösten die Liebkosungen des Mannes keinerlei Lustgefühle mehr aus. Ihr nun befriedigtes Fleisch wurde durch nichts erregt. Der böse Geist war dieses Mal tot, wirklich tot. Und diese Wahrnehmung bestürzte sie. Wohlige Ruhe strömte ihr von allen Seiten zu wie eine frische Brise, fächelte sie, wiegte und sang sie in Schlaf. Alles ringsum war wie in endlos weite Ferne gerückt. Sie setzte sich halb auf, suchte auf der Matratze nach ihrem nun ganz zerknitterten Kleid und zog es langsam an. Sie war fest entschlossen wegzugehen.

»Geh nur, geh jetzt hinunter und laß mich in Frieden«, ließ sich die launische Stimme des Mannes wieder vernehmen. »Deinetwegen werde ich überhaupt nicht mehr schlafen können. Bei Allah, ich weiß nicht, wer mich auf dieses Dach geschleudert hat. Verflucht sei der Tag, an dem ich hierher gezogen bin ... Aber es scheint mein Schicksal zu sein, daß ich nur Ekelerregendes erleben muß. Vorher lebte ich im Kellergeschoß eines Hauses, das den Wakfs gehörte; niemand verlangte Miete von mir. Eine Tür weiter wohnte ein jungverheirateter Laternenanzünder. Aber dieser Hundesohn hatte die Angewohnheit, wenn ihn die Begierde überkam, einfach zu seinem Weibe zu laufen und die Straßen der Regierung unbeleuchtet zu lassen. Nach ein paar Wochen wurde er davongejagt. Da fing seine Frau Tag und Nacht zu heulen an und hinderte mich am Schlafen. Deshalb zog ich aus. Man läßt mich nirgends und nie in Frieden. Ach, wenn ich nur ein bißchen Haschisch hätte! Aber nein, es gibt ja kein Haschisch mehr, und die Welt wird untergehen ...«

Als Fa'iza zum erstenmal hier gewesen war, war sie zutiefst erschrocken. Sie wollte weggehen, aber sie konnte nicht. Eine überwältigende Betäubung hielt sie mit verlorenem Blick auf alles und nichts wie in Erstarrung fest. Die im Ausgehen begriffene Kerzenflamme bildete schwarzen Rauch, der einer dünnen Haarsträhne gleich zur Decke emporstieg. Neben einem wüsten Haufen alten Plunders stand ein Wasserkühlgefäß, das vor Schmutz starrte und wie eine wachsende Bedrohung wirkte. Fa'iza erinnerte sich dabei an den ausgeleierten Zapfen in der Küche und den Abguß, der nun auf die Ziegel überlaufen mußte.

Sie versuchte aufzustehen und das Wasser, das das ganze Haus zu überschwemmen drohte, abzusperren. Aber wie konnte sie sich von diesem schlafenden Manne losreißen? Wie ihn ganz allein hier lassen, umgeben von so vielerlei Gefahr? Solange er schlief, konnte sie ihn seinem Schicksal nicht überlassen. Sie fühlte sich sogar in seinem Schlaf an ihn gebunden.

Unter dem flackernden Schein des Kerzenlichts sah es aus, als ob über den nackten Leib des Mannes kleine Wellen liefen. Das Mädchen blickte auf diesen mageren, sehnigen Körper, über den das Licht in bläulichem Widerschein tanzte, und der Anblick bereitete ihr eine unerhörte, wunderbare Befriedigung. Sie streckte die Hand aus, um ihn zu berühren; sie fand, daß er wie eine Stadt im Hochsommer glühte. Er trug die Hitze aller heißen Tage in sich aufgespeichert. Wie glühender Sand. Sie beugte sich über ihn wie über eine Wüste.

So verweilte sie, diesem Körper, dem ein Hauch tierischer und primitiver Zärtlichkeit entströmte, zutiefst verbunden. Sie spürte ihn in jeder Faser ihres Leibes. Dies war stärker als alles andere. Stärker als das Haus mit seinen festgefügten Grundmauern. Stärker als der Wind, der durch die Türen pfiff. Stärker als die wilde Strömung des Flusses in der Hochwasserzeit.

Sie war durstig. Sie wußte nicht, welche Art Durst das war. Sie beugte sich über den nackten Körper des Mannes und küßte ihn. Nun begriff sie, was dieser Mann für sie war. Nein, nicht er war der böse Geist. Der böse Geist war all das, was sie von ihm trennte. Die Stunden, die sie ohne ihn verbringen mußte, das traurige Zimmer, in dem sie lebte, ihre Eltern, die sie mit ihrer töricht übertriebenen Ängstlichkeit und ihren unwürdigen Vorurteilen gefangenhielten – sie waren der böse Geist. Nein, dieser Mann war ganz gewiß kein böser Geist. Im Gegenteil, er war der Tod des bösen Geistes. Er war das Glück, die höchste Glückseligkeit befreiten, lebendigen Fleisches.

Sie begann alles zu verstehen und seine Wirklichkeit zu erfassen. So entdeckte sie die gewaltige Macht des Fleisches. Der Mann kam ihr jetzt wie ein kleines, krankes Kind vor, das sie liebkosen und wie eine Mutter betreuen wollte. Ach, ihm alles geben, ihn glücklich machen zu können!

»Die Welt wird niemals untergehen«, sagte sie. »Hab keine Angst. Nur laß mich bei dir sein. Und wenn du nicht ohne Haschisch leben kannst, so will ich dir welches bringen. Allah möge dir verzeihen.«

Er hörte nicht. Er war weit weg.

Er war auf der riesigen Wiese, auf der Haschisch wild wie Klee wächst.

Es gibt Dinge, die sich nur im Regen ereignen können.
Oder zumindest mit dem stillen Einverständnis des Re-
gens ... Zum Beispiel, sich leicht zu fühlen, leicht genug,
um sich gegen den Einfluß aufzulehnen, den die Elemen-
te glauben, über das Hin und Her der Herzen ausüben zu
dürfen. Ein Gewitterregen, und ein Rendezvous ist ver-
säumt – eine Verabredung, die nicht notwendigerweise
aus ihrer Asche wiedererstehen wird, alles wieder von
neuem anfangen vom ersten Kuß an, andere Gelegenheiten, ihn auf andere Lippen zu legen – ein Schleier, der,
weil er nicht rechtzeitig gelüftet wurde, in Gestalt eines
endgültigen Gitters auf dem unvollendeten Antlitz der
Erwartung erstarrt. Schönes Gesicht, dem der Regen die
Illusion zu weinen verleiht, das die Tränen an die uner-
klärlichen Verstöße gegen bestimmte Weisungen der Kälte erinnern, der Gefühlskälte auf den Bahnsteigen der
Bahnhöfe, die sich entfernen.

Es regnet, und die großen sentimentalen Plakate, auf
denen sich vergebens Kinowesen umklammern, lösen
sich träge von der Wand. Keiner bestimmten Bitte nach-
gebend, bewegt eine Frau sich vorwärts durch die nieder-
gehenden Schauer, eine Frau, die nichts drängt und deren
Anmut ihr plötzlich vorauseilt und rechts und links ihre
Ansteckung verbreitet, auf ähnliche Weise, wie die Erleuchteten ihre Traktate verteilen, jedesmal wenn es darum geht, die Welt zu ändern. Niemand könnte mit Gewißheit sagen, ob sie schön ist, aber alle sahen, daß die
Orte, die sie durchquerte, schöner wurden, alle sahen,
wie sie die elenden Vororte mit ihrem wie Perlmutt glänzenden Atem einfing. Fragen Sie sie nicht, welche Farbe
ihre Augen haben. Sie wird den Kopf gen Himmel heben,
die Wolken mit einem zerstreuten Blick streifen und Ihnen antworten, falls sie Ihnen zu antworten gewillt ist,
daß alles, was sie von ihren Augen weiß, ist, »bei Regen-
wetter sind sie von innen gestreift«.

Leisten Sie ihr Gesellschaft, bevor sie verblaßt wie ein

schnelles Spiegelbild auf einer beliebigen Scheibe, bevor sie zerbricht wie der Faden eines nur für einen Augenblick wiedergefundenen Traums. Nehmen Sie ihre Hand, damit die Leute von eurem Weg abrücken und aufhören, die ganze Absurdität eures Verhaltens anzuklagen im Namen ihrer Ernsthaftigkeit. Nehmen Sie ihre Hand, daß jeder ihrer Finger seine eigene Geschichte bekommt und seinen Ring des Schauderns im Labyrinth der stummen Vertraulichkeiten verliert. Es bleibt vielleicht nur noch eine Stunde, Zeit genug, bis der Regen müde wird und die erste Aufheiterung, den Himmel wieder klärend, dieses durch das Unwetter zusammengeführte Paar ohne Erbarmen auseinanderlöst.

Versuchen Sie nur nicht, sie in eine dieser Kneipen mitzuschleppen, wo die Geschäfte, die Faulheit und die Frauen mit demselben fahlen Ton abgehandelt werden, wo die Zigaretten brennen und die Gedanken anderswo sind. Wenn es auf der Straße regnet, lädt der Wirt sein Grammophon an Bord der »La Cumparsita«, wie ein aufmerksamer und zugleich abwesender Kapitän, der für niemanden ein Wort, für das Meer keinen Blick übrig hat. Den hat wohl der Hafer gestochen, sagen dann seine Jungs. Sein Hafer, das ist das Akkordeon mit den zusammengebissenen Zähnen, der Refrain, der den Bauch der Frauen entblößt, der Kampf mit dem Leben oder das Aufdecken der Kulissen, der wahre Name der gehaßten Dinge – halten Sie den Tanz an, Monsieur wird am Telefon verlangt! Als ob Monsieur noch den Mut zu seiner Stimme besäße ...

Nein, nicht so eine Kneipe für sie. Kein »Cumparsita« mit dem schwebenden Dolch. Kein Kapitän mit dem schon im voraus erdolchten Blick. All diese Schicksale, die auf dem Reißbrett aufgezeichnet wurden, der Scharfblick des Verdammten, der Rausch des Dichters, das Picknick im Gras, sie läßt sie mit einer einzigen Geste erstarren; es ist die mechanische Geste von fallendem Regen. Sie wird nicht behaupten, wie andere lächerliche Gestalten, wird nicht behaupten, daß sie »im Leben viel durchgemacht hat«. Ihre Kraft kommt wahrscheinlich daher, daß sie eben nichts durchgemacht hat und niemals durchmachen wird. Unermüdlich kämmt sie mit ihren gestreiften Augen die Welt. Und ihr Herz schlägt zu schnell, um sich für leidenschaftliche Ereignisse zu interessieren, bei denen sich die unendlichen Reserven menschlicher Gewalt entfalten.

Falls Sie sie ansprechen wollen, falls Sie an die zähmende Wirkung des Wortes glauben, wird sie Sie ihre Auslage aufstellen, ihre Spitzen auslegen lassen; sie wird Sie ihr modisches Beiwerk ausbreiten, ihr den symbolischen Schrecken ihrer Kindheit vorspiegeln lassen. Nach alldem wird ihr eine kleine scharfe Frage, kaum noch eine Frage, genügen, um das zarte Gebäude ihrer Lügen dem Erdboden gleichzumachen. Wie ist, wird sie sich begnügen zu fragen, wie ist Ihr Verhältnis zum schlechten Wetter...?

Ging es nur darum, ihr Schweigen zu durchbrechen, wäre damit ein großer Schritt getan. Aber es geht um erheblich mehr, es geht um das, was im Kopf dieser Frau steckt, und um das Eigensinnige und Abenteuerliche, das der Regen ihrer entschieden kindlichen Stirn hinzufügt. Andere vor Ihnen haben, von Einsamkeit erschöpft, den Versuch unternommen, aus ihr, sei es nur ihre Frau, sei es nur die gewohnte Gestalt ihrer Träume zu machen, diejenige, deren Bild man überall wiederfindet, überall, wo es gebraucht wird, diejenige, die sich in den verwüsteten Städten in zerbrochene Glasmalerei kleidet. Verlorene Mühe, unendlich verlorene Mühe, bei jedem neuen Regenfall, bei jedem neuen Werbenden. In Wahrheit kann sie nichts von ihrem geheimnisvollen, hermetischen, unbeirrbaren Weg abbringen. Mit jedem ihrer Schritte wirbeln ihre Füße die Blütenblätter eines Straußes auf, der nichts anderes bedeuten kann als ihren Abschied. Ihre Kindheitserinnerungen schlafen auf dem Grund schon tief gewordener Pfützen. Das Grammophon des Wirtes läßt zusammenhanglose Worte verrosten. Reichen Sie ihm doch Ihre Vorhaben, damit es sie, solange es noch läuft, aufsagt.

Ohne Grund hört es eben auf zu regnen. Um Sie herum scheinen die Dinge sich selbst gleichgeblieben zu sein. Dennoch ergreift Sie plötzlich eine Unruhe, die Ihnen fremd ist. Sie suchen ängstlich die Frau, die an Ihrer Seite schwebte. Sie ist nicht mehr da, und bald zweifeln Sie an ihrer Existenz. Nichts auf der Straße, nichts am Himmel ... Worüber beklagen Sie sich. Sie sind ein Anfänger im Lieben auf den ersten Blick, sie ist es im Entschwinden (sie die Ihre im Verschwinden). Ihr seid quitt. Doch nein, Sie haben das Spiel noch nicht ganz aufgegeben. Ein Rest an Hoffnung treibt Sie auf dieses große dunkle Gebäude zu, dessen Tor anscheinend gerade etwas außerordentlich Unbedeutendes und Verstohlenes eingelassen hat. Die Concierge versperrt Ihnen sofort den Weg. Sie beschreiben Ihre Gefährtin, Ihre Vision. Ohne Sie zum Ende kommen zu lassen, antwortet die Concierge Ihnen mit einem entmutigenden Blick: »Sehen Sie denn nicht, guter Mann, daß es vorbei ist ... Gleich sind die Gehsteige wieder trocken. Der Regen hat für heute genug getan. Ich rate Ihnen, seine Ruhe nicht zu stören ...«

Im letzten Stock jedoch schwingen schwarze Vorhänge vor ein stolzes und einsames Fenster.

Ich kehrte auf der Raghib-Pascha-Straße zurück. Die kleine Brücke war geöffnet, und das Wasser des Mahmudiyya-Kanals darunter war rot. Ich wußte, daß es die Brückenpfeiler in rasch wechselnden Wirbeln umspülte.

Ich stand auf dem ersten der langen Fuhrwerke, beide Füße fest auf das Holz des Kutschbocks gestemmt, hinter den beiden kräftigen Pferden, die durch eine lange Deichsel voneinander getrennt waren. Ich sah die beiden hellen geschweiften Schwänze, die beiden rötlichen runden Kuppen, die vom Schweiß feucht schimmerten, sowie die beiden fernen, nach vorn gebeugten Köpfe, und ich hörte ihr mühsam unterdrücktes, gereiztes Wiehern.

Wer war das neben mir, der die Zügel in der Hand hielt? Obwohl seine Gegenwart Autorität und Macht ausstrahlte nahm ich ihn kaum wahr. Ich wußte nur, daß er neben mir war im Morgenlicht unter den zarten, reinen Wolken von Alexandria, die rasch am klaren Himmel dahineilten. Wir standen vor der Mühle. Ihre hohen Mauern aus stumpfroten Steinen waren von großen Fenstern mit dünnen Eisengitterstäben davor durchbrochen. Durch sie hindurch drangen aus dem Dunkel dahinter die Stimmen der Maschinen, tönte das dumpfe Echo ihres stetigen Hämmerns.

Mir war klar, daß ich die Weinrebenstraße und die Raghib-Pascha-Straße längst hinter mir gelassen hatte, aber trotzdem war ich noch immer dort.

Das Fuhrwerk war mit weißen Säcken beladen, von denen der Geruch frisch gemahlenen Mehls ausging. Vor dem Tor, das aus einer breiten eisernen Flügeltür bestand, die sich auf Rädern in einer in die Erde eingelassenen Schiene bewegte, befand sich auf dem Gehweg eine mächtige Schnellwaage, von deren bleigrauer metallener Bodenplatte die Farbe abgeblättert war. Ihr langgestreckter Arm neigte sich zum Ende hin zu der eisernen Schale, die kreisrund und deren Rand oben und unten scharfkantig war.

Der letzte Träger lud gerade den letzten Sack auf den hintersten Teil des Wagens. Wie seine Kollegen hatte er ein braungebranntes Gesicht. Er war sehnig und trug am Körper einen Sack aus grobem Leinen, der an beiden Seiten aufgeschnitten worden war, damit die bis zu den Schultern nackten, dünnen, jedoch muskulösen Arme hindurchgesteckt werden konnten.

Ich wußte, daß das Tor zu einem langen gepflasterten Weg führte, an dessen Rand im Schatten eines abfallenden Wellblechdachs gewaltige zylindrische Siebe standen. Die Sonnenstrahlen bildeten kegelförmige, sich nach unten verbreiternde Säulen und zerschnitten die Dunkelheit. Innerhalb dieser Lichtsäulen flogen feine Mehlstäubchen in ständigem Steigen, Sinken und Drehen umher. Links sah ich die Maschinen, die großen rotierenden Zahnräder, die Trichter mit ihren gestauchten Öffnungen, die breiten Lederriemen, die straff gespannt ins Leere führten, bis sie die rasend kreisenden Räder erreichten, sich mit ihnen vereinigten und sich drehten, sowie die dicken Rohre hoch über dem Weg, die das Hauptgebäude mit den Sieben verbanden und im Dunkel der langgestreckten Speicher vibrierten.

Meine Mutter pflegte mich zur Mühle zu schicken, damit ich an einem grünen hölzernen Kiosk hinter dem Tor eine Kaila Mehl und eine halbe Kaila Kleie kaufte. In dem Kiosk saß ein alter Oberägypter mit kaputten Zähnen, der sommers wie winters auf seinem kahlen Kopf einen Turban und um seinen Hals eine wollene Kufiyya* trug. Er nahm das Mehl und die Kleie mit einer großen Blechschaufel aus hohen Holzkästen mit schrägen Öffnungen und tat beides in gelbe Papiertüten. Ich spürte ihr Gewicht an den Armen, als ich sie etwas verschämt gegen meine Brust drückte. Die Brücke war gesperrt, und die Straßenbahn kehrte auf der Schleife um und fuhr zurück. Ich mußte warten, bis Husein Effendi die Brücke öffnete. Dann überquerte ich sie, ging ein Stück die Straßenbahnstraße entlang und bog nach rechts zu unserem Haus in der Weinrebenstraße ein. Immer wieder war ich von den Bewegungen der rotierenden, fest ineinandergreifenden

---

° Kopftuch für Männer.

Zahnrädern unter der Brücke fasziniert, vom Einpassen der Brückenplattform, wenn sie langsam heranglitt, bis sie genau mit der Straßenoberfläche übereinstimmte, so daß zwischen beiden nur noch ein haardünner Spalt blieb, durch den ich das Wasser des Mahmudiyya-Kanals schimmern und rasch dahinfließen sah.

Am Brückenkopf pflegten Frauen auf der Erde zu sitzen, die breitblättrigen reifen Rettich mit bleichen Köpfen, Zitronen, dicke Milch in kleinen Holzgefäßen, grüne Zwiebeln und mit Wasser bespritzte Melonen verkauften. Sie trugen schwarze Kleider sowie staubige Kopftücher, die oben in einem geknoteten, quadratischen Turban endeten. Die Frauen stillten ihre schlummernden Kinder, deren Münder fest an die Brüste gepreßt waren, die aus einem Längsschlitz der weiten Gallabiyya hervorschauten. Wir wohnten im dritten Stock. Vor uns war das Dach, auf dem meine Mutter Enten und Hühner hielt und den Festtagshammel anzubinden pflegte. Das Dach hatte eine niedrige Mauer, über die ich mich lehnte, um auf den schmalen, langgezogenen, dichtbewachsenen Garten hinunterzuschauen, der zwischen unserem und dem Nachbarhaus lag. Darin stand eine Dattelpalme, deren Büschel die gegenüberliegende hohe Mauer berührten. Unter der Palme wuchsen irgendwelche Pflanzen und standen in großen Mengen Blumentöpfe mit Basilikum. Der kleine Garten hatte eine Tür, die zur Erdgeschoßwohnung führte, besaß jedoch keine Verbindung zur Straße.

Husein Effendis Wohnung lag direkt unter unserer, im zweiten Stock. Er hatte immer ein rotes Gesicht, war kurz und stramm und hatte einen kleinen Bauch. Er trug den gebügelten Tarbusch stets auf der richtigen Seite und besaß einen Stock aus knotigem und glänzendem Walnußholz. Manchmal sah ich ihn im Hause, er hatte eine saubere weiße Dschallabiyya* an und scherzte dann mit mir und neckte mich gutmütig mit heiserer, fröhlicher Stimme. Er hatte keine Kinder. Seine Frau hieß Wahiba, sie war eine enge Freundin meiner Mutter. Manchmal sagte sie zu meiner Mutter, daß ihr Prophet sie uns an-

* Weites, hemdartiges Gewand.

empfehle und daß Jesus, unser Prophet, ebenso ein Gesandter Allahs sei wie Moses und Abraham. Es kam auch vor, daß meine Mutter ihr gegenüber einen Eid bei Christus, Sohn des lebendigen Gottes, schwor. Beide pflegten gemeinsam über Dinge, die ich nicht verstand, zu lachen und zu flüstern. Ihr täglicher Besuch bei uns endete gewöhnlich damit, daß beide Küsse tauschten. Ich fand es allerdings etwas seltsam, wie sie ihre Wangen aneinanderlegten und ihre Lippen spitzten, ohne sich richtig zu küssen.

Ich hörte, wie meine Mutter und Frau Wahiba leise über die neuen Hausbewohner redeten, die in die Erdgeschoßwohnung gezogen waren, welche zum Garten hinausging. Frau Wahiba meinte, das sei eine Zumutung und man müsse etwas dagegen tun.

Die Fenster der Erdgeschoßwohnung waren ständig verschlossen. Als ich eines Tages aus der Schule heimkam, bemerkte ich, daß die Tür nur angelehnt war. Dahinter sah ich Husniyya.

Sie war schlank, von kleiner Statur, und ihr pechschwarzes Haar wurde von einem weißen Reifen zusammengehalten. Sie war nicht älter als ich, eher etwas jünger. Ich spürte, daß sie etwas hatte, was mich anzog, und verliebte mich plötzlich sehr in sie.

Sie saß in einem Korbsessel vor einem Tisch mit großer Marmorplatte, auf die eine weiße durchbrochene Tischdecke lag. Bekleidet war sie mit einem weiten, aber kurzen Nachthemd. Es reichte ihr nur bis zu den Knien und ließ die Beine frei, die sie müde und entspannt ausgestreckt hatte. Als sie mich bemerkte, wandte sie mir ihr Gesicht aus dem Halbdunkel zu, das durch die geöffnete Innentür des Gartens grünlich schimmerte. Ich stand in der gefliesten Diele hinter der Außentür, vor der ersten breiten Stufe der Treppe. In ihrem lebhaften, kegelförmigen Gesicht sah ich große, leicht hervorstehende Augen und über den Augenhöhlen sehr feine, geschwungene Augenbrauen.

Ihre bejahrte, gedrungene, sehr dicke Mutter hatte ich schon öfter nachmittags aus dem Haus gehen sehen. Sie trug kein Umschlagtuch, sondern stets ein und dasselbe gemusterte Kleid sowie an einem Fuß einen dicken Sil-

berring, der ihre geschwollenen Knöchel über den Stoff-
hausschuhen mit niedrigen Absätzen umschlang.

Husniyya nickte mir grüßend zu. Ich hatte die oberste
Treppenstufe erreicht und fühlte plötzlich, daß mein Gesicht blutrot anlief. Ich wußte nicht, ob ich den Gruß
erwidert hatte oder ob ich einfach weggelaufen war.

Ein anderes Mal winkte sie mich freundlich mit dem
Finger heran. Zögernd ging ich auf sie zu, blieb aber vor
der Zimmertür stehen. Sie war in ihrem weiten, kurzen
Hemd aus weißer Seide, das vom langen Tragen schon
ganz fadenscheinig geworden war, und sagte zu mir:
»Komm her, mein Lieber, komm her zu mir!«

Und mit heiserer, ein wenig gequetschter Stimme fragte
sie: »Kaufst du mir bei Husni, dem Krämer, für zwei
Piaster Karamelbonbons?«

Ich nickte, und mein Mund war vollkommen trocken.
Rasch ging ich los, die Schulbücher bei mir, und nach ein
paar Minuten war ich zurück. Sie trat auf mich zu, und
ich reichte ihr die sechseckigen, orangefarbenen Karamelbonbons, auf denen der erhabene, halb durchsichtige
Kopf einer jungen Sphinx mit Bart zu sehen war. Plötzlich streckte sie die dünnen Arme aus und zog meinen
Kopf zu sich herab, an ihren kleinen weichen und zugleich festen Busen. Dann preßte sie meinen Kopf gegen
die Rippen ihres mageren Brustkorbes unter dem flau-
schigen Stoff ihres Hemdes.

Ich riß mich los, und mein Herz klopfte stürmisch, als
ich die Treppe hinaufstürzte.

Meine Mutter, die mir die Tür öffnete, fragte lachend:
»Was ist los mit dir? Hast du am hellichten Tag einen Dämon gesehen? Komm rein und wasch dir das Gesicht!«

Ich behielt die Karamelbonbons, wickelte sie in Silber-
papier und legte sie in eine Schachtel der Tabakmarke
»Gazelle«, aus der mein Großvater immer seine Zigaretten gedreht hatte. In der Schachtel bewahrte ich die
Schätze meiner Kindheit auf: einen weißen Knochen, eine spiralförmig gewundene Muschel vom Strand, fünf
Murmeln, die wie blau und gelb gestreifte Edelsteine
schimmerten, einen glatten aschgrauen Kieselstein sowie
Teile von einem Schwarz-Weiß-Film mit aufeinanderfol-
genden Bildern von Tom Mix auf seinem Pferd, die sich

jedoch kaum bewegten, obwohl es lief. Ich hob die Karamelbonbons auf, bis Husniyya fortgegangen, die orangegelbe Farbe verblaßt und der Rand des Sphinx-Reliefs abgebröckelt war. Dann aß ich sie wütend auf.

Ich liebte sie, fürchtete mich aber zugleich vor irgend etwas, das in der Hinfälligkeit ihres zarten und entkräfteten Körpers verborgen zu sein schien.

Einmal sagte sie zu mir, ohne mich anzublicken, daß sie nachts sehr lange Reisen unternehme und daß diese Nachtreisen ermüdend und ohne Sonnenschein seien.

Ich bildete mir ein, das zu verstehen. Vielleicht geht sie, dachte ich mir, zum Misr-Bahnhof, fährt nachts mit dem Zug umher und kommt vor Tagesanbruch zurück. Ich hielt das für möglich, wußte aber doch, daß sie das Haus niemals verließ.

Sie sagte: »Unser Herr vergibt uns die nächtlichen Reisen.«

In jenen Tagen las ich in der Bibel mit dem schwarzen Umschlag und den bunten, bereits leicht verblaßten Ornamenten darauf. Ich las beharrlich Seite um Seite, Kapitel um Kapitel. Viel verstand ich nicht von den komplizierten Namen, die darin vorkamen. Ich träumte beim Hohen Lied, weinte oft, wenn ich von der Kreuzigung Christi las und darüber, wie er gefoltert wurde und für uns am Kreuz starb. Das Mysterium Christi peinigte mein Herz und bürdete ihm eine ungeahnte Last auf.

Ich hatte die Angewohnheit, zu Frau Wahiba hinunterzugehen und mir Romane über Rocambole und Phantomas sowie von Girgi Zaidan und Nikula Rizkallah auszuborgen, die Si Husni, der Bruder von Husein Effendi, zu kaufen pflegte und in einer kleinen Holzkiste neben seinem Bett aufbewahrte. Ich hatte schon den Roman ›Sappho‹ gelesen, der in hoher Auflage erschienen war und einen schmutzig-grauen Umschlag hatte, auf dem der Name des Autors in großen und schlanken Sulusbuchstaben* geschrieben stand. Der Roman entflammte meine Sinne und erfüllte meine Phantasie.

Si Husni besaß einen Krämerladen an der nächsten Straßenecke, die von unserem Balkon aus zu sehen war.

---

* Dekorativer Kalligraphie-Stil.

Den ganzen Tag über hielt er sich in seinem Laden auf. Er war hochgewachsen, gutaussehend, hatte kräftiges Haar, und er sprach selten mit mir. Es war Frau Wahiba, die mir seine Bücher gab. Manchmal ließ sie mich hinein, damit ich die Kiste inspizieren und mir aussuchen konnte, was ich wollte. Sie stand dann hinter mir, mit der leichten Nacht-Dschallabiyya bekleidet, korpulent und weiblich. Durch den Schlitz der Dschallabiyya sah ich ihre weiche, braune, füllige Brust hoch über mir schwer und beruhigend wogen.

Stets, wenn ich in ihre Wohnung trat, hatte ich ein Gefühl der Scheu in meiner Brust, die erregende Empfindung von Sünde und Genuß, von einer besonderen, geheimnisvollen Atmosphäre, die diese Wohnung ausstrahlte. Sie schliefen, aßen und lebten anonym, auf eine Weise, die ich nicht kannte. Es genierte mich, mir vorzustellen, was sie in ihren Hauskleidern taten, die sie niemals außerhalb der Wohnung trugen. Auch daß sie Muslime waren, war eines der Momente für das Verborgene, für die Scheu und die anziehende Rätselhaftigkeit.

Ich sah Husein Effendi tagsüber in dem großen Bett im anderen Zimmer, direkt unter dem meines Vaters und meiner Mutter, schlafen und sich so auf die Nachtschicht an der Brücke vorbereiten. Frau Wahiba schaute, nachdem ich geklopft hatte, durch das gläserne Guckfenster, erblickte mich, schloß es und öffnete mir die Tür. Ich wußte, daß sie, sobald sie etwas hastig atmend und mit rotbraunen Flecken in ihrem guten Gesicht herausgetreten war, mit ihren nackten Armen ihr kräftiges und widerspenstiges Haar ordnete. Wenn ich die Augen hob, zeigte sich mir dann ein kleines verborgenes Stück ihres Busens zwischen Achselhöhle und Brust. Sie sagte zu mir: »Möge Allah deinen Teufel bestrafen, o Michael! Willst du schon wieder ein neues Buch? Hast du denn nie genug? Na, dann komm rein, mein Lieber!«

Von ihr ging ein voller, fruchtbarer Geruch aus wie von Sauerteig. Ich trat rasch ein, verlegen und erregt, und fragte mich, wo eigentlich mein Teufel sei und wie er wohl aussah. Doch ich vergaß das alles, sobald ich in den Büchern blätterte. Noch immer, bis jetzt, empfinde ich Scheu, wenn ich die Wohnung Fremder betrete. Es ist, als schritte ich in eine andere Welt, deren Gefahren mich gleichermaßen warnen, anziehen und abstoßen.

Am Tag des Treppenreinigens füllt meine Mutter den Blecheimer mit Wasser aus dem Hahn im Bad, trägt ihn zum Treppenabsatz und kippt ihn über die Treppenstufen aus. Lustig plätschert das Wasser hinunter. Dann hockt sich meine Mutter hin und wischt mit einem dunklen Lappen aus Sackleinwand die Stufen, eine nach der anderen, bis zur Tür von Frau Wahiba. Die wartet schon und sagt lachend: »Nun übertreib mal nicht, Schwester! Immer mit der Ruhe, Umm Michael, laß dir Zeit!«

Darauf bückt sie sich, wobei sie ihre Haus-Dschallabiyya über die kräftigen braunen Unterschenkel hebt und mich verschmitzt anschaut, was ich sehr seltsam finde, und führt das Treppenreinigen bis zur Erdgeschoßwohnung fort. Frau Umm Husniyya verspätet sich jedoch oft, weswegen das Wasser in einer kleinen, trüben Lache auf den Fliesen stehenbleibt. Erst nach dem Mittagessen, wenn ich hinuntergehe, um etwas einzukaufen, sehe ich den Hauseingang und den Treppenabsatz im Erdgeschoß feucht glänzen.

Danach besucht Frau Wahiba, die die feuchte Dschallabiyya gegen eine frische getauscht und ihre Haare gewaschen hat, meine Mutter. Sie sitzen schwatzend und Kaffee trinkend auf dem Istanbuler Sofa, dessen baumwollgepolsterte Sitzflächen mit einem weißen, faltigen Tuch bedeckt sind. In der Mitte des Sofas liegen zwei kleine, sehr harte Kissen übereinander, auf die sich Frau Wahiba, die das Wort führt, seitlich stützt. Mit dem Rükken zu ihr sitze ich an meinem ovalen, mit Zeitungspapier bedeckten Marmortisch und mache meine Englischaufgaben. Auf dem Tisch liegen, an die Wand gelehnt, in zwei gleich großen Stapeln meine Schulbücher und -hefte und dazwischen, gut versteckt, ein Taschenbuchroman. Den bunten Umschlag habe ich, damit er mich nicht verrät, abgemacht. Er zeigte das Bild einer sehr attraktiven blauen Frau, die in ein rückenfreies Gewand mit nur einem Träger gehüllt war, das in anmutigen Falten bis zum unteren Ende des Umschlags herabfiel.

Ich lauschte heimlich dem gemurmelten Gespräch der beiden Frauen, während ich die Konjugation der englischen Verben mit einer alten kupfernen Feder übertrug, von der plötzlich ein runder Tintentropfen herabfiel. Er breitete sich auf dem Papier aus, bevor ich ihn mit dem Löschblatt daran hindern konnte. Ich erfuhr, daß die Kutscher von dem Stall, der uns gegenüberlag, nachts die Erdgeschoßwohnung besuchten und ein oder zwei Stunden später einzeln wieder herauskamen und daß das Treppenhaus dann bis zum frühen Morgen nach Haschisch roch. Mit heiserer, fiebriger Stimme murmelte Frau Wahiba: »Aber nicht nur die Kutscher, Schwester! Die haben sogar Kunden aus dem Café in der Mahmudiyya-Straße. Mitten in der Nacht! Und lange bleiben die!«

Die seltsamen Worte hatten eine zwiespältige Wirkung auf mich. Obgleich ich mich nicht traute zu fragen, vermutete ich doch, daß dort irgend etwas Schockierendes zwischen Männern und Frauen geschah.

Im Zimmer hatten wir ein Grammophon, einen quadratischen Kasten, der auf einer zweitürigen Kommode aus dunklem, schimmerndem Holz mit gelben Pflanzenintarsien stand. Der Lautsprecher, der als enge Röhre begann und sich zu einem breiten Trichter ausdehnte, ragte hoch empor. Auf den schwarzen Schallplatten war ein Hund zu sehen. Er hielt seine Schnauze in einen anderen Lautsprecher, der genauso aussah, wie der unseres Grammophons. Darunter stand geschrieben: Die Stimme seines Herrn. Mich wunderte sehr, daß er die Stimme seines Herrn in den Lautsprecher bellte. Wer war sein Herr? Inzwischen drehte sich langsam die Schallplatte, und eine schnelle, hohe Stimme sagte: Baidaphon präsentiert Ustas* Mohammed Abd al-Wahhab! Dann ertönte knisternd und blechern seine schöne Stimme mit Liedern über den Nil, der braun sei wie ein Äthiopier. Bald erstarben jedoch die Lieder, und erst nachdem wir die Kurbel gedreht hatten, konnten wir uns wieder an unserem Grammophon erfreuen. Vom Zimmer führte eine Tür auf eine lange Veranda. Sie hatte zwei kleine Fenster zu dem Stall hin, in dem nachts zwei leichte Kutschen und vier Pferde standen. Unter einem kaputten abfallenden Dach, das von vier kurzen steinernen Säulen getragen wurde,

* Meister; auch Anrede für Gebildete.

46

lagen übelriechende Haufen nassen Klees sowie abgelegte Wagenräder. Der Stall hatte ein niedriges, breites Holztor, das auf einen Platz hinausging, der etwas erhöht lag und sich ungleichmäßig zwischen dem Stall und den Häusern hinstreckte. Über ihn gelangte man in eine enge Gasse, die erst anstieg, sich dann aber zur Mahmudiyya-Straße hinabsenkte. Auf dem breiten, zum Wasser abfallenden Ufersaum des Kanals wuchsen Brunnenkresse, Lattich und Rettich. Ich pflegte das Gemüse für meine Mutter von einem Bauern zu kaufen, der mit einem ärmellosen kurzen, groben Hemd von schmutzigblauer Farbe bekleidet war. Auf seinen riesigen, schwarzen Füßen kam er immer wie ein Dämon aus einer winzigen Hütte, die er sich aus Lehm und Stroh unter der Kanalbrücke gebaut hatte. Seine Hände waren groß und hart, seine Finger kurz und krumm.

Ich schlief in dem großen Bett mit den schwarzen Gitterstäben. An ihnen hingen kupferne Ringe, die ich manchmal abmachte, um mit ihnen zu spielen, und rasch wieder einsetzte, bevor es jemand merkte. Meine Schwestern schliefen neben mir an der Wandseite – Aida, die ich sehr gern hatte, und die kleine Hana.

Als ich mitten in der Nacht durch rasches, eiliges Klopfen an der Wohnungstür plötzlich geweckt wurde, brannte die an der Wand hängende Gaslampe mit kleiner Flamme und warf aus ihrem schlanken Glaskörper flakkerndes Licht in die Ecken des Zimmers. Ich hörte, wie mein Vater im großen Zimmer gegenüber aus dem Bett stieg, und sah ihn in die Diele gehen. Er hatte sich den oberägyptischen Kaftan übergeworfen und eine dünne geflochtene Schnur um den Leib gebunden. Rasch ging er zur Tür, gefolgt von meiner Mutter in ihrer Nacht-Dschallabiyya. Sie trug die große Gaslampe und ging ihm barfuß in die gefliese Diele nach.

Zitternd vor Erwartung, Furcht und Überraschung war ich nun vollends wach. Meine beiden Schwestern neben mir schliefen weiter.

Ich hörte, wie Husniyya an der Tür mit leiser, fiebriger und demütiger Stimme sagte: »Hab Erbarmen mit mir, Herr! Versteck mich! Unser Herr würde deine Frau auch nicht verraten! Hab Erbarmen! Ich küsse deine Füße!«

Mein Vater erwiderte schlaftrunken, doch sehr freundlich in seinem oberägyptischen Dialekt, den er zeit seines Lebens nicht ablegte: »Im Namen des Vaters, des Sohnes und des Heiligen Geistes! Tritt ein, Mädchen, tritt ein! Es gibt keine Macht und Stärke als bei Gott. Was hast du, Mädchen? Was ist los?«

Dem Weinen nahe, flehte Husniyya: »Die Polizei, Onkel Gildis, ist hinter mir her. Ich bin hilflos, bei Allah! Ich bin unschuldig! Verstecke mich! Ich küsse deine Füße! Hab Erbarmen.«

Die Tür wurde geschlossen, und Schritte näherten sich. Meine Mutter kam mit der großen Lampe zu mir. Vater flüsterte hastig: »Komm her, Mädchen! Leg dich zu den Kindern ins Bett und deck dich zu!«

Und wie zu sich selbst oder zu seiner Frau sprach er in eigenartigem Ton: »Unser Herr befahl das Beschützen. Unser Herr beschützt unsere Frauen.«

Was meine Mutter angeht, so sah ich sie im Schatten und im flackernden Licht mit vor Zorn glänzenden Augen und fest entschlossen. Zu Vater sagte sie leise: »Der Junge!« Ich schloß meine Augen und rührte mich nicht. Als ich meine Augen wieder ein wenig öffnete, sah ich, wie sich Husniyya in ihrem weiten, weißen Hemd, das ich kannte, neben mich legte. Ihr Haar war zerzaust, und ihre Augen waren vor Angst weit geöffnet. Sie war barfuß. Aida bewegte sich leicht und seufzte im Schlaf. Ich legte die Arme um Husniyya und merkte, daß sie am ganzen Körper zitterte, unfähig, etwas dagegen zu tun. Sie war ganz kalt.

In der nächtlichen Stille hörte ich plötzlich Hufgetrappel auf der mit kleinen weißen Steinen gepflasterten und mit Sand bestreuten Straße sowie lautes Stimmengewirr. Erst wurde an die Tür der Erdgeschoßwohnung geklopft, dann kamen schnelle schwere Schritte auf der Treppe herauf. Die Wohnungstür von Frau Wahiba wurde geöffnet. Schließlich hämmerte es laut und eilig an unserer Tür.

Ich konnte nicht widerstehen und sprang aus dem Bett, nur mit der seidenen, weißen Dschallabiyya bekleidet. Mit dem Laken deckte ich Husniyya zu und lief zur Tür.

Als mein Vater die Tür öffnete, stürzte ein hochgewachsener Konstabler in die Wohnung. Er trug eine Reiteruniform mit dickem Lederkoppel und enge Stiefel. Stämmig, aufrecht stehend und böse, hielt er den Dienstrevolver in der Hand. Hinter ihm standen zwei Kriminalbeamte in schweren Dienstschuhen, den Uniformmantel hatten sie über die einheimische Dschallabiyya gezogen. Sie hielten dicke Walnußstöcke mit krummem Griff in den Händen.

Als der Konstabler meinen Vater erblickte – hager wie eine Gerte, hocherhobenen Hauptes, mit dem Stolz des Oberägypters – und hinter ihm meine Mutter, offensichtlich aus dem Schlaf gerissen, sowie mich, hielt er einen Moment etwas ratlos inne und sagte dann: »Entschuldigen Sie bitte! Nehmen Sie es mir nicht übel, aber ist eben irgend jemand in Ihre Wohnung gegangen?«

Mit fester und ruhiger Stimme antwortete mein Vater: »Wer soll denn um diese Zeit zu uns kommen, mein Sohn? Was ist denn eigentlich los?«

Meine kleine Schwester Hana stieß im Schlaf einen kurzen Schrei aus, und meine Mutter eilte mit der Lampe in der Hand zu ihr, uns und die Polizei im schwankenden Dunkel zurücklassend.

Der Konstabler, der zu begreifen begann, daß er sich überstürzt und albern benahm, sagte: »Überhaupt nichts! Ich war nur um Euch besorgt. Ihr seid ja gute Leute. Nehmt es mir nicht übel! Uns ist etwas über die Wohnung im Erdgeschoß dieses Hauses zu Ohren gekommen. Ich rate Euch, vorsichtig zu sein und niemanden einzulassen. Ich bitte nochmals um Entschuldigung! Schließt gut ab und gute Nacht!«

Ich hörte sie langsam die Treppe hinuntergehen. Dann vernahm ich, wie sich das Dienstpferd mit klappernden Hufen entfernte.

Mein Vater sagte zu Husniyya: »Du kannst jetzt runtergehen, Mädchen. Es ist alles vorbei. Unser Herr wird dich leiten und deinen Weg erleuchten. Geh, unser Herr ist bei dir!«

Sie weinte tränenlos, mit gesenktem Kopf. Dann ergriff sie die Hand meines Vaters und küßte sie. Er riß sie zurück, als hätte er sich verbrannt, und sprach mit leiser, monotoner Stimme: »Vergib mir, o Herr, vergib mir, o Herr, vergib mir, o Herr!«

Ich schaute ihr nach, wie sie die Stufen hinuntereilte, und sah Frau Wahiba hinter der angelehnten Tür stehen, durch die ein zitternder Lichtschein auf den Treppenabsatz fiel.

Dann ging ich ins Bett zurück. Mein Vater stand in seinem Zimmer. Er schlug das Kreuz und betete.

Am anderen Morgen fand ich keine Spur von Husniyya, auch nicht von ihrer Mutter, die nach den Worten von Frau Wahiba gar nicht ihre Mutter war. Sie hatten ihre Sachen auf ein Fuhrwerk geladen und die Gegend verlassen. Ich dachte oft an sie und sehnte mich nach ihr.

Als ich erfuhr, daß die Polizei die Wohnung von Frau Wahiba nicht betreten und sie auch nichts gefragt hatte, verstand ich ihr Geflüster mit meiner Mutter. Ich hatte begriffen und wollte nichts mehr mit ihr zu tun haben.

Ohne daß ich es merkte, war der Wagen von der Erde davongetragen worden, gezogen von zwei zornigen Pferden voller Jugend und Wildheit. Ich hörte das Rumpeln der mit dünnen Blechstreifen beschlagenen Räder auf dem schwarzen Basalt. Husniyya wurde unter die eisernen Hufe der Pferde geworfen, die ihr den Brustkorb zertraten. Ihre Augen blickten starr von der Erde zu mir auf. Stummes Mitleid, das ich nicht wollte, sprach aus ihnen. Räder und Hufe dröhnten wie eine Explosion. Der mit Mehlsäcken beladene Wagen fuhr rauf und runter, her und hin, unaufhaltsam. Vor der großen Mühle wendete er, fuhr zur geöffneten Brücke und kehrte wieder um. Ich war auf dem Kutschbock hintenübergefallen und klammerte mich nun mit den Händen an die Wagenwand. Niemand war neben mir. Der Wagen raste ohne Unterlaß, doch er kam nicht voran. Er war verflucht.

Damals wie jetzt sehe ich mich in den tiefsten Abgründen der Sehnsucht. Sie wecken in mir wilde Träume, die das Anlitz der Pferde der Erinnerung haben und deren Getöse mich fast überwältigt.

Im Dunkel des hohen Alters, in dem mich plötzlich eine überschwengliche, peinlich weite Liebe erleuchtete, begriff ich, daß ich auch Wahiba umarmte und den Duft ihrer Weiblichkeit einsog. Dort im Inneren ihres weichen, fruchtbaren Körpers war eine überwältigte, rührende Husniyya. Ihr störrisches, kurzes Haar lebte unter meinen Fingern. Ich legte schützend die Arme um sie, in meine Hände waren Nägel geschlagen, und von meiner speerdurchbohrten Seite tropfte ein wenig Blut.

Es war im Sommer nach meinem siebten Geburtstag. Eines Morgens nahm mein Vater mich in seinem Wagen mit, und wir fuhren zusammen los, ohne meine Mutter. Auf dem Weg von Alexandria zu unserem Dorf Schaqa' iq Al-Ban sagte er mir, daß er mich dort den ganzen Monat August lassen würde. Ich könnte mit meinen Cousins spielen. Als ich ihn erstaunt fragte, warum sie nicht zu uns ans Meer kämen und ob Asmi auch dort wäre, lachte er und fuhr mit dem Wagen weiter die unasphaltierte Straße entlang, die parallel zum Nubaria-Kanal verlief. Dann fragte er mich, warum ich mich ausgerechnet nach ihm erkundigte und ob ich noch immer Angst vor seinen Augen hätte. Weiter sagte er mir, ich sei doch jetzt groß genug, um zu begreifen, daß auch er ein Geschöpf Gottes und ganz nett sei. Ich zuckte mit den Schultern und blieb bei meiner Meinung.

Denn Kamal, der Sohn meines Onkels Aziz, dunkelbraun wie brauner Zucker, wie Karamel, war mir lieber als Asmi. Ich mochte seine schwarzen, großen Augen, immer mit Tränen gefüllt, die aber in den dichten Wimpern hängenblieben. Gerne küßte ich seine Grübchen, die auf seinen zarten, glatten Wangen erschienen, wenn er lachte. Dann kamen seine weißen Zähne zwischen den dunklen, aufgeworfenen Lippen zum Vorschein.

Gegen Asmi, diesen Paschasohn, der mit seinem Pferd zwischen den Brücken hin- und hergaloppierte und dabei die Peitsche in der Luft schwang, hatte ich eine Abneigung, nicht zuletzt auch, weil er den Bauern gegenüber rücksichtslos war.

An Festtagen versammelte sich die Familie im Hauptteil des Palasts, wo meine Großmutter Hadscha Umm-al-Muhandis[*] – mein Vater war Ingenieur – wohnte. Sie war die erste Ehefrau meines Großvaters Abdallah, der der einzige Sohn meines Urgroßvaters asch-Scharif Abd al-

[*] Mutter des Ingenieurs.

Magid-al-Maghribi war, des Begründers des Dorfes Schaqa' iq Al-Ban. Er benannte das Dorf nach den zahlreichen Moringa-Bäumen, die er entlang der Kanäle zwischen den Feldern angepflanzt hatte. Man erzählte, daß er
aus der Al-Baheira-Region stammte. Er hatte bei dem
Khediven als Sekretär gearbeitet. Man ertappte ihn dabei,
als er sich in den Haremsflügel des Palasts einschlich, um
mit einer Sklavin des Khediven zu schlafen. Der Khedive
sperrte ihn dafür einen Monat lang in der Zitadelle ein.
Dann verbannte er ihn in die Wildnis und gab ihm tausend Fiddan Brachland. Mein Urgroßvater machte das
Land urbar und erbaute einen Palast, der so groß wie der
Palast des Khediven war. Und weil mein Urgroßvater
nicht genügend Geld besaß, baute er nur den Hauptteil
aus Stein. Er bohrte einen Brunnenschacht, so daß der
Palast mit Wasser versorgt war. Er legte ihn mit seltenen,
orientalischen Makade-Teppichen aus. In diesem Hauptteil wohnte meine Großmutter. Dann baute er zwei Sei-
tentrakte aus Ziegelsteinen an, mit je zwei Etagen. Er
verband die beiden Seitenflügel mit hölzernen Brücken,
die über Innengärten mit Springbrunnen führten, in denen Vögel schwammen. Über die Brücken konnte er sich
von einer Frau zur anderen begeben. Und auch die Frau-
en konnten sich gegenseitig besuchen, ohne den Palast
verlassen zu müssen.

Später lebten dort die anderen Frauen meines Großvaters Abdallah, so die Großmutter Umm-al-Pascha, bei
der Asmi immer wohnte, wenn er ins Dorf kam; sie war
unter den Bauern als sehr geizige Frau bekannt, was meine Abneigung Asmi gegenüber noch verstärkte.

Meine andere Großmutter Umm-al-Abed* hatte man
so genannt, nachdem sie meinen Onkel Abd al-Aziz geboren hatte, der ganz schwarze Haut hatte und sehr mus-
kulös war. Er war sehr schweigsam und ein Träumer. Die
Bauern fürchteten sich vor ihm, obwohl er in Armut auf-
wuchs und wie sie auf den kleinen Feldern arbeitete, die
er von seinem Großvater geerbt hatte. Seit seiner Geburt
war mein Großvater zornig auf ihn und auf seine Mutter.
Er warf seiner Mutter Untreue mit seinem Sklaven Al-

* Mutter des Sklaven.

mas, dem Wächter ihres Flügels, vor. Er ließ ihn auspeitschen und schickte ihn fort. Almas verschwand, und niemand hat jemals wieder etwas von ihm gehört. Seine Frau sperrte mein Großvater ein und ließ sie mit ihrem Kind allein. Sie zog ihren Sohn auf und wurde fromm. Bis ans Ende ihres Lebens verbrachte sie ihre Tage mit Gebeten.

Mein Onkel Aziz heiratete eine Bäuerin. Sie gebar ihm den Sohn Kamal und starb bei seiner Geburt. Kamal wuchs bei seiner Großmutter auf. Deshalb mochte ich ihn noch mehr. Er gefiel mir, weil er immer sauber war. Sein Gesicht strahlte, obwohl er nur einen einzigen Gilbab besaß. Er besuchte die Koranschule des Dorfes; der Scheich schlug ihn einmal zur Strafe auf die Fußsohlen, bis sie so geschwollen waren, daß er seine Schuhe nicht mehr anziehen konnte. Aber er war trotzdem zart und lieb im Gegensatz zu Asmi, dessen Augen ich fürchtete. In meiner Phantasie erschienen sie mir wie die Augen eines Räubers, obwohl ich bisher noch nie einen zu Gesicht bekommen hatte. Wenn er mit mir sprach, wußte ich nicht, ob er wirklich mit mir sprach oder ob er gerade jemand anderen anschaute und mit ihm sprach. Bevor ich ihm noch antworten konnte, drehte er sich um und ging. So war es sehr schwierig, miteinander zu reden, und meine Einstellung ihm gegenüber veränderte sich nicht.

Früher waren wir immer nur für ein paar Tage im Dorf geblieben, wenn wir zu Besuch kamen. Deshalb war ich ganz überrascht und fragte meinen Vater, warum ich den ganzen Monat August über hier bleiben sollte. Als er vor der großen hölzernen Tür anhielt, sagte er zu mir, er wolle, daß ich die Überschwemmung des Nils sehen könne, wenn das Wasser die Kanäle füllte und die Felder bewässerte; dann waren die Früchte reif. Dann wandte er sich den Männern und Kindern zu, die sich um den Wagen versammelten, und verteilte die Geschenkpakete, die wir für die Verwandten und die Bauern mitgebracht hatten.

Ich stieg aus und lief hoch zum Zimmer meiner Großmutter, das sie nicht mehr verließ. Sie schlief auf derselben Couch, auf der sie tagsüber saß. Ich warf mich in ihre Arme und drückte meine Lippen auf die weichen, weißen Falten ihres Gesichts. Ich tippte auf ihr Muttermal rechts unter ihrem Mund. Ich zog an den weißen Haaren, die aus dem Muttermal hervortraten, wie ich es immer tat. Sie lächelte und drückte mich an sich. Dann setzte sie mich auf ihr knochiges Knie.

Sie bestand darauf, daß ich zum Mittagessen in ihrem Zimmer blieb, und fütterte mich mit ihren langen, schmalen Fingern, damit meine Finger nicht schmutzig wurden. Tatsächlich hätte ich nicht gewußt, wie ich ohne Messer und Gabel hätte essen sollen. Ich konnte mich nicht so hinsetzen wie mein Vater, mein Onkel und Kamal, die auf den Kissen um den niedrigen Tisch herum saßen, der mit Backblechen bedeckt war, die gerade aus dem Ofen gekommen waren. Asmi blieb stehen. Er konnte nicht auf dem Boden sitzen wegen seiner dicken Beine. Er beugte sich über das Essen und schlang es gierig in sich hinein. Er leckte seine Finger ab, um sie zu kühlen, weil das Essen so heiß war. Bevor er die Bissen in den Mund steckte, pustete er darauf. Er erzählte, daß seine Großmutter die Eier, die die Hühner morgens gelegt hatten, vor ihm versteckte. Sie verkaufte die Eier an die Bauern. Seitdem er hier war, gab es bei ihr nur Eingelegtes zu essen. Er mußte es zusammen mit trockenem Maisbrot essen.

Wir lachten alle darüber, und meine Großmutter sagte, daß seine Großmutter es schon ihr ganzes Leben lang so machte. Sie sparte am Essen und legte Geld zur Seite. Eines Tages würde ihm dann alles gehören. Er und Kamal waren daher jedesmal bei uns zum Essen eingeladen.

Mein Vater fuhr zurück. Mein Onkel Abd al-Aziz war ständig auf den Feldern beschäftigt. Wir setzten uns zu dritt um meine Großmutter herum, aßen und hörten ihren Geschichten und Erinnerungen an vergangene Zeiten zu. Sie erlaubte mir, mit den beiden Jungen aufs Feld zu gehen. Wenn ich neben Kamal am Ufer des Kanals saß, das mit Reisstroh bedeckt war, so vergaß ich meine Sehnsucht nach meiner Mutter. Das Mädchenhaar, wie die Bauern die Zweige des Moringa-Baumes nannten, hing bis zum Wasser hinab und bildete einen Vorhang, der uns vor den Augen schützte, vor allem vor den bösen Augen von Asmi, der auf seinem Pferd über die Felder ritt und vergeblich nach uns suchte. Wir amüsierten uns darüber in unserem Versteck und lachten ihn aus.

Unser Vergnügen wiederholte sich jeden Abend von neuem. Wir setzten uns nebeneinander. Ich beobachtete Kamal, wie er seine Angel auswarf. Seine Augen waren darauf geheftet und lauerten, bis ein Fisch anbiß. Dann zog er ihn geschickt heraus. Der kleine Fisch hing am Haken und versuchte zu entkommen. Wir freuten uns über unsere Beute und beschlossen, den Fisch zum Abendessen zu braten. Aber meine Großmutter überzeugte uns davon, daß der Fisch nicht zum Essen geeignet war, weil er so klein war. Trotzdem gaben wir die Hoffnung nicht auf, daß wir eines Tages einen Fisch fangen würden, der groß genug wäre, um für ein Abendessen für alle auszureichen.

Wenn die Sterne am frühen Morgen am Himmel verblaßten, stand Kamal auf, legte seine Hand an seine Wange und sang den Azan* mit seiner zarten, hohen Stimme. Ich genoß das und schaute zum Himmel, auf der Suche nach Gott. Dann setzten wir uns an den Kanal und wuschen unsere Füße in seinem Wasser. Kamal sang dabei: »O Nacht, wieviele Menschen gibt es, die dir ihre Schmerzen klagen! O Nacht, quäle sie nicht!«

Wir streichelten uns gegenseitig zärtlich mit unseren Füßen und spritzten Wasser herum. Anschließend trocknete er mir meine Füße mit seinem Gilbab ab und zog mir die Schuhe an. Wenn er meine Füße mit seinen Fingern berührte, empfand ich ein erregendes Gefühl. Ich versuchte, mit ihm zu reden, bevor er mir die Schuhe zuband. Zusammen gingen wir los; er nahm meine Hand, wie es mein Vater immer tat. Ich betrachtete seine durchlöcherte Mütze. Sie sah über seinem Kopf aus wie eine Hängelampe am Abend. Er sang.

Eines Abends sahen wir plötzlich das rote Wasser, das über die Kanalufer getreten war. Es brachte den honigfarbenen, schweren Schlick mit sich. Wir rannten schnell nach Hause und überbrachten meiner Großmutter die aufregende Nachricht. Sie bestand darauf, daß ich in dieser Nacht auf ihrem Schoß früh einschlafen müßte.

Als ich am nächsten Morgen erwachte, fand ich im Zimmer meiner Großmutter fremde Frauen vor. Sie ho-

---

* Gebetsruf des Muezzin.

ben mich hoch und legten mich auf den niedrigen Tisch. Sie zogen mir meine Unterhose aus. Ich versuchte mich dagegen zu wehren und von meiner Großmutter Hilfe zu bekommen – aber vergebens. Sie gab einen Befehl. Zwei Frauen hielten jeweils ein Bein von mir fest. Dann spreizten sie sie auseinander und bogen die Knie durch. Ich fühlte mich, als ob ich auseinandergerissen würde. Eine Frau kam auf mich zu. Sie hatte grüne Linien auf ihr Kinn tätowiert. Sie sprach das »Bismillah« und lobte den Propheten. Aus einem Krug goß sie warmes Wasser zwischen meine Schenkel. Sie steckte ihre mit Henna bedeckten Finger zwischen die Falten des Fleisches und suchte, bis sie den Schwellkörper gefunden hatte. Sie rieb ihn zwischen ihren Fingern und streichelte ihn dann so lange, bis ich etwas wie ein Ameisenkribbeln im ganzen Körper verspürte. Ich erschlaffte und schloß die Augen.

Sie nahm mein Kleid hoch und warf es mir über mein Gesicht. Dann spürte ich einen heftigen Stich. Dann folgte ein Schmerz, der wie ein Feuer aufflammte. Ich schrie vor Angst und wurde bewußtlos.

Als ich wieder zu mir kam, fand ich mich im Bett neben meiner Großmutter wieder. Und als meine Großmutter merkte, daß ich zornig war und nicht mehr mit ihr reden wollte, nahm sie eine goldene Kette mit einem kästchenförmigen Anhänger, in dem ein winziger Koran steckte. Er war mit Türkisen verziert, die den Namen Gottes darstellten. Sie legte mir die Kette um den Hals und sagte, das würde mich vor Neid schützen. Von nun an fütterte sie mich jeden Tag mit eigener Hand, bis sich zwischen uns wieder Eintracht eingestellt hatte.

Jede Nacht kam die Frau mit der Tätowierung zu uns. Später erfuhr ich, daß es Hadscha Gaziya war, die Hebamme des Dorfes. Sie rieb meine Wunde mit Salben ein und rieb so lange, bis ich die Betäubung spürte und im Genuß erschlaffte. Jede Nacht wartete ich sehnsüchtig auf ihre Ankunft, um die Berührung genießen zu können, nach der ich sehnlichst verlangte.

Dann kam sie nicht mehr, denn sie hatte verkündet, daß ich geheilt war. Danach erlaubten sie mir, wieder in mein Zimmer zurückzukehren. Wenn ich allein im Bett lag, steckte ich die Hand in meine Unterhose und streichelte die Narbe, bis ich die angenehme, wunderbare Betäubung verspürte.

Als sie mir erlaubten, wieder aus dem Haus zu gehen, ging ich an den Kanal. Dort fand ich Kamal. Er saß wie immer da und fischte. Der Wasserstand war wieder gesunken. Ich setzte mich neben ihn. Ich lehnte mich eng an ihn und beklagte mich darüber, was sie mit mir gemacht hatten. Ich erschrak, als ich hörte, daß sie es auch bei ihm und bei den anderen Kindern gemacht hatten. Er erzählte mir, daß sie das jedes Jahr mit den Kindern machten, wenn der Nil die Felder überschwemmte. Dann warfen sie das abgeschnittene Stück Fleisch in sein Wasser. Er erzählte mir auch, daß unser Onkel, der Pascha, nach Asmi verlangt hatte, als er die Nachricht hörte: er wollte seine Beschneidung in Kairo bei einem guten, jüdischen Arzt machen lassen. Ich war überaus erleichtert, daß Asmi weg war, aber auch neugierig zu wissen, wie sie es bei Kamal gemacht hatten. Dieselbe neugierige Frage las ich auch in seinen Augen. Ich hob mein Kleid hoch, damit er es selbst sehen konnte. Er streichelte mit seinen braunen, schmalen Fingern darüber, und als er spürte, daß ich sein Streicheln genoß, streichelte er mich weiter. Er nahm meine Hand und steckte sie unter seinen Gilbab* und ließ mich seine Wunde fühlen. Ich faßte mit meinen Fingern an den runden Finger zwischen seinen Beinen. Da wurde mir zum erstenmal der Unterschied zwischen Jungen und Mädchen klar.

Jeder sah den anderen voll Entdeckerfreude an, und wir setzten unser neues Spiel fort. Er ließ seine Angel stehen. Wir schauten nach oben in die Palmen. Ihre Früchte waren reif. Tatsächlich trugen die Bäume viele Früchte, nachdem sie von der Überschwemmung gesättigt waren.

Als es dunkel wurde, kehrten wir langsam Arm in Arm nach Hause zurück. Wir gingen wie auf Wolken. Er sang sein Lieblingslied. Wir wiederholten unser Spiel jeden Abend, ohne uns zu langweilen. Ich streichelte mich nicht mehr selbst, nachdem ich durch sein Strei-

---

* Hemdartiges Gewand.

cheln zufriedengestellt war. Nachts saßen wir auf dem Stein neben meiner Großmutter und lauschten den Märchen der Nacht, bevor Kamal zu seinem Haus zurückging.

Der Monat August war schnell zu Ende. Mein Vater kam mit seinem Auto, um mich abzuholen. Trotz meines Weinens und des Flehens von Kamal, mit uns nach Alexandria fahren zu dürfen, ließ ihn mein Onkel nicht mitfahren, obwohl mein Vater ihm versprochen hatte, Kamal dort in die Schule zu schicken. Mein Onkel sagte, er wollte, daß aus ihm ein Scheich in al-Azhar würde.

Dann kam der Abschied. Der Abschied von meiner Großmutter war endgültig. Ein paar Jahre später starb sie, ohne daß ich sie noch einmal gesehen hätte. Denn meine Mutter erlaubte mir nicht mehr, zum Dorf zu fahren, nachdem sie erfahren hatte, was sie mit mir gemacht hatten und ich mich bei ihr über meine Wunde beklagt hatte, die sich nur beim Streicheln beruhigte.

Meine Mutter war wütend darüber und diskutierte mit meinem Vater lange über dieses Thema. Sie fragte ihn, ob der Islam wirklich so etwas befahl und ob das für die Mädchen genauso wie für die Jungen galt. Oder war das nur der Egoismus des Mannes und der Ausdruck seiner despotischen Haltung Frauen gegenüber? Mein Vater antwortete, daß wir Bauern seien und an der Tradition festhalten müßten, auch wenn wir uns wie die städtische Bevölkerung benahmen. Für den Rest des Sommers begleitete mich meine Mutter zum Strand und befahl mir, so lange zu schwimmen, bis ich erschöpft war. Danach würde ich sofort einschlafen, wenn ich zu Bett ginge. Im Winter wachte ich nachts ständig vom Pochen der Wunde auf. Sie brannte fürchterlich an dem beschnittenen Teil, der sich wie eine Bleistiftspitze anfühlte. Ich streichelte mich und träumte von den braunen, schmalen Fingern. Ein quälendes Gefühl des Verlusts befiel mich. Ich fühlte mich wie ein abgesetzter Aga; dann weinte ich. Aber ich lernte, meine Gefühle zu verbergen, meine Wünsche zu unterdrücken. Plötzlich schämte ich mich, mit meiner Mutter offen darüber zu sprechen. Ich wuchs heran und wechselte von einer teuren Schule zu einer anderen.

Nachdem ich die Schule abgeschlossen hatte, kamen die Heiratsanwärter, um bei meinem Vater um meine Hand zu bitten. In all diesen Jahren versuchte ich immer wieder, etwas über Kamal in Erfahrung zu bringen. Sein Schatten streichelte immer noch zärtlich meine Träume. Ich erfuhr, daß er das Studium abgebrochen und die Arbeit auf den Feldern übernommen hatte, nachdem sein Vater Abd al-Aziz krank geworden war. Kamal wurde in der Gegend ein bekannter Sänger und Erzähler der Lebensgeschichte Mohammeds bei Heiligenfesten. Die Menschen liebten seine zarte Stimme.

Asmi fuhr nach Frankreich, um dort Jura zu studieren, und war viele Jahre fort. Während dieser Zeit war er in den Gesprächen der Familie der Heiratskandidat für mich; inzwischen waren viele Familienmitglieder, unter anderen auch meine Mutter, gestorben. In dieser Zeit tröstete ich mich mit der Hoffnung, daß er eine europäische Ehefrau mitbringen würde. Aber er kehrte allein und mit einem Doktor in Jura zurück. Er war immer noch dick, und er hatte immer noch diese furchteinflößenden Augen. Er fuhr zum Dorf, riß das Haus seiner Großmutter ab und suchte vergeblich nach dem Geld, das sie angeblich darin versteckt hatte. Aber es wurde erzählt, daß Räuber sie ausgeplündert hatten, als sie vor zwei Jahren, noch vor Asmis Rückkehr, auf dem Sterbebett lag.

Mein Onkel, der Pascha, traute uns, nachdem er mit meinem Vater den Heiratsvertrag ausgehandelt hatte. Sie bereiteten die Hochzeit vor und ignorierten dabei meine Einwände. Mein Vater sagte, daß das Heiraten eine Angelegenheit der Oberhäupter der Familie sei, bei dem die Mädchen nichts zu melden hätten. Ich hatte viele Tanten, die überall in der Region von Al-Baheira in den großen Familien verstreut lebten. Das Erbe stand normalerweise den Söhnen der Familie zu, die besser als die Mädchen behandelt wurden und außerdem bei Festen die Gaben und Geschenke erhielten. Aber weil ich das einzige Kind meines Vaters war, würde ich nach seinem Tod alles erben. Da die Tradition unserer Familie besagte, daß kein Fremder an den Besitz der Familie gelangen sollte, entschieden mein Vater und mein Onkel über mein Schicksal. Meine eigenen Gefühle hatten dabei keinen Platz. Ich konnte auch nicht offen sagen, daß ich lieber den armen Sohn von al-Abed, den ich liebte, heiraten wollte.

Am Tag meiner Hochzeit war unser Haus voll von Verwandten. Ihre Anwesenheit ersetzte jedoch nicht die Abwesenheit meiner Mutter und Kamals, den sie gar nicht eingeladen hatten. In dieser Hochzeitsnacht war ich unendlich enttäuscht darüber, daß Asmi das Brennen meiner Wunde überhaupt nicht beachtete. Sein Interesse galt nur dem Jungbrunnen, dessen Siegel er als erster mit Vergnügen erbrach. In den folgenden Nächten warf er seinen Eimer in den Brunnen, um daraus seine Lust zu schöpfen, bis er satt war. Dann erhob er sich und beschwerte sich über meine Steifheit und meine Passivität. Später, als wir uns besser kannten, versuchte ich ihm zu zeigen, wie wir uns zusammen im Bett vergnügen könnten. Er lehnte verächtlich ab, meinen Vorschlägen zu folgen, und warf mir vor, frigide und anormal zu sein. Zwischen uns herrschte Abneigung, und mein Widerwillen ihm gegenüber nahm zu. Ich hatte gedacht, er hätte während seines langen Aufenthaltes in Frankreich auch mit den Französinnen die Geheimnisse der Sexualität erprobt. Aber mit der Dummheit eines Esels wehrte er sich dagegen, daß seine verehrte Frau solche vulgären Dinge und Hurereien kennenlernte.

Er nahm meinen Körper weiterhin in Besitz, wie er und wann er es wollte. Wenn er fertig war, stand ich auf, ging ins Bad, legte mich ins warme Wasser und streichelte meine Wunde selbst. Dabei erinnerte ich mich an die braunen, schmalen Finger, bis ich das angenehme Glücksgefühl erlebte. Am nächsten Morgen wachte ich auf; dann war ich Ehefrau und Mutter und füllte meine soziale Rolle aus, wie es von mir erwartet wurde. Ich plante eine bessere Zukunft für meine drei Töchter, die Gott mir geschenkt hatte. Im Laufe der Zeit kühlte das Interesse meines Ehemannes an mir ab. Das war für mich angenehmer, als wenn er ständig vergeblich versuchte, mich zu erregen.

Er war häufig von zu Hause abwesend. Als Rechtsanwalt hatte er viel zu tun und wurde immer bekannter. Seine Abwesenheit begründete er mit der vielen Arbeit. Ich achtete nicht weiter darauf, ich war ständig mit meinen Töchtern und mit meinen vielfältigen Aufgaben beschäftigt. Wir hatten die Gewohnheit, den Winter im

Haus seines Vaters, meines Onkels, in Kairo zu verbringen und den Sommer in der Villa meines Vaters in Alexandria. Beide starben kurz hintereinander.

Kamals Besuch heute morgen war eine große Überraschung für mich. Meine Töchter waren in der Schule und Asmi in seinem Büro. Ich begrüßte Kamal herzlich. Wir standen uns gegenüber und schauten uns verwundert und atemlos an. Ein Teil seines krausen Haares hatte dieselbe silberne Farbe, wie auch mein Haar inzwischen. Er war größer als ich und hatte immer noch diese wunderschönen Grübchen und dieses fröhliche Lächeln, das seine kräftigen Zähne sehen ließ. Plötzlich überwältigte mich die Sehnsucht, er möge mich in die Erregung versetzen, die mein Körper so lange vermißt hatte. Diese Vorstellung ließ mich zittern. Ich versuchte mich zu beherrschen, und seine langen, rauhen Finger umschlossen meine Hand zur Begrüßung. Ich empfand die Wärme seiner Hände als sehr angenehm. Wir setzten uns. Während wir Kaffee tranken, unterhielten wir uns zurückhaltend. Er sagte, daß er sich nicht erlaubt hätte, mit seiner Anwesenheit hier mein Glück aufs Spiel zu setzen, wenn die Angelegenheit nicht so wichtig wäre. Ich hörte aufmerksam zu und versuchte, mein Elend nicht zu zeigen und Würde zu bewahren. Er versuchte, die Wahrheiten, die er mir mitzuteilen hatte, abzumildern. Er fand, daß es seine Pflicht sei, mich vor der Gefahr für die Zukunft meiner Töchter zu warnen. Ich zitterte wieder, als er sagte, er habe das Gefühl, als seien es auch seine Töchter. Er empfinde für sie wie ein Vater, ein Gefühl, das er aus seinem Leben nicht kannte, weil er nie geheiratet hatte. Und er sagte, daß es Asmis Recht sei, seinen eigenen Besitz zu verspielen, nicht aber auch noch meine Erbschaft, über die ich ihm nach der Heirat eine Vollmacht erteilt hatte. Tatsächlich hatte ich all die Jahre über keine Rechenschaft von ihm verlangt; ich war damit zufrieden gewesen, daß er für alle Dinge im Haus und für alles, was die Töchter benötigten, sorgte.

Ich war mit meiner Selbstbeherrschung am Ende und begann zu weinen, als ich ihn sagen hörte, er würde mir zur Seite stehen, wenn ich Asmi entgegenträte. Er wisse, was für ein Schicksalsschlag das sei, und er wolle meine Töchter davor bewahren und vor allem auch mich, die ich so sehr an ein bequemes Leben gewöhnt sei. Beinahe hätte ich ihm gesagt, ich sei bereit, die Armut an seiner Seite gegen den Reichtum, in dem ich jetzt lebte, einzutauschen. Er setzte sich neben mich und versuchte, meine Tränen zu trocknen. Seine Kleidung duftete nach Amber. Er flüsterte mir zu, mein Schatten habe ihn nicht verlassen und er habe ständig für ihn gesungen.

Die Berührung seiner Finger, als er die Tränen von meinen Wangen wischte, erinnerte mich an die Berührungen von damals. Meine Wunde erwachte und pochte nach so langer Zeit der Entbehrung. Seine Augen waren noch immer mit Tränen gefüllt, die wegen der dichten Wimpern nicht hinunterrollten. Ich wollte in ihnen das Echo der Sehnsucht wiederfinden. Ich warf mich in seine Arme, denn ich konnte mich nicht mehr beherrschen. Ich weinte lange, in seinen Armen getröstet wie ein kleines Kind an der Brust der Großmutter. Dann löste ich mich von ihm, versuchte, die Tränen zu unterdrücken und zu lächeln. Die Erinnerungen ließen mich die Liebe und die Wärme für ihn noch tiefer empfinden. Ich sagte:

»Beruhige dich! Ich werde die Vollmacht außer Kraft setzen. Eine Konfrontation zwischen mir und ihm wegen meiner Töchter ist gar nicht nötig. Ich werde ihm von deinem Besuch überhaupt nichts erzählen.«

Er atmete erleichtert auf und sagte beim Aufstehen:

»Gott sei Dank! Ich war immer schon der Meinung, daß du vernünftig und geduldig bist.«

Ich fragte ihn:

»Gehst du immer noch angeln?«

Er lachte verhalten und sagte:

»Für dich werde ich noch einmal angeln gehen.«

Ich sagte ihm und lächelte dabei über meinen eigenen Entschluß:

»Jede Woche werde ich ins Dorf fahren, um meine Angelegenheiten dort selbst in die Hand zu nehmen. Du kannst die Angel schon bereithalten.«

Er drückte meine Hand und antwortete mir:

»Ich werde dafür sorgen, daß die Fische anbeißen.«

Ich stand da und sah ihm nach, als er hinausging und sang: »O Nacht! Quäle sie nicht!«

YAHYA AT-TAHIR ABDALLAH
Der Zigeuner

Rizq ist kein Zigeuner
Eine junge Frau aus guten Verhältnissen fühlte sich auf
dem Weg zur entfernten Siedlung ermattet. Sie lenkte
ihre Schritte zu dem nahen Zigeunerlager und setzte sich
im Schatten einer Palme nieder. Ihr Neugeborenes auf
dem Schoß, legte sie die Hand auf ihr Herz und ver-
schied.

Eine alte Zigeunerin schaute aus der Zeltöffnung auf
die Tote und wähnte sie schlafend. Einäugig forschte sie
nach einer Halskette oder nach Armbändern. Als sie
nichts fand, suchte sie mit wendigen Fingern in den Taschen nach Geld, aber vergeblich. Jetzt wurde sie stutzig:
der Körper war kalt und schlaff. Sie fühlte den Puls und
erkannte, daß die Frau tot war. Die alte Zigeunerin nahm
das Kind und sprach zu ihm, dem Neugeborenen, das
kein Wort verstand:

»Du bist ein Geschenk Gottes – Rizq*. Zuerst werde
ich dich mit der Nadel tätowieren, dann bei den Leuten
anklopfen und sagen: Dein Vater ist noch vor deiner Geburt gestorben, und gestern starb auch deine Mutter...
Meine einzige Tochter – so sage ich – hinterließ mir ein
Waisenkind, ein kleines Menschenwesen mit einem offenen Mund. Ihr guten Leute, gebt dieser Waise zu essen.
Gott segne eure Toten!«

Rizq, ein aufstrebendes Wesen dieser Welt
Rizq wuchs heran. Im Schoß der Großmutter und auf
ihren Schultern verbrachte er sein erstes, zweites und
drittes Jahr, bettelnd durch die Zunge der Großmutter.
Als er vier Jahre alt wurde, machte er sich auf den Weg,
um selbst zu betteln, die nun erblindete Großmutter an
der Hand. So lebte Rizq, bis er sieben Jahre alt wurde.

---

* Geschenk Gottes, Lebensunterhalt. Einer der Beinamen Gottes ist ar-
razzaq, »Gewährer des Lebensunterhalts«; darin steckt die gleiche Wurzel
rzq wie in Rizq.

Das Waisenkind Rizq wird Zigeuner

Mit dem Verstand eines Siebenjährigen dachte Rizq, als die Großmutter gestorben war: Mein Magen knurrt vor Hunger. Brot liegt in den Backöfen, Fleisch kommt von Geflügel und Vieh, die Bäume sind voller Früchte, und ich, ich muß betteln ... Alles gehört jemandem und wird bewacht. Dabei ächzt die Erde unter der Last ihrer Reichtümer, und sie ruft mir zu: »Angst ist die Schwäche der Hungrigen, Rizq!«

So lernte Rizq, mit großer Geschicklichkeit über Mauern zu klettern, unachtsamen Frauen die Hühner zu stehlen und den Leuten mit der Klinge die Gesäßtaschen aufzuschlitzen. Mit einem langen Rohrstock, an dem ein Haken war, schnitt er die Wäscheleinen durch und holte sich so die letzten Kleider der entblößten Brautpaare. Nachts klopfte er an fremde Türen und sagte: »Ich bin Waise und habe kein Obdach.« Sie gaben ihm eine Bettdecke, und wie der Wolf deckte er sich zu und stellte sich schlafend, und nachdem sie zu Bett gegangen waren, nahm er die Bettdecke und machte sich davon.

Nun plagte den Zigeuner kein Hunger und kein Durst, er fühlte sich wohl und frei, er aß gestohlenes Fleisch, gegrillt und in Fett gebraten, trank verbotenes Bier aus der Flasche oder dem Faß, rauchte Haschisch in Zigaretten oder in der Wasserpfeife, lutschte Opium oder kochte es mit Kaffee. Mit Zigeunermädchen, die ihm gefielen, verkehrte er, und er nahm ihnen das Geld weg, das sie zwischen den Brüsten vor den anderen Zigeunern versteckten.

*Der Zigeuner und Sitt ad-Dar**

In dem Jahr, als Öl, Kerosin und Zucker knapp wurden und die Währung von Silber auf Nickel wechselte, heiratete der Zigeuner Rizq die Zigeunerin Sitt ad-Dar. Wie alle verheirateten Zigeuner entfernte er sich nur noch vom Zelt, um Nachbarzelte zu besuchen. Währenddessen zog Sitt ad-Dar in der Glut der Sommerhitze und im Winterregen umher; sie las die Zukunft, bettelte, stahl, wenn sich ihr die Gelegenheit bot, schlief im Freien mit

* Herrin des Hauses.

dem einen oder dem anderen, um ihren Mann, den Zigeuner, zu versorgen – mit Speise und Trank und Rauschmitteln.

Eines Tages sagte Sitt ad-Dar zu Rizq: »Ich hab's satt.« Rizq erwiderte: »Trennen wir uns.«

»Nein!« antwortete Sitt ad-Dar. »Heirate eine andere, die dich ernährt. Ich werde mich um dein Wohlergehen kümmern und dir Jungen und Mädchen gebären.«

Rizq sagte: »Eine Frau kann schlecht zwei Personen versorgen.«

Sie antwortete: »Heirate zwei oder drei!«

Rizq fragte: »Wenn nun Kinder kommen?«

Sitt ad-Dar sagte: »Heirate soviele Zigeunermädchen, wie du möchtest, Rizq.«

So heiratete Rizq Hind, Saada und Mansura. In dem Jahr, als der Schuft den Thron des Landes bestieg, heiratete er Inschirah und Qamar. Damit überschritt der Verfluchte das Maß und verstieß gegen das Gesetz Gottes. Aber wieso sollte man ihn tadeln? Er war nun einmal ein Zigeuner. Sitt ad-Dar, die Erste und Älteste, war die Zeltherrin. Sie hatte das Sagen. Sie bestrafte Nachlässigkeit aufs härteste. Die aber, welche Sitt ad-Dar zugetan war, durfte eine Nacht mit dem Zigeuner verbringen.

Macht Platz, das Glück kommt zu Rizq!
Die Sonne war untergegangen. In den Dörfern war Markttag. Bald würde alles wieder vereint sein, der Esel würde schreien, der Hund wedeln, die Katze fressen. Am Morgen hatten die Frauen Wasser vom Brunnen geholt, die Tröge waren gefüllt. Es war ein heißer Tag. Die Erde glühte noch. Sitt ad-Dar erhob sich, besprengte den Boden mit Wasser und breitete vor dem Zelt einen alten Webteppich aus. Als die Erde Kühle auszuströmen begann, streckte sich der Zigeuner darauf aus. Zunächst kam Qamar, die jüngste Frau. Sie griff behende in ihren Ausschnitt und warf dem Zigeuner zwei bunte neue Pfundnoten zu. Sie versetzte dem Hund einen Tritt in die Achillessehne, so daß er vor Schmerz aufheulte. Zu Rizq sagte sie: »Seine Taschen sind voll von diesen Scheinen. Diese Nacht wird er bei uns verbringen und bei Sonnenaufgang fortgehen, denn er ist verheiratet. Sein Mund

riecht, als hätte er einen toten Fisch darin. Ich habe zu ihm gesagt: ›Wasch deinen Mund mit Seife!‹ Der dumme Kerl brauchte nur einen Kaugummi zu kauen, sein Mund röche dann danach.«

Eine Flasche Whisky für den Zigeuner
Der Zigeuner hieß den Fremden willkommen, griff nach der Flasche, die der Gast mitgebracht hatte, und drehte sie zwischen den Händen.

»Süß?« fragte er.

»Nein! Allerfeinster Whisky.«

Erfreut rief der Zigeuner: »Die Lampe, Inschirah! Heb sie hoch, damit ich es sehe.«

Er nahm die Flasche aus der Verpackung und hielt sie hoch. Im Lampenlicht sah er darauf einen Mann mit Frack und Stiefeln auf einem grünen Rasen, mit einem Hut auf dem Kopf und einem schwarzen Stock in der Hand. Nachdem sie die Flasche leergetrunken hatten, sagte Rizq zu dem Fremden: »Ich behalte die Flasche zusammen mit der Verpackung.« Der Fremde antwortete: »Nimm sie nur. Ich habe noch mehr davon.«

Der Zigeuner zwinkerte Qamar zu: »Bereite das Lager.« Zu dem Fremden sagte er: »Du schläfst bei uns. Sei mein Gast.«

Er betrat hinter Qamar das Zelt und zog sie am Ohr: »Ich weiß nicht, ob ich dem Pascha sein Geheimnis entlocken kann. Versuch du es. Ich verspreche dir dafür ein Pfund Basbusa von Asram.«

Aber der Fremde betrank sich nur, beschimpfte die Frauen des Zigeuners mit unflätigen Worten, erzählte eine obszöne Geschichte und kniff Sitt ad-Dar in den Oberschenkel. Er erbrach sich in Hinds Schoß, seine Zunge war locker, und so enthüllte er selbst sein Geheimnis.

Der Zigeuner denkt ohne Unterlaß
Ein Handwerker war in ein benachbartes arabisches Land gefahren, und nach zwei Jahren war er mit viel Geld heimgekehrt.

Der Zigeuner schlug die Hände zusammen und rief zum Himmel: »Ach, ich muß fort!«

Am nächsten Tag trank er eine Menge Whisky und dachte: Wie denn, Rizq?

Am übernächsten Tag nahm er Rauschgift und fragte sich: Wie kann ich fahren? Ich bin doch kein Handwerker! Am dritten Tag nahm er Opium, den König aller Rauschmittel, und dachte: Auf jede Frage gibt es eine Antwort. Zum Reisen braucht man die Erlaubnis der Regierung. Der Mann vom Geheimdienst ist das Auge der Regierung, das für sie sieht, das Ohr, das für sie hört, die Hand, die für sie die Rebellen hinter Gitter setzt. Er wird Wege und Mittel finden, um die Regierung zu überzeugen, so daß sie zu dem Zigeuner sagt: »Fahr los, Rizq. Gute Reise.«

Die Freundschaft des Zigeuners mit Abd al-Ati, *dem Zivilfahnder, und Abd al-Bari***, *dem Oberwachtmeister*
Der berauschte Zivilfahnder sagte zu dem berauschten Zigeuner: »In zwei Tagen werde ich alle deine Fragen und noch mehr beantworten.«

Der Zivilfahnder zog den Rauch seiner Haschischzigarette tief ein, hustete und sagte: »Oberwachtmeister Abd al-Bari läßt ausrichten: ›Sag Rizq, er soll ein Lichtbild von sich machen lassen, damit ihn die Regierung kennenlernt.‹« Der Zigeuner fragte: »Könnte es mir nicht schaden, wenn die Regierung mein Gesicht kennt?«

Der Zivilfahnder erwiderte: »Hab keine Angst.« Noch den bitteren Geschmack des Opiums auf der Zunge spürend, fragte er: »Wo ist deine Geburtsurkunde, Rizq? Und deine Wehrdienstbescheinigung?«

Ängstlich antwortete der Zigeuner: »Ich habe keine Bescheinigungen.«

»Keine Angst«, sagte der Zivilfahnder. »Morgen abend komme ich mit Oberwachtmeister Abd al-Bari. Er liebt die Gesellschaft, ist dem Rausch zugetan und kann Knoten lösen. Gib mir ein halbes Pfund, Rizq.«

Oberwachtmeister Abd al-Bari sagte zu Rizq, Inschirah zuzwinkernd: »Steh auf und geh zum Arzt, nimm Abd al-Atı mit. Bezahle! Er wird dir das Alter bescheinigen, das dich vom Militärdienst befreit. Alles andere

---

* Diener des Gebenden (»der Gebende«: Beiname Gottes).
** Diener des Wohltätigen (»der Wohltätige«: Beiname Gottes).

überlaß Gott und mir. Ich werde dich zum Absolventen höherer Schulen machen, Rizq.«

Nach einem halben Jahr besaß der Zigeuner einen Reisepaß mit Lichtbild, Stempeln, Daten und Nummern und mit Unterschriften von Regierungsbeamten, die Anzüge tragen und in Amtsstuben hinter Schreibtischen sitzen. Dank dem Geld und der Bekanntschaft mit Abd al-Bari bezeugten alle dem Zigeuner Rizq, daß er ein untadeliger Bürger sei, Alter: vierzig Jahre, Beruf: Maurer.

Beklage dich nicht über Armut, Rizq. Fahre. Das Land der Araber ist weit. Mische Sand mit Zement, und setze Stein auf Stein, und bau ein Haus, dessen Dach bis an den Himmel reicht.

Was Rizq tat, und was ihm in den Ländern der Araber geschah

Er kämpfte mit dem Hund, der den Palast bewachte. Als er das Schlachtfeld verließ, war der eine Arm kürzer als der andere. Er wich der tödlichen Gewalt der Polizei aus. Er schlug die Windschutzscheiben der parkenden Autos ein, löste den im Schutz der heiligen Stätten weilenden Pilgern die Gürtel und beraubte sie. Er schlief mit schwulen alten Männern und mit grauhaarigen alten Frauen.

Nach langer Abwesenheit kehrte er zu den Zelten der Zigeuner zurück – mit gefüllten Taschen, mit neuen Kleidern und mit einem Rundfunkgerät, das in allen Sprachen redete. Er zündete seine Zigarette mit einem teuren Feuerzeug an und trank den Whisky einzig aus Flaschen, die in Schachteln verpackt waren.

Als er in die Stadt ging, sah er hochragende Häuser und auch unbebautes Land. Er kaufte ein solches Stück Land und bezahlte den Besitzer. Er verbrachte eine Woche, zwei Tage und eine Nacht bei seinen Frauen, die alle in seiner Abwesenheit Kinder geboren hatten, dann begab er sich wieder auf einen neuen Feldzug in die Länder der Araber.

Hagg Rizq tut Buße für seine Sünden

Auf dem Schwarzmarkt erhandelte Hagg Rizq, wie er jetzt hieß, mit Geschick Eisen, Zement, Sand, Ziegel, Steine und Marmor, bezahlte den Baumeister und die

Arbeiter und gab ihnen den Befehl, einen öffentlichen Gebetsraum und einen großen Wohnraum im Erdgeschoß seines Mietshauses zu bauen. (Er folgte damit dem Rat seines Freundes Abd al-Bari, der ihm gesagt hatte: »Bau eine Moschee, Rizq. Das befreit dich von den Steuern, die die Regierung auf Bauten erhebt.«)

Hagg Rizq folgte auch einem weiteren Rat seines Freundes Abd al-Bari, der ihm sagte: »Trenn dich von Inschirah und Mansura, dann bist du rein vor Gott, dem Gesetz und den Menschen. Inschirah heiratete Abd al-Bari und lebte fortan mit Latifa, der Mutter seiner Kinder, in Bulaq al-Mahrusa im Viertel as-Sabtiya, das unter dem Schutz von Sidi Abi Ala steht, zusammen. Mansura heiratete Abd al-Ati, nachdem dieser sich von der Mutter seiner Kinder Samah und Mahrus hatte scheiden lassen.

Einiges tat Rizq unter dem Antrieb seines eigenen Gewissens: Er schlachtete die Ziege, nahm ihr Fell, verkaufte ihr Junges und aß, zusammen mit anderen Zigeunern, an einem unvergeßlichen Tag ihr Fleisch. Er verkaufte den Esel und die beiden Zelte und verjagte Hund und Katze.

Er befahl seinen Frauen, mit den Kindern die Zelte zu verlassen und Zimmer unter dem Dach des Hauses zu beziehen. Er befahl ihnen, die Mitbewohner zu meiden und sich an das neue, geordnete Leben zu gewöhnen. Die Frau, mit der er die Nacht auf dem weichen Bett in dem großen Raum neben der Moschee verbringen wollte, würde zu ihm herunterkommen.

Letztes Bild: Der Zigeuner und Herr Abd as-Samad[*]
Rizq sagte zu Herrn Abd as-Samad: »Trinken Sie Ihren Kaffee, bevor er kalt wird, Herr Abd as-Samad. An dem Tag, als Sie bei mir einzogen, gelangte das Wasser bis in die fünfte Etage ... Heute kommt es nicht mehr bis zur fünften Etage. Wenn aber die Regierung will, daß das Wasser bis zur fünften Etage kommt, dann kommt es auch. Ich, Herr Abd as-Samad, bin frei von jeder Schuld. Als ich das Hochhaus gebaut habe, kaufte ich Wasserleitungen mit einem Durchmesser von zwei Zoll, während

---

[*] Diener des Immerwährenden (»der Immerwährende«: Beiname Gottes).

andere Hausbesitzer Leitungen mit weniger als einem Zoll Durchmesser legen ließen.

Im letzten Jahr ließ ich, wie Sie wissen, oben zwei Wasserspeicher bauen. Die anderen Mitbewohner verschwenden das Wasser. Ich sage nicht, daß *Sie* ein Verschwender sind, Herr Abd as-Samad. Sie trifft kein Vorwurf. Der Vorwurf gilt den verschwenderischen Hausbewohnern. Reden Sie mal mit denen, Herr Abd as-Samad. Ich habe weiß Gott genug geredet!«

Herr Abd as-Samad erwiderte: »Wenn nachts ein bißchen Wasser in den Speichern übrigbliebe, Hagg, hätte ich am Tage Wasser. Ihre Leute sind verschwenderisch. Sie bleiben nachts lange auf. Bei Gott, Hagg, ihr Getrampel läßt mich nicht schlafen!«

Der Zigeuner fuhr auf: »Hören Sie, Herr Abd as-Samad ... Soll ich meine Kinder verjagen oder verstoßen?« (Er drohte mit dem Finger). »Natürlich nicht! Sie haben mir die Miete für eine Zweizimmerwohnung für zwei Jahre im voraus bezahlt. Hier ist Ihr Geld, nehmen Sie es zurück!« (Er legte das Geld vor ihn auf den Tisch.) »Wenn Sie in einer meiner Wohnungen zwanzig Jahre lang gelebt hätten, wieviel hätten Sie dann wohl bezahlt?« (Er zog zwei Geldscheinbündel hervor, warf sie auf den Tisch, holte sein Feuerzeug aus der Tasche und entzündete es.)

»Jawohl! Niemals werde ich meine Kinder verstoßen, Herr Abd as-Samad!« (Er übergoß die Geldscheine mit Spiritus und zündete sie an.)

»Machen Sie die Augen auf, Herr Abd as-Samad! Schauen Sie das brennende Geld an! Nun? Haben Sie noch etwas auf dem Herzen, Herr Abd as-Samad?«

GAMAL AL-GHITANI
Die Straßenbahn

... In einer Fernsehsendung hat die Sprecherin im zweiten Programm in ihrer lustigen Art den Zuschauern einen Mann vorgestellt, der von sich behauptete, er sei der Gründer einer Gesellschaft der Straßenbahnfreunde. Das geschah in einer Abendsendung, in der Leute ohne jegliche Vorabsprache vorgestellt werden. Der Mann hatte die sechzig überschritten. Er sagte, er habe, bis er in Rente ging, als Angestellter im Versorgungsministerium gearbeitet, ohne auch nur eine einzige Straftat während seiner ganzen Dienstzeit begangen zu haben. Er wohne in der Umgebung von Kairo, wo er ein separates einstöckiges Haus besitze. Das Haus sei von einem Garten umgeben, in dem er alles angepflanzt habe, was er brauche. Obwohl er weit außerhalb der Stadt wohne und sich nicht genötigt fühle, die Verkehrsmittel zu benutzen, habe er seit geraumer Zeit, die er nicht genau bestimmen könne, nicht aufgehört, über die Straßenbahn nachzudenken. Wenn er in die Stadt gehe, nähere er sich des öfteren den Straßenbahnwagen, betrachte sie und sei betroffen darüber, wie vernachlässigt sie seien. Da die Straßenbahn aber das älteste unter den Verkehrsmitteln in Kairo und Alexandria sei und da sie vor allen anderen Verkehrsmitteln als erste Einzug ins Land gehalten hatte, dürften wir sie nicht so lassen, wie sie geworden sei. Die Sprecherin fragte ihn, was er nun zu tun gedenke, um die Straßenbahn zu rehabilitieren. Er sagte, er habe in der Tat eine Gesellschaft der Straßenbahnfreunde gegründet, deren Ziele darin bestünden, die Menschen dazu zu bewegen, die Straßenbahnen mehr als bisher zu benutzen, sie zu pflegen und das Niveau ihrer Fahrer, Schaffner und Techniker anzuheben. Anschließend richtete er einen Appell an alle Bürger, dieser Gesellschaft beizutreten. Die Sprecherin beendete die Sendung mit der ausdrücklichen Unterstützung seines Appells. Die Zuschauer müßten eigentlich an jenem Abend die Köpfe geschüttelt haben aus Empörung über das schlechte Niveau, auf das die Fernsehsendungen abgesunken waren. Im Gedächtnis blieben vielleicht nur vage die Gesichtszüge des Mannes und die Tatsache zurück, daß er zweimal Schluckauf bekam. Vielleicht versuchten sie auch, sich an einige seiner Worte zu erinnern, als am nächsten Morgen die Zeitung ›al-Ahram‹ in ihrem Leitartikel auf das Gespräch mit dem alten Mann einging. Darin stand, daß das, was regional oder international geschehe, uns nicht davon ablenken solle, uns den wesentlichen Dingen unseres Lebens zuzuwenden. Betrachte man nämlich die Lage der Straßenbahn, so sähe man, daß sie einen schmerzlichen, ja beleidigenden Stand erreicht habe. Jeder interessierte Blick könne dies bestätigen. Die Farbe aller Wagen sei seit Jahren nicht erneuert worden. Die ledernen Sitze seien zerrissen durch Messerstiche von Jungs, in deren Seelen niemand die Liebe zur Straßenbahn gepflanzt habe, denn die Pädagogen hätten keine Unterrichtsmethoden entwickelt, die die Jugend mit der Geschichte der Straßenbahn vertraut machten und ihr deren Nützlichkeit und Bedeutung näher brächten. Die Wagen zeigten viele Risse und sähen katastrophal aus, insbesondere die älteren unter ihnen. Was aber die elektrischen Verbindungsstangen angehe, so seien sie in einem erbärmlichen Zustand. Es gäbe keine einzige Stange, die länger als fünf Minuten die Verbindung zum elektrischen Strom herstellen könne. Der Schaffner müsse ständig aussteigen, um sie so lange hin und her zu schwenken, bis das Rädchen wieder die Stromkabel fasse und den Stromkreis schließe. Manchmal komme ein Passant herbei und übernehme selbst diese Arbeit. Die Straßenbahn sei außerdem das einzige Verkehrsmittel, das man anhalten könne, auch wenn der Fahrer sich weigerte, dies selbst zu tun. Man brauche nur die Stange niederzudrücken und sie von der Stromleitung zu trennen. Wir könnten auch beobachten, daß der Straßenbahnfahrer der einzige Fahrer im ganzen Land sei, der seine Schicht im Stehen verbringen müsse. Manche technologisch entwickelten Länder hätten einen kleinen Sitz für den Straßenbahnfahrer installiert, andere wiederum gingen noch viel weiter, indem sie kleine Nischen bauten, die den Fahrer vom Gedränge der Fahrenden trennen. In unserem Land aber würden in der überwiegenden Mehrheit noch immer die uralten Wagen benutzt. Erschöpfung sei ein gemeinsames Merkmal aller Straßenbahnfahrer. Ihre Rücken seien gebeugt, ihre Beine krumm und ihre Füße geschwollen. Dies alles verleihe jedem von ihnen besondere äußere Charakteristika, so daß man, wenn man sie zum ersten Male sehe, sofort wisse, daß der Betreffende ein Straßenbahnfahrer sei. Niemand könne sich vorstellen, wie tief diese öffentliche Einrichtung gesunken sei. Daher müsse man die Aufforderung, die Straßenbahn weiterzuentwikkeln, annehmen und unterstützen. Mit dieser Bemerkung endete der Leitartikel, ohne jedoch die Leser aufzufordern, irgendeinen bestimmten Schritt zu unternehmen. Auffällig war, daß dieser Leitartikel direkt nach den Mittagsnachrichten auch im Rundfunk gesendet wurde. Außerdem ließ die politische Organisation der Regierung von höchster Stelle eine Empfehlung verbreiten, den Leitartikel in Versammlungen zu diskutieren, die während dieses Tages in allen Produktionseinheiten, Verwaltungseinrichtungen und den dazugehörenden Orten stattfanden. Damit aber das Fernsehen seinen Anspruch auf die Vorreiterstellung bei dieser Sache behauptete, wurde ein zehnminütiges Extraprogramm eingerichtet, das jeden Tag nach den Halb-Zehn-Nachrichten gesendet wurde. Darin wurden Zuschauerbriefe, Interviews mit älteren Menschen, die den Einzug der Straßenbahn in Ägypten noch miterlebt hatten, und Gespräche mit Journalisten, die ferne Länder besuchten und sich mit den verschiedensten Systemen zur Pflege der Straßenbahn vertraut gemacht hatten, gezeigt. In der ersten Sendung verlas man auch den Brief des Bürgers Ali an-Nafuri, in dem er zur Gründung eines nationalen Komitees zur Förderung der Straßenbahn aufrief. Am nächsten Tag las die Sprecherin die Namen vieler Menschen, die diesen Aufruf unterstützten. Sie verlas auch eine Erklärung, in der das Innenministerium keine Bedenken gegen die Gründung eines nationalen Komitees zur Förderung der Straßenbahn äußerte, solange die Aktivitäten dieses Komitees die Fundamente der Gesellschaft und deren Grundwerte und Sicherheit nicht antasteten. Nur eine Bedingung müßte nach dieser Erklärung erfüllt werden, nämlich die Registrierung der Mitgliedschaft bei der Polizei. Man kann also sagen, daß dieses Thema an jenem Abend überall diskutiert wurde, sowohl in den Familien als auch in den Kaffeehäusern. Bekannte und Verwandte riefen Bekannte und Verwandte an, sie besprachen allgemeine und persönliche Dinge, aber das Gespräch über die Straßenbahn, die über Nacht die Aufmerksamkeit auf sich gelenkt hatte, blieb meist vorherrschend. Und als die Millionen Bewohner des Landes ihre Augen schlossen, um zu schlafen, beherrschte die Straßenbahn bei den meisten von ihnen jene bohrenden Vorstellungen, die einem vor dem Schlaf im Sinn herumgehen. Am nächsten Morgen haben viele Menschen die Straßenbahnen aufmerksam betrachtet. An den Straßenbahnhaltestellen herrschte ungewöhnliches Gedränge. Das heißt nicht, daß die Anzahl der Fahrgäste außergewöhnlich angestiegen wäre. Auffällig war jedoch, daß eine ungewöhnlich große Anzahl von Bürgern die Straßenbahnen, die auf den Straßen ihrer Stadt seit vielen, vielen Jahren fuhren, so betrachteten, als entdeckten sie sie zum ersten Mal. Die Wagen sahen sehr alt aus, sie schwankten auf den Schienen nach rechts und links, als würden sie jeden Moment entgleisen. Die Farbe war an vielen Stellen blaß geworden. Was die neuen Straßenbahnen betraf, die erst vor zwei Jahren auf den Straßen zu sehen waren, so waren sie verändert und vernachlässigt. Wie es schien, verachteten die Techniker die modernen Apparate, deshalb hatten sie sie durch ältere Modelle ersetzt; vielleicht aber konnte man sie auch nicht durch ähnliche ersetzen, da die Devisen, die für den Import von Ersatzteilen vorgesehen waren, nicht ausreichten. Viele vordere Scheinwerfer waren zerbrochen, genauso wie die Plastiksitze.

In der Zeitung ›al-Akhbar‹ wurde eine Reportage darüber veröffentlicht, wie man in der Straßenbahn sitzt. In dieser Reportage hieß es, daß der Fahrgast in der Straßenbahn dem anderen Fahrgast gegenüber sitze, und in den Fahrgast nebenan müsse er fast hineinkriechen, was in Autobussen nicht der Fall sei. Einige Soziologen hätten aber die positiven Seiten und Vorzüge hervorgehoben, die darin bestünden, die menschlichen Gefühle zu vertiefen und den gesellschaftlichen Geist zu fördern in einer Zeit, in der die Maschine alles Menschliche und Schöne zu deformieren drohte. Ein Philosophieprofessor von der Ain-Schams-Universität sagte, daß das Sitzen in der Straßenbahn die Entfremdung zwischen den Menschen eliminieren könne. Die Psychologen wiederum machten auf psychologische Einflüsse aufmerksam, die aus der Annäherung zwischen den Menschen und aus dem Rhythmus des langsamen Fahrens entstünden, und sie wiesen auf den positiven Einfluß dieser Faktoren auf die Zurückdrängung von Unruhe und Depression hin. Ein Herzspezialist sprach auch über den Zusammenhang zwischen dem Rhythmus des langsamen Fahrens, der die Sicherheit vermittele, nicht plötzlich stehenzubleiben, und einem gesunden Herzen. Er betonte, daß das Umsteigen von anderen Verkehrsmitteln auf die Straßenbahn die beste Medizin für Herzkranke sei. Er veröffentlichte dazu zwei wissenschaftliche Fotos, das erste zeigte das kranke Herz eines Menschen, der alle Verkehrsmittel außer der Straßenbahn benutzt hatte und das zweite das Herz eines Mannes, der nur die Straßenbahn benutzte.

In der Zeitung ›al-Gumhuriyya‹ wurde eine Erklärung des Direktors einer großen Werbeagentur veröffentlicht, die vor kurzem ihre Arbeit mit ägyptisch-westlichem Kapital aufgenommen hatte. Darin hieß es, daß die Straßenbahn zu den besten Werbeträgern zähle, da sie an beiden Seiten breite Flächen besitze. Darauf könne man große Transparente in verschiedenen Größen anbringen. Das ermögliche die Hervorhebung und Verdeutlichung der Werbeaussagen. Das Material, woraus die Straßenbahn bestehe, sei geeignet, jede Farbe anzunehmen und ihre Beständigkeit zu garantieren. Es gebe noch einen sehr wichtigen Punkt, den man erwähnen müsse, nämlich das langsame Fahren der Straßenbahn. Dies ermögliche jedem, ob er nun auf seinen Beinen laufe, auf einer Veranda sitze, sich aus einem Fenster hinauslehne oder eine Wasserpfeife vor einem Kaffeehaus rauche, die Werbung zu lesen. In derselben Zeitung hatte eine Journalistin einen Verkäufer für Kinderspielzeug interviewt. Er sagte, daß die meisten und schönsten Spielzeugmodelle, die an Kinder verschiedensten Alters verkauft würden, Straßenbahnmodelle seien. Und er fügte hinzu, daß Männer im mittleren Alter sich gern an jene kleinen Modelle der alten, offenen Wagen erinnerten, mit denen sie in ihrer Kindheit gespielt hätten, und daß in den letzten Jahren andere Wagen entwickelt worden seien, von denen er kleine Modelle in seinem Laden verkaufe. Anschließend sagte er, mit Modellstraßenbahnen zu spielen, mehre die Kenntnisse des Kindes, verstärke seine Vorstellungskraft und erweitere seinen Horizont, insbesonders was die Technik betreffe.

Der Präsident der Sittenpolizei im Lande erklärte, daß in der Straßenbahn viel weniger Diebstähle vorkämen als anderswo, und zwar deswegen, weil die Stehplätze geräumiger seien und die Schwankungen sich in Maßen hielten, so daß die Möglichkeiten für Zusammenstöße der Fahrgäste, die ein Dieb ausnutzen könnte, nicht so oft gegeben seien. Auch zu Berührungen, die junge Mädchen zum Erröten brächten, käme es in der Straßenbahn viel weniger als anderswo, meinte er und sagte weiter, daß die Straßenbahn die Werte und Ideale der Gesellschaft berücksichtigt habe, als Extraabteile für Frauen eingerichtet wurden, die ein Mann nicht betreten und vor die er sich nicht stellen dürfe. Außerdem fänden alte Frauen darin Platz: Sie setzten sich dort auf den Boden und stellten alles, was sie zu tragen hätten, neben sich ab.

Zu Beginn einer großen Sitzung sagte der zuständige Stellvertreter des Wirtschaftsministers, daß die Bewirtschaftung einer Straßenbahn viel weniger finanzielle Mittel beanspruche, als sie für andere Verkehrsmittel aufgebracht werden müßten. Deshalb führe eine Förderung der Straßenbahn zu Einsparungen im Staatshaushalt, so daß mehr Geld übrig bliebe für andere große Aufgaben, die sich aus der wirtschaftlichen Situation unseres Landes ergäben. Am gleichen Tag sprach ein Professor für moderne ägyptische Geschichte vor seinen Studenten über die nationale Rolle der Straßenbahn, die sich keineswegs darauf beschränke, lediglich beim Staatshaushalt zu sparen, denn dies sei eine kurzsichtige Politik. Sie isoliere die Wirtschaft von allen anderen wissenschaftlichen Aspekten des Problems. Aus diesem Grunde werde er ein Buch schreiben, in dem er die nationale Rolle der Straßenbahn seit Anbeginn zu erörtern beabsichtige. Dann sprach er über den Kampf der Arbeiter und Angestellten der Straßenbahn, die schon am Anfang des Jahrhunderts gegen die ausländischen Besitzer der Straßenbahngesellschaften gekämpft hätten. Ausführlich referierte er über den großen Arbeiterstreik im Jahre 1908 und über die ägyptischen Familien, die sich in die Werkstätten und Straßenbahnen setzten, um an diesem Streik aktiv teilzunehmen. Später hätten sich diese Streiks des öfteren wiederholt. Das habe einerseits dazu beigetragen, daß sich die Arbeiter ihrer Rechte bewußt geworden seien und daß sich andererseits das nationale Gefühl herauskristallisierte, was wiederum einen wichtigen Einfluß auf den Ausbruch der Revolution von 1919 gehabt habe. Die Rolle der Straßenbahn beschränke sich aber nicht nur darauf, denn ihre Wagen hätten eine Rolle beim Widerstand gegen die Engländer gespielt, als nämlich die Demonstranten sie umkippten und als Barrikaden benutzten. Anschließend zeigte er den Studenten seltene Fotos, die ihnen unbestreitbar die nationale Rolle der Straßenbahn bewiesen.

Am folgenden Tag fand eine erweiterte Versammlung im Zentralen Sitz der Jugendorganisationen statt. Der Generalbeauftragte gab einen Beschluß bekannt, der die ganze Jugend, ob Studenten, Arbeiter oder Angestellte, verpflichtete, sich an einer breiten Aktion zur Erneuerung des Farbanstrichs und zur Säuberung der Schienen aller Straßenbahnen zu beteiligen. Er versprach außerdem, den ältesten Mitarbeitern dieser Einrichtung Pokale zu verleihen.

Diese große Aufmerksamkeit, die man der Straßenbahn schenkte, haben die Bürger in den verschiedensten Schlangen vor den Paß- und Meldestellen, den Konsumgenossenschaften, den Schaltern für Platzkarten, den ausländischen und einheimischen Banken und den Staatsämtern ausgiebig kommentiert. Viele wichtige Diskussionen fanden auch statt in den Freeshops des Landes, den vornehmen, nach westlichen Mustern eingerichteten Cafes, die den Gästen warme Getränke und Eis und Süßigkeiten und kleine appetitliche Häppchen anbieten, aber auch in den volkstümlichen Kaffeehäusern und den Berufs- und Arbeitergewerkschaften. Es gab welche, die das alles als Ablenkungsmanöver von den wirklichen Problemen der Bevölkerung betrachteten, andere widersprachen jedoch dieser Meinung. Sie sagten, die ganze Sache geschähe ganz spontan, denn verschiedene Schichten beteiligten sich daran, was in diesem Maße nie hätte der Fall sein können, wenn irgendeine Institution, oder wer auch immer, das alles vorsätzlich geplant und durchgeführt hätte. Trotzdem konnten bestimmte Kräfte, die stets gegen alles opponieren, weil sie eben nur Opposition spielen wollen, ihr Mißfallen über diese verstärkte Aufmerksamkeit, die man auf einmal der Straßenbahn schenkte, nicht verbergen. Diese Kräfte versuchten, bestimmte Gerüchte und Witze zu verbreiten, die sich um die Straßenbahn drehten. Die Kriminalpolizei drohte, gegen all jene hart vorzugehen, die mit ihrer Opposition über das hinausgehen wollten, was mit Wort und Protest zu tun habe. Was damit gemeint war, konnte nicht ermittelt werden. Die Haltung der verschiedenen Sicherheitskräfte zur Frage der Straßenbahn konnte ebenfalls nicht ermittelt werden, sie blieb verborgen, obwohl die Menschen daran gewöhnt sind, daß diese Kräfte zu allen Dingen, ob klein oder groß, eine Haltung beziehen. Diese Haltung erfühlen die Menschen irgendwie. Es gibt eine Geschichte, die vielleicht diesbezüglich einige Hintergründe erklären könnte. Während einer Ermittlung, die die Kriminalpolizei gegen junge Männer wegen der Bildung einer geheimen Vereinigung durchführte, ohrfeigte ein Ermittlungsoffizier einen der Jungs und sagte zu ihm: »Warum geht ihr in den Untergrund, wenn ihr euch doch an vielen öffentlichen Aktivitäten beteiligen könntet? Warum äußert ihr nicht zum Beispiel eure Meinung über die Straßenbahn?«

Man könnte also sagen, daß nach wenigen Tagen ein Gefühl der Solidarität mit der Straßenbahn bei allen Schichten der Gesellschaft entstanden war, ja selbst bei den Autofahrern, die so oft mit ihren Autos auf den Straßenbahntrassen fahren, wenn das Gedränge zu groß wird.

Das Solidaritätsgefühl erreichte seinen Gipfel in der al-Azhar-Hauptstraße, wo seit zehn Jahren keine Straßenbahn mehr fährt. Ein Manufakturkaufmann hatte dort ein riesiges Zelt aufgestellt, das tausend Menschen faßte. Er bestellte drei berühmte Koranrezitatoren, um aus dem Koran lesen zu lassen. Nachdem die Scheichs ihre Rezitation beendet hatten, hielt der Kaufmann eine Ansprache, die man über die mit behördlicher Erlaubnis installierten Lautsprecher noch am Ende der Straße hören konnte. In dieser Ansprache verkündete er, daß er heute nacht jenes Tages gedenke, an dem die Straßenbahn aus der al-Azhar-Straße verbannt wurde. Dies gehöre, fuhr er fort, zu den negativsten Geschehnissen der letzten Jahre in dieser Straße. Nach Beendigung der Ansprache formulierte man ein Telegramm, das im Namen aller Anwesenden an alle zuständigen Stellen gesendet werden sollte. Darin wurde gefordert, die Straßenbahn solle wieder durch die al-Azhar-Straße fahren. Es wurde außerdem beschlossen, alljährlich diesen Tag als Gedenktag zu begehen, auch wenn die Straßenbahn wieder in der al-Azhar-Straße fahren würde.

Die Zeitung ›al-Akhbar‹ schlug einen siebzigjährigen Mann zur Verleihung des Titels »Erster Fahrgast der Straßenbahn« vor. Der Mann gab der Zeitung ein ausführliches Exklusivinterview, in dem er von seinen Erinnerungen an die Straßenbahn erzählte, die sich bis in seine früheste Kindheit erstreckten, in der er kein anderes Verkehrsmittel als nur die Straßenbahn benutzt hätte. Er erklärte, daß viele alte Straßenbahnfahrer und Schaffner ihn gut kannten, denn wie oft habe er sich in alter, schöner, gemütlicher Zeit mit ihnen unterhalten und Zigaretten ausgetauscht. Zum Schluß sagte er, er halte die Fahrten, die er mit der Straßenbahn unternommen habe, für einen wichtigen Grund dafür, daß er so alt geworden sei.

Er erzählte auch davon, wie die erste Straßenbahnlinie eröffnet wurde. Als die Straßenbahn an einem Kaffeehaus vorbeifuhr, sagte er, seien alle Gäste erschrocken von ihren Plätzen hochgesprungen, weil sie dachten, der Wagen sei irgendein Raubtier, das sie nicht kannten. Auch noch einige Zeit danach hätten die Gäste, immer wenn die Straßenbahn am Kaffeehaus vorbeigefahren sei, ihre Stühle mitgenommen und sich in den hinteren Räumen versteckt.

Am nächsten Tag wurde der »Erste Fahrgast der Straßenbahn« in die Mädchenoberschule von Schobra eingeladen, um einen Vortrag zu halten. Anschließend beantwortete er die Fragen der Schülerinnen. Ein Leser schlug vor, den verdienten Mann in einer nationalen Feier zu würdigen, zu der nur die Inhaber der höchsten Staatsämter eingeladen werden sollten, um ihm dort einen neuen Pokal zu verleihen, dem man den Namen »Pokal der Straßenbahn« geben könnte. Der Staat hatte aber schon selbst die Initiative ergriffen. Der Sprecher der Regierung gab bekannt, daß ein neuer Orden gestiftet werden solle. Er solle »Straßenbahnorden« genannt werden und werde in drei Klassen verliehen:

Straßenbahnorden erster Klasse.
Straßenbahnorden zweiter Klasse.
Straßenbahnorden dritter Klasse.

Der Orden solle die Form einer alten Straßenbahn haben, wie sie zum ersten Mal in der Stadt benutzt worden sei. Von dieser Straßenbahn, die aus Gold gearbeitet werde, sollten Strahlen aus purem Silber ausgehen. Die vorderen Scheinwerfer aber sollten Diamanten sein. Die erste Klasse unterscheide sich aber von der zweiten und der dritten Klasse in nichts anderem als in der Art des verarbeiteten Materials.

Während der nächsten Tage stieg das Interesse an der Straßenbahn ins Unermeßliche. Es fanden mehrere Kolloquien zur historischen Rolle der Straßenbahn statt. Alte Politiker nahmen intensive Verbindungen miteinander auf, um ein Oberstes Nationalkomitee der Straßenbahn zu gründen, was schon von jenem unbekannten Fahrgast vorgeschlagen worden war, der nach seinem berühmten Fernsehinterview nicht mehr gesichtet wurde. Einige junge Männer sprachen sich dagegen aus, daß die alten Politiker die Sache an sich gerissen hätten; sie verteilten ein Flugblatt, in dem sie auf die Notwendigkeit aufmerksam machten, der Stimme der Zukunft Gehör zu verschaffen.

Es fanden außerdem viele organisierte und spontane Diskussionen statt. Die spontanen ereigneten sich in den Verkehrsmitteln, vor allem in Zügen, da eine Zugfahrt oft langweilig ist. Die Bürger sahen genau, wie manche Gesichter sich verzerrten, als man über die Straßenbahn zu sprechen begann, wie manche Fäuste sich ballten und in der Luft herumfuchtelten, wie manche Finger drohend ausgestreckt wurden, wie manche Zähne in die Lippen bissen und wie manche Verwunderungsschreie die Gespräche durchkreuzten.

Viele Artikel wurden geschrieben, in denen die Autoren fragten, was man eigentlich mit dem Begriff »Straßenbahn« meine? Gehörten die modernen Metrozüge etwa nicht dazu? Oder diese, modernen Straßenbahnen ähnlichen Fahrzeuge, die man aus östlichen Ländern importiert habe, hatten sie nicht auch etwas mit der Kategorie »Straßenbahn« zu tun? Und der Trolleybus: Welcher Art könne man ihn zurechnen?

Zahlreiche Meinungen wurden darüber geäußert, im Rundfunk und Fernsehen, an Runden Tischen und in geschlossenen Räumen, in öffentlichen Versammlungen und in Zelten, die man extra anfertigte und aufstellte. Die Zuhörer notierten Tausende Bemerkungen mit den verschiedensten Stiften. Die sich dazu äußerten, leerten unzählige Wassergläser, während sie ihre Meinung äußerten. Die verbrauchten Mikrophone wurden Hunderte Male probiert, indem man mit den Fingern darauf klopfte oder darauf pustete. Sätze wie »Meine sehr verehrten Damen und Herren« oder »Guten Abend, liebe Zuhörer« wurden Tausende Male wiederholt. Nicht auszumachen sind die Mengen, die man an Papier, Heften und Büroklammern verbrauchte.

Die Sache spitzte sich zu, als der Bildungsminister für Hoch- und Mittelschulen eine Erklärung abgab, in der er die Straßenbahn als ein Hauptfach in die Lehrpläne aufnahm, dessen erfolgreicher Abschluß als Bedingung für die Versetzung von Schülern und Studenten gelten sollte. Den Inhalt dieser Fachrichtung offenbarte er in einer von allen Massenmedien verbreiteten Botschaft an alle seine Töchter und Söhne, in der er dazu aufforderte, die Arten der Straßenbahn, die bekanntesten Fabriken, die sie produzierten, ihre Bestandteile und die Stromnetze, die sie in Betrieb hielten, zu studieren. Während der Verkehrsprüfung im Mittleren Bezirk wurde im Fach »Ausdruck« folgende Aufgabe gestellt: »Schreib fünfzehn Zeilen über die Straßenbahn, in denen die Zahl der Räder an einem Wagen und der Abstand zwischen einem Rad und dem anderen erwähnt werden.«

Führende Institutionen des Landes haben ihre Absicht bekundet, mehrere Delegationen, bestehend aus Vertretern parlamentarischer und gesellschaftlicher Gremien, in die belgische Stadt Charleroi zu entsenden, da sich in dieser Stadt die größten Fabriken zur Herstellung von Straßenbahnwagen befänden. Zugleich stapelten sich die Telegramme von Bewohnern der verschiedensten Städte des Landes, in denen die Bitte geäußert wurde, die Straßenbahn nun auch endlich bei ihnen einzuführen.

Das Finanzministerium beschloß, eine extra Andenkenmünze herauszugeben, auf der das Bild einer Straßenbahn zu sehen ist. Die Chefredakteure der drei führenden Zeitungen gaben eine gemeinsame Erklärung ab, in der sie sich dagegen aussprachen; sie forderten die Herausgabe einer ständigen Straßenbahnmünze. Der Leiter der Währungsabteilung im Ministerium versprach, über diesen Gedanken und seinen Einfluß auf die Währungspolitik ernsthaft nachzudenken. Die Schallplattengesellschaft ließ eine Werbung veröffentlichen, in der sie alle Verfälscher davor warnte, Straßenbahnschallplatten und -kassetten, die im Lande populär wurden, nachzumachen. Diese Tonträger gaben Geräusche der unterschiedlichsten Art wieder, Straßenbahnklingeln, Räderrollen auf den Schienen, das Gekreisch der Bremsen, wenn sie die Räder stoppten und das Quietschen an Kreuzungen. Die Werbung gab außerdem bekannt, daß die Gesellschaft vorhabe, Schallplatten in Umlauf zu bringen, die das Fließen des Stroms in den elektrischen Leitungen der Straßenbahn aufzufangen suchten, was bis jetzt niemandem gelungen sei. Ein Politiker stellte den Antrag, eine Zeitung unter dem vielversprechenden Titel ›Die Straßenbahn‹ herausgeben zu dürfen. Die Gesellschaft zur Pflege der arabischen Sprache hat auf einem Kollegium bekanntgegeben, daß sie beabsichtige, das Wort »Straßenbahn« in das von ihr autorisierte Wörterbuch der arabischen Hochsprache aufzunehmen. Einige Firmen produzierten kleine Medaillen, die Straßenbahnen in verschiedenen Formen zeigten und auf der Brust oder am Gürtel getragen werden konnten. Diese Medaillen wurden schon an die Mitglieder ausländischer Delegationen verteilt, die von überall her in das Land strömten; man sah sie bereits an ihren Hälsen hängen. Ein Ägyptologe offenbarte, daß er ein Wandbild in einem alten pharaonischen Tempel gefunden habe, worauf etwas, was als Straßenbahn gedeutet werden könne, dargestellt sei. Er fragte, ob die Pharaonen die Straßenbahn nicht doch gekannt hätten. Er werde eine Zusammenkunft einberufen, auf der er diese Frage zu beantworten gedenke. Auch die Opposition blieb von alldem nicht unberührt. Vor kurzem fiel einer im Untergrund wirkenden Gruppe der Sicherheitskräfte ein unerlaubtes Flugblatt in die Hände, in dem zur Wachsamkeit und Vorsicht aufgerufen wurde. Das Flugblatt wurde sogar in einigen Straßenbahnen verteilt. Der Leiter des Komitees zur Unterdrückung der Opposition berief eine Konferenz ein, auf der er das Flugblatt verlas und einige ausländische Staaten beschuldigte, sich an diesen Machenschaften zu beteiligen. Er gab zu, daß es einen Widerstand gegen die nationalen Ziele gebe. Diese jedoch deckten sich mit der Straßenbahn und würden von den Massen in einer Art und Weise unterstützt, die Freund und Feind in Erstaunen versetzte. Er sagte abschließend, daß jene Ziele eine große Zustimmung in unserem Volke fänden, was viele Väter, die in letzter Zeit Kinder bekamen, veranlaßt habe, ihrem Kind einen einzigen Namen zu geben, nämlich »Straßenbahn« ...

Bevor ich die Geschichte erzähle, will ich zunächst schildern, warum ich überhaupt beschloß, sie zu schreiben, ja, warum ich genau aufzeichne, was geschah. Ich will erklären, was ich erlebte und was sich mir einprägte, bis man mich an diesen schrecklichen Ort brachte, der so fernab der Welt ist, daß ich längst keine Hoffnung mehr habe, von ihm erlöst zu werden oder ihn jemals wieder zu verlassen, es sei denn in die Welt des Todes. Ich sagte mir deshalb: Schreib, Tochter, schreib mit deinem ganzen Verstand die Geschichte genau auf und verstecke sie an einem sicheren Ort! Verwahre sie im Bettzeug, das du dazu an der Seite ein bißchen aufschlitzt. Vielleicht findet eines Tages jemand die Seiten und bedauert dich, wenn er erfährt, wie elend es dir erging und wie man dich ungerechterweise an diesem Ort gedemütigt hat. Damit du schweigst, ewig schweigst, hattest du eines Tages sogar beschlossen, deine Zunge abzuschneiden, jenes kleine, schlichte Stück Fleisch, das ständig Worte und Gedanken artikuliert.

Ich werde nicht über den höllischen Ort berichten, an dem ich jetzt lebe. Ich werde nicht die schmutzigen, grauen Wände beschreiben, die mich nicht schlafen lassen, auch nicht die Decke, die ich die langen Nächte hindurch anstarre, mich davor fürchtend, daß sie auf mich herabfällt und mir den Atem nimmt. Während ich sie ansehe, rückt sie mir in boshafter Weise Stück für Stück näher. Wenn sie mich fast erreicht hat, schreie ich aus Leibeskräften. Dann entfernt sie sich wieder und kehrt in ihre ursprüngliche Lage zurück, bis sie mich von neuem quält. Doch darüber werde ich nicht berichten und auch nicht über die dicke Frau, die an ihrem Kinn häßliche, kleinen Schlangeneiern ähnelnde Warzen hat und die zu mir kommt, um mir ihre abscheuliche Spritze zu geben, über die ich – trotz allen Schmerzes und Widerwillens – lache. Ich lache so lange, bis ich merke, daß sie wütend ist und ich über sie triumphiere. Ich werde auch nicht über das dreckige, vergiftete Essen erzählen, das sie mir jeden Tag geben, ohne daß ich dagegen protestieren kann. Einmal, als ich sah, wie ein Sperling durch das Fenster hereinschlüpfte und einige Krümel davon aufpickte, habe ich voller Bitterkeit und ohnmächtiger Wut geweint, ja, ich lief sogar zu ihm hin, um ihn fortzujagen. Doch bevor er wegflog, nahm er ein kleines Krümelchen in seinen Schnabel, ein kleines, vergiftetes Krümelchen von meinem Essen. Aus Kummer darüber weinte ich einen Tag lang, denn ich dachte an das unglückliche Schicksal des armen Sperlings.

Davon und von den vielen anderen Dingen, die ich an diesem Ort beobachtet habe, werde ich nicht erzählen, weil ich mich bei dem bloßen Gedanken daran fühle, als sei ich an eine gewaltige Bombe gebunden, die im Begriff ist zu explodieren, richtiger gesagt, mich zu zerfetzen, meinen Geist und meinen Körper in kleine, unendlich viele Stücke zu zerreißen. Deshalb schreibe ich nur das auf, was mir geschah, bevor ich gezwungen wurde, an diesem Ort zu leben.

Vor Jahren hatte ich eines Tages gefühlt, daß es etwas gab, was meinen Zustand, ja mein Innerstes, allmählich veränderte. Seit ich mein Studium an der Universität absolviert hatte und mir das Amt einer Angestellten der Wasserbehörde zugewiesen worden war, begann sich am Horizont ein Unwetter zusammenzubrauen, das sich auf die Menschen und Dinge, auf die Tiere und Pflanzen auswirkte.

Dieses Unwetter überflutete alles Schöne in meiner schönen Stadt. Sogar an jenem Tag, an dem sie mich an diesen schrecklichen Ort brachten, hatte ich besorgt lächelnd auf die Hochhäuser geblickt, an denen der Wagen in wahnsinniger Geschwindigkeit vorbeiraste. Ich lächelte und sagte: »Leb wohl, leb wohl, du meine schöne Stadt! Die Flut hat dich hinweggespült.« Zuerst habe ich es an der Straße gemerkt, durch die ich täglich zur Arbeit in der Wasserbehörde ging. Ich liebte diese Straße und war richtig stolz darauf, zu den Einwohnern der Stadt zu gehören, die so eine Straße hat. Selbst in dem Moment, als ich mich zum Schreiben setzte, erhellte mich noch die Freude, mein Herz schlug voller Sehnsucht, und ich stellte mir die leuchtend bunten Sonnendächer ihrer Läden und Geschäfte vor – Farben von grellem Orange und kräftigem Blau. Da war jener hübsche Sonnenschirm, den ich oft betrachtet habe, während der Verkäufer mir Papiertütchen voll Erdnüsse anbot. Auf der Markise stand der Name des Ladens – »Stern der Freiheit«, dessen Besitzer Kichererbsen, verschiedene Nüsse und Scherzartikel verkaufte. Doch als das Unwetter kam, veränderte sich diese Straße, die mir seit meiner Kindheit vertraut war und die ich ständig entlangging. Stück für Stück verlor sie ihre Merkmale. Das Glas der glänzend sauberen Fensterscheiben, in denen man sich morgens spiegeln konnte, wurde matt. Auf dem einst glatten Straßenpflaster, das in den heißen Sommerstunden mit Wasser benetzt wurde, bildeten sich schmutzige Lachen. Sie wurden von Tag zu Tag größer, bis überall auf dem Pflaster kleine, träge Seen entstanden waren, so daß ich diesen Weg zur Arbeit nicht mehr gehen konnte. Ich mußte den Anblick der schönen Bäume an der Straße entbehren, der mich immer zerstreut hatte. Das betrübte mich, denn ich wußte, daß nach dem Blaugummibaum der Casuarina-Baum kam und dann der indische Feigenbaum. Etwa zwanzig Meter vor der Tür zur Wasserbehörde stand ein anderer schöner Baum, dessen Namen ich nicht kenne. Er hatte ausladende Äste, seine Blätter fielen zu Frühlingsbeginn ab und riesengroße violette Blüten prangten an ihm. Er war einzigartig, die Perle unter den Bäumen. Ich wußte genau, wie viele Bäume auf meinem Weg standen – einunddreißig grünbelaubte Bäume schmückten die Straße. Sobald ich sie sah, erfreute sich mein Herz. Doch als ich eines Tages wieder einmal zählte, waren es nur dreißig. Ich wunderte mich und dachte, daß ich mich sicherlich geirrt hatte, weil ich in Gedanken mit anderen Dingen beschäftigt war. Aber als ich mittags auf meinem Rückweg von der Wasserbehörde noch einmal zählte, merkte ich, daß einer der neun indischen Feigenbäume nicht mehr an seinem Platz stand. Er war mitsamt den Wurzeln herausgerissen worden und lag mit dem Schutt eines alten abgerissenen Hauses auf dem Pflaster. Er kam mir vor wie der Leichnam eines unschuldigen Vogels, der einem heimtückischen Verbrechen zum Opfer gefallen und meuchlings ermordet worden war. Ich mußte vor Schmerz weinen, denn gegen jenes fürchterliche Würgen, das meine Kehle zuschnürte und mich fast erstickte, half nichts als Weinen. Von jenem Moment an fühlte ich Veränderungen in mir, ich spürte leichte Schmerzen in meinem Inneren und hatte Kopfweh. Am Anfang maß ich der Sache keine Bedeutung bei, aber dieser Zustand dauerte an, Tage und Wochen. Nach einiger Zeit wurden aus dem Kopfweh schreckliche Kopfschmerzen, und wahnsinnige Kopfschmerzen begleiteten jeden meiner Seufzer und jeden Atemzug.

Die Ärzte, die ich aufsuchte, gaben mir erst nutzlose Beruhigungs- und Schlafmittel, und führten meinen Zustand schließlich auf eine chronische Entzündung des Dickdarms infolge von Nervosität zurück. Es kam soweit, daß in der alten Straße ganze drei Bäume übrigblieben, nur noch drei von einunddreißig. Ich weiß nicht annähernd, was mit mir geschah. Ich weiß auch nicht, was mit dieser Stadt und ihren Bewohnern los war. Alles, woran ich mich erinnern kann, ist, daß ich in dieser Zeit an Gewicht zunahm, bis ich zu den Dicken zählte, und daß ich jegliche Fähigkeit, Freude zu empfinden, eingebüßt hatte. Ich hatte keine Lust mehr, ins Kino zu gehen, oder mich mit meinen Freundinnen zu unterhalten, mit denen ich mich so gerne zu einem Schwätzchen verabredet hatte. Obwohl ich immer älter wurde, dachte ich überhaupt nicht ans Heiraten. Dabei war ich nicht häßlich. Selbst als ich, wie bereits erwähnt, zugenommen hatte, blieb noch etwas an mir schön. Vielleicht war es die Reinheit meiner Haut, meine großen Augen oder meine weichen Haare. Allerdings überlegte ich stets in dieser Zeit: Wie heirate ich eines Tages? Werde ich Kinder haben, die in dieser Stadt wohnen? Welch Unglück wird sie treffen, wenn sie sich darin umsehen und nichts als einen Wald aus grauem und braunem Beton finden! Wenn ich daran dachte, daß meine vielen Nachkommen, wann immer sie das Licht der Welt erblicken würden, in dieser Stadt lebten, ohne eine Blume zu sehen oder auch nur die Bedeutung dieses Wortes zu kennen, dann hatte ich regelrecht Angst um sie. Männer wollten mich heiraten, die mir überhaupt nicht gefielen. Ich wünschte mir einen jungen Mann, der anders war als die, denen ich bisher im Leben begegnet war. Einen jungen Mann, der wie ich diese Stadt liebte und nicht müde wurde, an warmen Sommerabenden, wenn der Himmel klar ist und der Mond von hoch oben strahlend auf die Welt herabscheint, ihre Bäume zu zählen. Ich ließ meinen Blick in die Ferne schweifen und träumte von meinem unbekannten jungen Mann, der mich begleitete, mit mir Hand in Hand durch die Straßen der Stadt spazierte, während wir miteinander plauderten und Erdnüsse knabberten.

Ich leugne nicht, daß ich eines Tages mit einem meiner Kollegen von der Arbeit kam, mit dem ich freundschaftlichen Umgang pflegte. An diesem Tag verließ ich zusammen mit ihm das Büro, und er lud mich ein, mit ihm in einem Gartenlokal ein Sodawasser oder etwas anderes Erfrischendes trinken zu gehen. Ich lehnte ab und sagte, ich würde lieber am Fluß sitzen, in der Nähe des Wassers, das ziellos dahinfließt, bis es ins Meer gelangt, und erklärte ihm, daß ich Sodawasser nicht mag. Als ich in den Strahlen der untergehenden Sonne seine dunklen Augen unter den geschwungenen Brauen glänzen sah – er war hübsch und schlank –, bebte mein Herz. Ich trat an ihn heran und küßte ihn auf die Lippen. Da sprang er empört auf und machte mir heftige Vorwürfe. Er schalt mich, wie ich so etwas in der Öffentlichkeit tun könne. Dabei war in diesem Moment niemand in der Nähe außer einem alten Lupinenverkäufer. Ich wurde auch wütend, und wir trennten uns mitten auf dem großen Platz. Von da an sprach ich nie wieder mit ihm.

Allerdings schenkte mir niemand mehr Aufmerksamkeit, und das führte schließlich dazu, daß sie hier an diesem verhaßten Ort meine Seele erniedrigten. Die völlige Gewißheit, daß ich auf der einen Seite und sie auf der anderen stehen, brachte mir ein Tag, an dem ich verschlief, weil ich einen schönen Traum hatte. Ich sah alle Bäume meiner vertrauten Straße an ihren Platz zurückkommen, und alle grünten und blühten. Dann trugen sie sagenhafte, verlockende Früchte in den prächtigsten Farben, wie ich sie nie zuvor in meinem Leben gesehen hatte. Als die Sonne mir ins Gesicht schien, erwachte ich und merkte, daß ich viel zu spät zur Arbeit kommen würde.

Ich stand auf, zog mich schnell an und ging, ohne etwas gegessen oder auch nur ein Glas Tee getrunken zu haben, wie es meine Gewohnheit war, schnellen Schrittes die Straße entlang, deren Anblick, schmutzig und überfüllt mit Autos und Menschen, mir vertraut zu werden begann. Unterwegs merkte ich plötzlich, daß ich vergessen hatte, einen Büstenhalter umzumachen. Ich war beunruhigt und schämte mich und sagte zu mir: Wie dumm von dir, wie kann man so ein Stück vergessen! Ich überlegte, ob ich noch einmal nach Hause zurückkehren sollte, um den Büstenhalter anzuziehen. Aber dann käme ich in der Wasserbehörde so viel zu spät, daß sie mich nicht mehr als anwesend führen würden. Deshalb ging ich weiter und dachte: Vielleicht merkt es keiner. Mir war klar, daß eine Umkehr an jenem Tag all das bestätigt hätte, was in der Behörde über mich gesagt wurde – mein Benehmen sei seltsam, und ich bemühte mich nicht um meine Arbeit. Ich blieb ein Weilchen vor einem Schuhgeschäft stehen, hinter dessen Auslage ein großer Spiegel angebracht war, und schaute mich an. Ich fand, daß mein Busen ein wenig herabhing, sagte mir aber zur Beruhigung, was könne das schon schaden. Ich setzte meinen Weg fort und dachte über den Büstenhalter nach: Wozu wurde er erfunden? Was ist er eigentlich wert? Wie ich mir so darüber Gedanken machte, empfand ich ihn auf einmal als ein komisches, einfach lächerliches Stück Stoff und die Frauen als dumm, die darauf bestanden, ihre Brüste jeden Tag da hineinzuzwängen. Was ist Schändliches an der Brust der Frau? Mit solchen Überlegungen ging ich zur Arbeit. Nachdem ich ungefähr eine Stunde lang einige der üblichen Rechnungen erledigt hatte, ging ich ins Büro meines Chefs. Er sollte einige Papiere unterschreiben. Als er seine Hand ausstreckte, um die Akten von mir entgegenzunehmen, wurde er plötzlich verlegen. Erst bekam er rote Ohren, dann begann ihm der Schweiß auszubrechen. Es war Ende Herbst, und die Morgenstunden waren kühl. Ich befürchtete, er sei krank und fragte ihn: »Fehlt Ihnen etwas, Herr Aziz? Soll ich Ihnen ein Glas Wasser holen?« Er reagierte so grob, wie ich es von ihm nicht kannte. Ich war gewöhnt, daß er mich freundlich und liebenswürdig behandelte. Ich sei sensibel, sagte er immer. Dann forderte er mich auf, in mein Büro zurückzugehen, er würde mich später noch einmal kommen lassen. Aber statt dessen rief er nach einer Weile meine Kollegin Nadja. Sie war älter als ich und meine Vorgesetzte. Als sie aus seinem Büro herauskam, wandte sie sich sofort an mich. Ihr Gesicht war bleich. Sie forderte mich auf, ihr zur Toilette zu folgen, da sie sich unterwegs mit mir unterhalten wolle. Sie betrachtete mich und sagte tadelnd: »Wie kannst du es wagen, ohne Büstenhalter zur Arbeit zu kommen?« Dann sagte sie mir, daß ich damit Herrn Aziz sehr provoziert hätte und er es als einen schweren Präzedenzfall in der Behörde betrachte, den er nicht übergehen könne. Er werde mich bestrafen, denn mein Verhalten verletze den guten Anstand. Ich geriet in wahnsinnige Erregung. Nadja schlug die Hände vors Gesicht, das mit verschiedenfarbigen Pudern bedeckt war.

Ich ging in das Zimmer von Herrn Aziz und erklärte ihm, daß ich in der Eile vergessen hätte, den Büstenhalter umzumachen, denn ich wollte am Morgen pünktlich in der Wasserbehörde sein. Dann teilte ich ihm meinen Beschluß mit, von jetzt an immer ohne Büstenhalter in der Behörde zu erscheinen, weil ich darüber nachgedacht und herausgefunden hätte, daß dieses Stück Stoff nicht notwendig sei. Es anzuziehen sei genauso unsinnig, wie etwas um den bereits bekleideten Hals zu binden. Viele meiner Kollegen und Kolleginnen waren in das Zimmer von Herrn Aziz gekommen. Zum erstenmal hörte ich an diesem Tag, wie einige von ihnen flüsterten: »Das ist die Unnormale! Das ist die Verrückte!«

Vor diesem Vorfall hatte es schon andere kleine Begebenheiten gegeben, ohne daß ich dabei mit meinem Leiter oder meinen Kollegen zusammengestoßen wäre. Ich hielt mich von allen fern und sprach kaum mit ihnen, es sei denn im Zusammenhang mit meiner Arbeit. Meine Gedanken über die Straßen und Menschen hob ich mir für angenehmere Augenblicke des Tages auf, und das waren die Minuten vor dem Einschlafen, in denen ich mich glücklich fühlte und über mein Leben und über das der Menschen in dieser Stadt nachdachte. Einmal überlegte ich: Was soll all diese Unsauberkeit in der Wasserbehörde? Warum sind ihre Schreibtische immer grau? Wozu werden massenweise Papiere und Akten angehäuft? Damit das Ungeziefer und die Mäuse nachts darin schwelgen können? Da kam mir die Idee, allen eine angenehme Überraschung zu bereiten. Ich hatte von meinem Gehalt einige Pfund gespart. Davon wollte ich einen schönen Schreibtisch kaufen. Ich bat den Verkäufer, ihn mit leuchtend roter Farbe zu streichen und an meine Adresse in der Wasserbehörde zu schicken. Am Tag der Lieferung ging ich schon früh zur Arbeit. Ich begann das Buchhaltungszimmer, in dem ich mit sechs meiner Kollegen saß, zu reinigen. Ich fegte und wischte, putzte die Fenster und stellte schließlich jedem Angestellten in einem Glas Wasser einen schönen Blumenstrauß auf den Schreibtisch. Gegen Mittag kam der Verkäufer in die Behörde, um mir meinen roten Schreibtisch zu bringen. Aber der für den Einlaß zuständige Sicherheitsbeamte hinderte den Mann und mit ihm meinen roten Schreibtisch daran, in das Gebäude zu gelangen. Nachdem ihm der Verkäufer die Rechnung gezeigt hatte, auf der mein Name stand, informierte er den Leiter der Behörde, und der ließ mich unverzüglich holen, um mich in der Angelegenheit zu befragen. Ich erklärte ihm alles und fragte meinerseits: »Warum bestehen Sie darauf, daß nur graue Schreibtische benutzt werden? Was wäre dabei, wenn der eine Beamte an einem roten Schreibtisch sitzt, ein anderer an einem grünen und der dritte an einem gelben und so weiter! Würde das nicht allen gefallen?« Er musterte mich seltsam, darum sagte ich: »Ich habe den Schreibtisch auf eigene Rechnung gekauft, und wenn ich wieder Geld gespart habe, werde ich noch ein paar Möbel für das Zimmer der Buchhaltung dazukaufen.«

Der Mann, den ich nie aufhören werde zu hassen, sah mich geringschätzig an und sagte: »Geh in dein Büro zurück!« Dann befahl er dem Sicherheitsbeamten, dafür zu sorgen, daß der Schreibtisch nicht in das Büro kommt. In meinen Adern kochte das Blut, und ich schrie: »Das ist ungerecht! Warum denken Sie so? Was schadet ein roter Schreibtisch?« Vor Aufregung fiel ich in eine leichte Ohnmacht, und man brachte mich nach Hause.

Sicher habe ich von einfachen Dingen gesprochen. Ich habe einiges berichtet, doch nicht alles. Nun will ich genau erzählen, wie sie mich ungerechterweise hierher brachten: An dem Tag, an dem in der Stadt allgemeine Wahlen durchgeführt wurden, ging auch ich zur Wahl, weil ich als mündige Bürgerin bestrebt war, meiner verfassungsmäßigen Pflicht nachzukommen, ohne daß mich dieses Problem schlaflos gemacht hätte. Auf dem Weg zur Wahl wurde mir klar, daß ich gar nicht genau wußte, welchem Kandidaten ich meine Stimme geben sollte. Ich wollte die Angelegenheit also noch prüfen. Ich war wirklich an einigen die Allgemeinheit betreffenden Fragen interessiert und hatte auch an entsprechenden Versammlungen teilgenommen. Als Schulkind war ich einmal bei einer Demonstration mitmarschiert. Ich hatte der Revolution in Algerien zugejubelt und der Widerstandskämpferin Gamila Bouhired. Täglich las ich die Zeitung. Trotzdem hatte ich nicht den geeigneten Kandidaten gefunden, dem ich meine Stimme geben konnte. Auf dem Weg zu der Schule, in der sich das Wahlkomitee befand, beobachtete ich, wie ein Wiesel verstohlen seinen Kopf aus der Tür eines Geschäfts steckte. Dann lief es schnell in Richtung Schule davon. Ich blieb einen Moment stehen, und das Bild prägte sich meinem Gedächtnis ein. Ich fragte mich: Was hat das zu bedeuten? Was hat es damit auf sich, ein Wiesel am hellichten Tag?! Ich mußte ständig daran denken. Es war nicht das erstemal, daß ich dieses kleine Tier mit dem schwermütigen Gesicht und dem schlanken Körper in den Straßen der Stadt beobachtet hatte. Ich hatte es schon oft die Straßen entlanghuschen und überall mit Leichtigkeit eindringen sehen. Mich befielen starke Kopfschmerzen, und das chronische Leiden, an das ich mich schon gewöhnt hatte, spielte in meinem wie bei einer Schwangeren angeschwollenen Leib seine verrückten Rhythmen. Ich setzte mich erschöpft auf die Bordsteinkante und weinte und schluchzte bitterlich. Einige Leute versuchten mich zu beruhigen. Eine alte Frau tätschelte meine Schulter. Doch auf ihre Frage, was denn los sei, erwiderte ich nur: »Nichts. Es ist nichts!« Schließlich erhob ich mich, unterdrückte meine Tränen und ging weiter bis zum Schulgebäude.

Was ist danach passiert? Ich weiß es nicht genau. Viele Leute waren dort. Die einen gaben mir Zettel, die ich las, ohne etwas zu verstehen. Die anderen trugen Bilder und Figuren an ihrer Brust, die Palme, den Hund, das Kamel, die Uhr und anderes. Einer von ihnen bemerkte, daß ich die Blätter aufmerksam studierte, kam näher und begann ein Gespräch mit mir. Er legte mir nahe, einen Kandidaten zu wählen, der zu seiner Partei gehörte. Ich fragte ihn: »Bemüht sich deine Partei darum, in der Stadt Bäume zu pflanzen, statt alles zuzubetonieren? Hat sie ein bewaffnetes Heer gebildet, das ernsthaft die Wiesel bekämpft? Habt ihr etwas, das mich wieder froh macht?« Ich trat an eine große Diskussionsrunde mit anderen Leuten heran. Nach einigem Hin und Her von Rede und Gegenrede sagte ich zu ihnen: »Alles, was ihr tut, ist nutzlos, denn eure Körper sind schlaff, und der gesunde Verstand braucht einen gesunden Körper. Die meisten unserer Minister sehen abstoßend aus. Ihre Nacken sind so feist, daß man an ihrer Zähigkeit, etwas Nützliches zu tun, zu zweifeln beginnt.« Dann fragte ich mit erhobener Stimme: »Wo sind die Frauen? Ich sehe um mich herum keine Frauen! Warum untersuchen sie nicht die Ursachen dafür, daß die Sperlinge unsere Stadt verlassen und sich Fliegen und Mücken ausbreiten?« Da lachten sie, und einige von ihnen gingen weiter. Ein Mann aber forderte mich im Befehlston auf, mit ihm einen Moment in das Gebäude zu gehen. Ich widersetzte mich und fragte ihn nach dem Grund. Er schaute mich finster an, was ich nicht weiter beachtete, und verlangte meine Papiere, den Personalausweis und die Wahlkarte. Ich zeigte sie ihm in guter Absicht. Da nahm er sie mir weg und weigerte sich, sie zurückzugeben. Ich beschimpfte ihn und begann auf ihn einzuschlagen. Doch da kamen plötzlich Leute und stürzten sich auf mich. Ich rief die Polizei und die Verantwortlichen um Hilfe. Was dann passierte, bis ich wieder zu Hause war, weiß ich nicht.

Am darauffolgenden Tag brachten sie mich hierher, wo ich jetzt bin. Wie geschah das? Ich entsinne mich, daß ich zu Beginn der Nacht aufgewacht bin. Ich lag auf meinem Bett, fühlte mich bedrückt und hatte starke Schmerzen. Meine Mutter schaute mich besorgt und ärgerlich an und sagte: »Du hast es bis zum Äußersten kommen lassen. Du hast die Zukunft deines Bruders ruiniert. Hast du denn nicht daran gedacht, daß er Offizier ist? Wegen dir muß er seine Arbeit aufgeben. Kannst du diesen Leichtsinn nicht lassen und für immer schweigen? Wenn Allah doch nur deine Zunge abgeschnitten hätte!« Dann weinte sie und verließ das Zimmer.

Ich starrte eine Weile die Zimmerdecke an und dachte darüber nach, was sie gesagt hatte. Ich rief mir Wort für Wort ins Gedächtnis zurück und begriff, daß ich tatsächlich eine Irre war, ja sogar eine Verbrecherin. Wie hatte ich so etwas tun können, ohne vorherzusehen, welche Konsequenzen sich daraus für meinen Bruder ergaben? Wie hatte ich so weit gehen können, ohne daran zu denken, daß ich ihn dabei schädigte? Plötzlich sah ich in Gedanken mein eigenes Bild. Ich war noch klein. Meine Mutter hatte mir gedroht, mir mit der Schere die Zunge abzuschneiden, weil ich meinem Vater – als er von der Arbeit zurückkam – verraten hatte, daß mein Bruder im Salon beim Ballspielen den chinesischen Blumentopf zerbrochen hatte. Als mein Vater dann ins nahegelegene Kaffeehaus gegangen war, nahm meine Mutter die Schere und drängte mich in eine Zimmerecke. Sie öffnete die Schere und kam mir bedrohlich nahe. Sie verlangte, daß ich meine Zunge ganz weit herausstreckte, und tat, als wollte sie sie abschneiden, damit ich niemals wieder ein Geheimnis verraten konnte. Ich schrie vor Angst und Schrecken und flehte sie an, es nicht zu tun. Ich zeigte mich reumütig, entschuldigte mich und sagte, es sei nur ein Versehen von mir gewesen. Mein kleiner Bruder stand dabei, ergötzte sich an meinem Anblick und lachte. Ich erinnerte mich gut daran. Ich starrte weiter an die Zimmerdecke und dachte: Was wird passieren, wenn ich wirklich meine Zunge abschneide? Enden damit nicht alle meine Probleme? Werde ich dann nicht für immer schweigen? Ich würde mich damit begnügen, all das, was um mich herum geschieht, nur zu beobachten, ohne meine Meinung dazu zu sagen. Ist das nicht leichter als Selbstmord? Ich hatte schon oft an Selbstmord gedacht. Einmal hatte ich versucht, mir mit einem Rasiermesser die Pulsadern aufzuschneiden, im letzten Moment nahm ich dann doch davon Abstand, weil ich mich erstens vor dem Tod fürchtete und zweitens Angst hatte, als Ungläubige zu sterben und nicht ins Paradies zu kommen. Noch mehr fürchtete ich die Schmerzen. Deshalb verzichtete ich darauf. Aber mit der Zunge war das etwas anderes. Wenn ich sie abschnitt, bedeutete das nicht gleich den Tod. Ich büßte nur die Fähigkeit ein zu sprechen und zu artikulieren. Ich war bereit, es unter diesen Umständen zu tun. Mit diesem Gedanken erhob ich mich aus dem Bett und stellte mich vor den Spiegel. Ich betrachtete mein Gesicht, das mit den dunklen Augenringen und der gelblichen Haut ganz fremd aussah. Ich streckte meine Zunge heraus, bis das Gaumenzäpfchen sichtbar wurde. Sie war lang und breit und blutrot. Ich sagte: »Fürchte dich nicht, liebe Zunge, du kleines Stück Fleisch. Ein bißchen Blut und ein paar Schmerzen. Dann hören alle deine Qualen für immer und ewig auf.« Es war gegen neun Uhr, als ich über diese »Beschneidung« nachdachte und fand, es sei nichts dagegen einzuwenden. Ich griff nach der Schere, die unter dem Spiegel auf der Frisiertoilette lag, öffnete sie ganz weit, wie es meine Mutter damals getan hatte, und schickte mich an, meine Zunge zwischen ihre Schneiden zu bringen.

Es muß wahrhaftig mit dem Teufel zugegangen sein, daß meine Mutter gerade in diesem Moment kam und mir die Schere wegnahm. Ich weiß es nicht genau, aber sie stand plötzlich vor mir, stürzte sich auf mich und riß sie mir aus der Hand. Dann schrie sie, klagte und holte die Nachbarn und die Leute von der Straße zusammen. Wenig später brachten sie mich an diesen Ort. Ich weiß nicht, wie lange ich schon hier bin. Vielleicht einige Jahre. Meine Mutter, die mich oft besuchte und mit mir sprach, ohne daß ich ihr antwortete, kommt nicht mehr. Mein Bruder, der mich noch von Zeit zu Zeit besucht, sagt nichts. Ich habe meine Geschichte allen erzählt, die um mich herum sind, den Ärzten und Krankenschwestern, aber sie lächelten nur und tätschelten mir den Rücken. Ich versuchte, ihnen begreiflich zu machen, daß ich dachte, wenn ich mir die Zunge abschneide und auf das Sprechen verzichte, dann habe ich keine Probleme mehr. Aber sie verstanden das nicht.

So schreibe ich diese Worte jetzt auf. Vielleicht liest sie jemand. Dann kennt er die Wahrheit über mein Leben und über mein unterdrücktes Dasein und weiß, daß ich an diesem Ort ungerecht behandelt und gedemütigt wurde. Ich schreibe, weil ich immer mehr das Gefühl habe, bald zu sterben. Mein Körper welkt dahin, mein Haar wird weiß, und meine Beine sind nicht mehr in der Lage, mich zu tragen. Trotzdem hoffe ich noch immer, diesen Ort verlassen zu können, und sei es nur für eine Stunde, um meine Stadt und die Straße zu sehen, die ich in mein Herz geschlossen und an der ich mich so oft erfreut habe. Und sähe ich in ihr dann doch einunddreißig schöne grüne Bäume!

Algerien

»Willst du, daß ich dich in Grammatik oder in Poesie unterrichte?«

»In Poesie.«

»Oder in beidem zugleich?«

»Ja, in beidem zugleich.«

> Der Löwe bleibt Löwe,
> selbst ohne Pranken,
> und der Hund bleibt Hund,
> selbst aufgezogen mitten unter Löwen.

»Alle, die das Gedicht behalten, sind Löwen«, sagte mein Vater.

Also bin ich Löwe.

Wenn er getrunken hat und sein Freund, der Kadi, ihm Vorhaltungen macht, dann antwortet ihm mein Vater in Versen, holt ihm aus dem tiefsten Keller die ›Unbekannten Schätze‹ und die ›Prolegomena‹. Genau richtig, um seine Lücken auszufüllen, wenn der Kadi nicht mit ihm an die Theke zurückkehrt.

»Ja«, sagt mein Vater, »ein echter Löwe kann nur betrunken sein. Er ist betrunken von Natur.«

Wenn sein Maß voll ist, dann wird er hitzig und schüttelt seine Läuse wie Funken. Danach wird sein Schnurrbart weich, sein Kopf wird weiß, und der Wind schüttelt seine Asche ...

»Aber oft«, sagt meine Mutter, »erwacht er in einer anderen Haut.«

Und sie bringt sich in Sicherheit, ohne das väterliche Toben abzuwarten.

Wenn mich jemand, selbst von fern, in der kleinen Welt der Familie während meiner ersten Lebensjahre hätte beobachten können, so hätte er zweifellos vorausgesehen, daß ich Schriftsteller würde oder zumindest Literaturschwärmer; aber wenn er zu mutmaßen sich erkühnt hätte, in welcher Sprache ich schreiben würde, so hätte er ohne zu zögern gesagt: In arabischer Sprache, wie sein Vater, wie seine Mutter, wie seine Onkel, wie seine Großeltern. Er hätte recht haben müssen, denn soweit ich mich erinnere, entsprangen die ersten Harmonien der Musen für mich natürlich der Quelle der Muttersprache.

Mein Vater machte mit Unverschämtheit Verse, wenn er ›Kommentare‹ oder das ›Islamische Recht‹ hervorholte, und meine Mutter gab ihm oft das Stichwort, aber sie hatte besondere Veranlagung für das Theater. Was sage ich? Sie selbst, sie war ein Theater. Ich war ihr einziger und entzückter Zuschauer, wenn mein Vater zu einer Gerichtsverhandlung wegging, von der er als Spötter oder Tragiker zu uns zurückkehrte, je nach Ausgang des Prozesses.

Zu anderen Zeiten hätte meine Mutter eine große Schauspielerin sein können. Einmal ahmte sie für mich einen ganzen Bahnhof nach, seine Geräusche, seine Atmosphäre, und sie pfiff wie eine richtige Lokomotive mit ihrer schweren Kraft, dem Kohlegeruch, mit der herzzerreißenden Sehnsucht der immerfort eingeschlossenen Frau. Sie wäre so gern gereist...

Ich lief hinter ihr her und schrie: »Bleib stehen, fahr nicht weg!«

Wir wohnten in Sidrat, nicht weit von der algerisch-tunesischen Grenze, wo noch heute die wundervollen Überbleibsel eines ganzen Volksstammes leben ... Meine verschwommensten Erinnerungen, aber auch die lebhaftesten, reichen in diese Zeit zurück. Mit einem Wort, ich war glücklich.

Alles ging gut, solange ich ein zeitweiliger Gast der Koranschule war. Ich hatte gerade mein Farbtäfelchen verdient, nachdem ich eine ungeheure Strecke unverstandener Verse bewältigt hatte. Dabei hätte ich es bewenden lassen können, ich hätte nichts weiter zu wissen brauchen, wie ein mittelmäßiger einheimischer Sänger, sich selber gleich, glücklich wie ein Fisch in einem Teich, der vielleicht trüb ist, aber in dem alles ihm zulächelt. Ach, leider mußte ich dem Los dieser berühmten Forellen in den Wildbächen gehorchen, die früher oder später im Aquarium enden oder in der Pfanne. Aber ich war vorerst noch eine Kaulquappe am Ufer ihres Flusses, stolz auf die nächtlichen Laute ihrer Froschsippe, kurz, ich zweifelte an nichts und niemandem.

Die Rute und den Spitzbart des Taleb liebte ich kaum, doch ich lernte zu Hause, und mir wurde kein Vorwurf gemacht. Doch in einem anderen Dorf, als ich sieben Jahre alt war (meine Familie reiste, oder genauer, zog viel um wegen der Versetzungen in der islamischen Gerichtsbarkeit), entschloß sich mein Vater, dieser Prozeßführer mit dem irren Lächeln, plötzlich ohne längeres Zaudern, mich »in den Wolfsrachen« zu schieben, das heißt in die französische Schule.

Er tat es beklommenen Herzens.

»Du wirst mit Arabisch nicht weiterkommen. Ich will nicht, daß du zwischen zwei Stühlen sitzt wie ich. Nein, du wirst nicht, weil ich es will, ein Opfer der Madrasa sein. In normalen Zeiten hätte ich selber dein Lehrer sein können, und deine Mutter hätte mir geholfen. Aber wohin könnte eine solche Ausbildung schon führen? Französisch dominiert. Du wirst diese Sprache beherrschen müssen und all das vergessen, was wir dir in deiner frühesten Kindheit beigebracht haben. Wenn du dir erst einmal die französische Sprache angeeignet hast, dann wirst du ohne Gefahr mit uns zu deinem Ausgangspunkt zurückkehren können.«

Das ungefähr waren die Worte meines Vaters. Glaubte er es selbst?

Meine Mutter seufzte. Und als ich mich in meine neuen Studien vertiefte, als ich allein meine Aufgaben erledigte, da sah ich sie umherirren wie eine verlorene Seele. Adieu unser Theater, das mit nichts zu vergleichen war, adieu unsere täglichen Verschwörungen gegen meinen Vater, dessen satirische Spitzen wir gemeinsam erwiderten... Der Knoten des Dramas schürzte sich.

Nach mühsamen und nicht sehr glänzenden Anfängen gewann ich rasch Geschmack an der fremden Sprache, und dann, sehr verliebt in eine quicklebendige Lehrerin, ging ich so weit, davon zu träumen, für sie ohne ihr Wissen alle Aufgaben in meinem Rechenbuch zu lösen! Meine Mutter war allzu feinfühlend, als daß sie nicht unruhig geworden wäre wegen der Treulosigkeit, die ich ihr auf diese Weise angetan hatte. Und ich sehe sie noch, tief verletzt, wie sie mich von meinen Büchern losriß – »Du wirst krank werden!« –, wie sie dann eines Abends mit unbefangener Stimme nicht ohne Traurigkeit zu mir sagte: »Da ich dich nicht mehr von deiner anderen Welt trennen darf, bring du mir die französische Sprache bei ...« So schloß sich die Falle der modernen Zeit über meinen zarten Wurzeln, und rasend werde ich jetzt über meinen törichten Hochmut an dem Tag, da sich meine Mutter, eine französische Zeitung in der Hand, vor meinem Arbeitstisch niederließ, fern wie nie, bleich und schweigsam, als machte die kleine Hand des hartherzigen Schuljungen ihr es zu einer Aufgabe, da er ihr Sohn war, sich für ihn die Zwangsjacke des Schweigens anzuziehen und ihm sogar bis ans Ende seiner Anstrengungen und seiner Einsamkeit zu folgen – in den Wolfsrachen.

Unablässig, selbst in den Tagen des Erfolgs bei der Lehrerin, habe ich in mir diesen zweiten Riß der Nabelschnur empfunden, dieses innere Exil, das den Schuljungen seiner Mutter nur noch näherbrachte, um sie jedesmal ein bißchen mehr auseinanderzureißen, vom Raunen des Blutes, vom tadelnden Lispeln einer Sprache, die insgeheim verbannt ist aus einer gleichen, kaum geschlossenen, so gebrochenen Eintracht. So hatte ich gleichzeitig meine Mutter und ihre Sprache verloren, die einzigen Schätze, unveräußerlich – und doch veräußert!

Fünfundzwanzig Jahre sind vergangen. Ich bin in Kairo. Ein Redakteur der Zeitung ›al-Ahram‹ reicht mir eine Zeitschrift: Ein libanesischer Dichter hat es geschafft, mich in meine Muttersprache zu übersetzen, und es gelingt mir kaum, meinen Namen zu entziffern!

Die Ahnen verdoppeln die Grausamkeit.

Und die berühmten Verse von Ibn Arabi nehmen für mich mitten im Algerienkrieg plötzlich einen unerwarteten Sinn an.

O Wunder! Ein Garten mitten in Flammen,
    mein Herz ist fähig geworden zu jeglicher Gestalt ...

Dieses bittere und bedrohte Erblühen mitten unter Gefahren, dieser Garten mitten in Flammen, das ist wohl die Heimat des algerischen Dichters – doch des in französischer Sprache schreibenden Dichters – der nur aus der Tiefe des Exils singen kann: im Wolfsrachen.

Am selben Abend, in einem Rauchsalon in Kairo, während ein junger Homer mit bleichem Gesicht und verwüsteten Augen seine Laute brausen ließ, verfaßte ich diesen Vierzeiler, der vielleicht ein Gedicht werden wird:

> Also der Vogel blind,
> und zwiefach gefangen,
> dessen Stimme sich formt
> im Herzen der Mörder...

Die Zeit dehnt sich in den Fastentagen, die Häuser werden unergründlich, die Schatten durchscheinend, und der Körper ermattet.

»Es vergehen die Jahreszeiten ...«, begann Lla Fatuma.

»Es vergeht, es vergeht die Fastenzeit ...«, sang Nadia vor sich hin.

»Du wirst sehen, wenn sie im Winter kommt! Sanft und weich wie Wolle ist der Winter-Ramadan ...« Lla Fatuma, eine Frau von üppiger und eindrucksvoller Gestalt, war bei der Hausarbeit.

»Ich erinnere mich«, murmelte Huriya, die ältere der Töchter, »als ich ihn zum erstenmal mitgemacht habe, das war im Winter.«

»Nein, im Herbst«, berichtigte die zweite, »die Orangen waren noch grün, ich bin ganz sicher. Ich war acht Jahre, und ich habe mal einen Tag gefastet und den andern wieder nicht.«

Nfissa betrachtete ihre Schwester, ohne ein Wort zu sagen. Der Vater war ausgegangen. Lla Fatuma verrichtete ihr Gebet in einem Winkel des großen Wohnraumes, während Nadia die Hammelfelle aufeinanderlegte, die sie bei der Mittagsruhe benutzt hatten. Die anderen machten sich auch zu schaffen, aber recht planlos, das brachten die veränderten häuslichen Gewohnheiten in dieser ersten Ramadanwoche mit sich.

»Die Zeit dehnt sich in den Fastentagen, die Häuser werden unergründlich, die Schatten durchscheinend, und der Körper ermattet ...« Wieder geht Nfissa ihren Erinnerungen nach, zergliedert sie, durchstreift sie dann ziellos ... Damals, als sie und Nadia zwei kleine Mädchen waren, die ungeduldig darauf warteten, fasten zu dürfen (wann würde man es ihnen endlich erlauben? Man wollte sie nicht zu der Mahlzeit mitten in der Nacht wecken) ... damals, gestern erst ... Gestern erst war es gewesen, daß Nfissa im Gefängnis war ... der Ramadan unter eingekerkerten Frauen in diesem Gefängnis in Frankreich, wo man sie zusammengesperrt hatte, sechs »Rebellen«, wie man sagte, die man aburteilen würde.

Freudig wie Asketen hatten sie die Fasten begonnen; die Verbannung und die Ketten wurden unwirklich, es war eine Befreiung von dem Körper, der in der Zelle umherging, sich aber plötzlich nicht mehr an den Mauern stieß; zwei Französinnen, die in derselben Zelle gefangengehalten wurden, hatten sich der islamischen Glaubensübung angeschlossen.

Wohl war die Mahlzeit in der Dämmerung fade, doch wie vertiefte sich die Ruhe nach den grauen Stunden, und die Lieder der Nachtwache schienen den Wächtern zum Trotz das Meer zu überfliegen, den Bergen der Heimat zu.

»Der erste Ramadan fern von Leid«, murmelte Lla Fatuma, als sie in ihre Küche zurückkehrte.

»Und doch ist er noch immer ganz davon durchtränkt«, seufzte Huriya leise. Nur Nfissa, die zu lesen vorgab, hörte es. Sie hob den Blick zu der Ältesten: achtundzwanzig Jahre war sie alt und schon Witwe.

»Wenn er mir wenigstens ein Kind hinterlassen hätte, einen Sohn, der sein Ebenbild wäre!« hatte sie Monate hindurch geklagt.

»Ein Kind ohne den Vater aufzuziehen, du weißt ja nicht, wie hart das ist«, hielt die Mutter ihr dann entgegen. »Du bist jung, Gott wird dir wieder einen Gatten geben, Gott wird dein Haus mit einer Schar kleiner Engel segnen!«

Und die anderen fügten im Chor hinzu: »Möge es sein Wille sein!«

Aus der Küche drang jetzt der Geruch geschmorter Paprika.

»Schon vier Uhr! ... Noch zwei Stunden.«

»Ich hatte bis jetzt weder Hunger noch Durst!« rief Nadia aus und wirbelte herum. Sie stellte sich plötzlich vor, auf einem Fest zu sein, drehte das Radio an und machte ein paar Tanzschritte.

»In Freude und mit Lachen fasten!« verkündete sie in gekünstelter Heiterkeit. »Mein Fasten wird doppelt zählen.«

Huriya hatte sich ihrem Schmerz hingegeben und war hinausgegangen. Nfissa sah die jüngere Schwester Nadia lange an: neunzehn Jahre alt, Augen, die vor Stolz flammten, und eine Gestalt, die fast besorgniserregend schmal war.

»Du solltest nicht so laut sein«, mahnte sie mit einem kleinen, nachsichtigen Lächeln, »Houria hat ihre Erinnerungen ...«

»Ich habe auch meine Erinnerungen. Du hast das Gefängnis kennengelernt – nun gut, ich habe es auch kennengelernt, aber hier in diesem Hause, in dem du dich so wohl fühlst!« Nadia hatte scharf gesprochen, sie war aufgesprungen, ein winziges, fast böses Lächeln um die Lippen, so stand sie vor Nfissa, bereit zu neuem Streit.

»Fang nicht schon wieder an«, sagte Nfissa unwillig und wandte sich ihrer Lektüre zu.

»Wenn du jetzt wütend wirst, dann zählt dein Fasten überhaupt nicht«, ertönte von der Küchentür her Lla Fatumas gutmütige Stimme. Sie stand da mit bloßen Armen, hatte die Organzabluse ausgezogen und trug nur nach alter Sitte ein besticktes Baumwollhemd. Sie hatte gerade den Teig für die Fladen geknetet und ging nun, von der Anstrengung gerötet, hinaus auf den Hof, sich im Wasserbecken zu waschen. Das Haus gehörte jetzt allein den Frauen, der Vater würde erst bei Sonnenuntergang zurückkommen, ein paar Minuten, bevor von der nahen Moschee her die Stimme des Muezzin zwischen den Weinranken und den schlaffen Jasminzweigen hindurch in den Hof drang.

Nadia zuckte bei den Worten der Mutter in hilfloser Traurigkeit die Schultern. Lla Fatuma hatte verstanden, ohne das Gespräch der Schwestern gehört zu haben: Nadia hatte in den letzten beiden Kriegsjahren nach dem Willen des Vaters ihr Studium abbrechen müssen. Seit der Unabhängigkeit nun wollte sie es wieder aufnehmen, zumindest in die Stadt ziehen und arbeiten, als Lehrerin, studieren – ganz gleich, nur arbeiten ... Ein Familiendrama entwickelte sich.

»Im Ramadan hat jeglicher Groll zu schweigen! Ein zorniges Herz wird keine Vergebung erlangen ...«, sagte Lla Fatuma halblaut, als sie zurückkam und durch den

Raum ging. Mit langsamen, königlichen Bewegungen zog sie ihre Bluse wieder an, dann kehrte sie an ihre Töpfe zurück.

Zur Stunde der Fastenunterbrechung warteten Nfissa und Nadia vor dem mit Speisen beladenen niedrigen Tisch, daß die anderen, auch der Vater war unter ihnen, das Abendgebet beendeten. Die Mahlzeit verlief fast schweigend, des Vaters wegen, der, gleich nachdem der Kaffee getrunken war, zu einer religiösen Zusammenkunft ging. Als er fort war, kamen Nachbarinnen zu Besuch, spähten in den Hof und legten dann ihre großen oder kleinen Schleier ab. Seufzend ließen sie sich auf den Diwanen nieder.

»In den sieben Kriegsjahren ist jeder zu Hause geblieben ...«, begann die eine.

»Unsere Tochter ist in den Händen der Feinde, und wir, wir trinken hier Kaffee!« klagte eine andere, an Nfissa gewandt, umarmte sie und sprach die Segenswünsche. Nadia begrüßte die Frauen, tauschte mit ihnen die endlosen Höflichkeitsformeln aus und verschwand dann unauffällig. Nfissa, die sie holen wollte, kam nicht.

»Nein«, wehrte sie ab, »schwatzen, Kuchen essen, sich für den nächsten Tag vollstopfen – sollen dafür Blut und Tränen geflossen sein? Nein, das kann ich nicht glauben ... Ich, verstehst du ...« – ihre Stimme erstickte in Tränen –, »ich glaube, daß alles anders werden wird, daß ...« Nadia brach in Schluchzen aus, vergrub das Gesicht in dem Kissen, auf dem Bett ihrer Kinderzeit.

Nfissa ging hinaus, ohne etwas zu erwidern.

»Wenn man wenigstens die Erinnerung zum Schweigen bringen könnte«, sagte in der allgemeinen Unterhaltung eine alte Frau, die ihre beiden Söhne im Krieg verloren hatte. »Dann fände man zu dem Ramadan von früher zurück, zu der Gelöstheit von früher!«

Eine Stille tat sich auf, ungewiß, eine Wand, hinter der Klagen warteten.

»Glücklich sind die Märtyrer für das Vaterland!« sprach ernst Lla Fatuma, die mit einer Teekanne in der Hand hereinkam. Der Duft der Pfefferminze breitete sich aus, bis in das dichte Dunkel der Nacht auf dem Hof, und Huriya ging hinaus, ihre Tränen zu trocknen.

»Die Stimme der Verfluchten, der Frau ihres Vaters, erscholl im Wald, nachdem alle ihre Ränke und ihre Bemühungen fehlgeschlagen waren, die beiden zu vernichten und sein Herz allein zu gewinnen, sie übertönte das Krachen der Axt, das Zwitschern der Vögel und das Rauschen der Blätter: ›He, du, der im Walde Holz schlägt und nicht auf die Ernte wartet, schlachte die Kuh der Waisen, dann hast du Gewinn.‹«

»Opa, wurde denn die Stimme gehört? Erzähle ... erzähl doch!« Aber er beachtete sie nicht und übersah ihr neugieriges Drängen. Er versank in sich selbst, in Erinnerungen ... »Sie haben gesagt, ihr geht raus. Das ist beschlossene Sache. Ihr müßt einfach – fertig. Das Gut soll übergeben werden, soll eine Kooperative werden, soll nicht länger in Selbstverwaltung bleiben. Das ist alles.«

Ohne weitere Erläuterungen wandte sich der Arbeiterkommissar für Landwirtschaftsangelegenheiten rasch seinem Auto zu und flüchtete hinein, ohne sich ein einziges Mal umzudrehen.

Noch tags zuvor war er voller Begeisterung gewesen. Nun taumelte er vor Schwäche. Er hatte immerzu »wir« gesagt, nun aber gebrauchte er das Wort »ihr«. Am Tage zuvor hatten wir ihm nicht geglaubt, ebensowenig konnten wir es jetzt. Seine Gesichtszüge drückten weder Zorn noch Traurigkeit aus, sondern Demütigung und Gebrochensein.

Der Arbeiterkommissar sah aus wie eine durchlöcherte Trommel, doch er redete nicht lange, sicherlich hatten ihn unsere ratlosen Blicke zur Flucht veranlaßt. Er ließ das »wir«, wurde ein »er«, und wir wurden »ihr«. Das war alles.

Kaum war sein blaues Auto in einer Staubwolke verschwunden, da wollte der Gutsverwalter unseren Zorn besänftigen und uns überzeugen.

Er stieg auf die Reste eines Stuhls, die an der Mauer lehnten, und polterte mit seiner weibischen Stimme los, die er vergebens rauh zu machen versuchte: »Von Anfang an habe ich mich bemüht, euch das klarzumachen. Einer aus Damaskus bleibt ein Damaszener, und einer aus Bagdad ein Bagdader. Was die Ziege im Wald frißt, das findest du in der Gerberei wieder. Die Welt ist noch immer dieselbe – unteilbar, und sie wird sich nicht teilen lassen. Niemals können Gesetz und Revolution unter einem Dach leben. An dem Tag, an dem ich als Leiter zu euch gekommen bin, hatte ich das bereits gewußt, ihr aber habt es vorgezogen, euch meinen Ratschlägen zu verschließen. Ihr habt mich immer wieder von hier vertreiben wollen. Illusionen leiten die Gäste ins Haus. Jetzt könnt ihr das Ergebnis mit den Händen greifen. Das Land ist weit, lang und breit. An der Arbeit hat sich nichts geändert, überall, zu jeder Zeit... Algerien braucht euch hier oder anderswo, ohne euch können wir nicht...«

»Großvater, wurde die Stimme gehört? Erzähl doch endlich!«

»Oje! Ich hab dich ja ganz vergessen. Wo waren wir stehengeblieben?«

»Lieber Opa, sie kleidete sich in einen Burnus und folgte den Spuren ihres Mannes. Als sie an seinem Arbeitsplatz anlangte, versteckte sie sich...«

»Ja, ja, ich weiß schon wieder: Kaum hatte der Arme mit der Arbeit begonnen und sich mit der Axt auf die Baumstümpfe gestürzt, daß ihm der Schweiß den ganzen Körper herunterrann, da heulte sie wie ein hungriger Schakal...«

»Opa, du hast doch gesagt ›wie eine Unglückseule‹, nicht ›wie ein hungriger Schakal‹!«

»Ist doch ganz egal, Eule oder Schakal! Also sie rief, und das Echo ihrer Stimme hallte in den Schluchten, Tälern und Höhlen wider: ›He, du, der im Walde Holz schlägt und nicht auf die Ernte wartet, schlachte die Kuh der Waisen, dann hast du Gewinn.‹«

»Und wenn er sie nun schlachtet, Opa?«

Aber er antwortete nicht. Seine Gedanken schweiften weit fort von ihr. Er schloß die Augen und ließ noch einmal das vorüberziehen, was am Morgen geschehen war.

»Jawohl! Algerien wird nur mit euch weiterleben. Begreift das doch!«

»Heute ist der Tag, an dem wir unsere Rechnung mit allem Bösen begleichen«, sagte Abd al-Wahid, der Gewerkschaftsvorsitzende. Er ließ den Blick von einem zum anderen wandern, er suchte einen Widerhall. Mas'ud, ein Mitglied der Selbstverwaltungskommission, antwortete ihm: »Es wird eine teure Rechnung.«

»Wennschon. Teurer als jetzt kann sie nicht werden. Gibt es denn noch etwas Schlechteres?« Dann rief er etwas ruhiger: »Herr Verwalter!«

Der redete weiter, als hätte er nichts gehört: »Ihr wißt, daß ich sofort in die Kreisstadt fahren und mit den Verantwortlichen sprechen werde. Wenn nötig, nach Algier. Jawohl! Ich werde euch nicht sitzenlassen und euch nicht vergessen.«

»Wir wollen uns mit Ihnen verständigen, Herr Verwalter.«

»Bitte, geht jetzt in aller Ruhe auseinander, laßt die Angelegenheiten in meiner Hand! Habt keine Angst vor der Zukunft. Wie ihr wißt, habe ich überall Bekannte und Freunde.«

Abd al-Wahid trat aus der Menge heraus, lief zu dem Verwalter hin, packte ihn am Arm und rief aus: »Wir wollen, daß Sie uns unbedingt anhören, bevor wir auseinandergehen! Verstehen Sie?«

Der Verwalter blickte auf seine Uhr, dann auf den Weg. Damit wollte er zeigen, daß er jemanden erwartete. Mir fiel ein, daß ein paar Leute von der Gewerkschaft kommen sollten. Meine Neugier wurde größer. Ich wünschte aus tiefstem Herzen, daß sie einträfen. Seit langem hatten wir keine Rede eines Gewerkschafters gehört. Mit den Worten des armen Abd al-Wahid waren wir schon allzusehr vertraut, und doch wählten wir ihn jedesmal wieder.

Es war ungefähr elf Uhr. Rauch stieg aus unseren Hütten auf – unsere Hütten zumindest bis jetzt, und seit Jahrzehnten, obwohl sie auf dem Grund und Boden des Kolonisten standen. Er hatte sie für uns bauen lassen – wie Gefängnisse. Wir hatten sie mit unseren Händen gebaut. Unsere Frauen hatten noch nichts von der Sache gehört. Sicherlich warteten sie auf unsere Heimkehr. Es war Sonntag, da gingen wir sonst immer auf den Markt, wenn es keine Arbeit gab, die rasch erledigt werden mußte. Der Himmel war strahlend blau. Die Vögel sangen emsig für den Frühling. Die Blumen im Garten des Verwalters und auf der Veranda seiner Villa lächelten trunken und reckten sich wie schamhafte Jungfrauen. Bienen tanzten um die blühenden Bäume und summten Lieder von Nektar und Hoffnung. Ach, wie schön würde es sein, wenn die Gewerkschafter kämen und unsere Herzen erwärmten mit Reden von Kampf und Elan, wenn sie uns den Weg zur Tat erleuchteten!

»Opa, und dann? Du schläfst doch!«

»Nein. Wo haben wir aufgehört?«

»Opa, beim Wald!«

»Ich hatte gesagt, daß sie sich in einen Burnus kleidete und den Spuren ihres Mannes folgte.«

»Opa, wir waren bis ›schlachte die Kuh der Waisen, dann hast du Gewinn‹.«

Wieder vergaß er sie und überließ sie dem brennenden Wunsch, den Rest des Märchens zu erfahren.

»Ich wußte es schon, wir alle wußten es. Was will denn Abd al-Wahid dem Verwalter mitteilen?«

Zunächst würde er zu ihm sagen: Wir brauchen den Lohn für unsere Arbeit, den wir seit drei Monaten nicht bekommen haben, obwohl wir wissen, daß der Betrag eingetroffen ist. Der Verwalter aber hat es vorgezogen, die Schulden auf dem Gut abzudecken, von denen wir nichts wissen.

Zweitens würde er zu ihm sagen: Herr Verwalter, fünf Jahre schon hindern Sie uns daran, uns zusammenzuschließen, eine Kommission und eine Gewerkschaftsgruppe zu bilden, lähmen unsere Arbeit durch Ihre Alleinentscheidungen über uns und das Gut.

Drittens: Herr Verwalter, Sie haben uns bestohlen, und zwar durch Ihre Buchführung. Unsere Arbeit bleibt die gleiche, aber der Lohn dafür schwindet auf Ihren Blättern, wie sehr wir uns auch anstrengen und auf die Entlohnung der Überstunden verzichten.

Viertens: Sie haben die neuen Motoren unserer Traktoren verkauft und alte dafür eingebaut. Sie schicken die Traktoren zur Reparatur, ohne daß etwas schadhaft ist.

Fünftens: Sie haben anderswo große Ländereien, die Sie mit unseren Geräten bearbeiten und auf Rechnung unseres Gutes bestellen. Wir haben erfahren, daß Sie zu den Verrätern an der Revolution gehören.

Sechstens: Sie mit Ihrer Frau, Ihrer Tochter, dem Hund und dem Auto geben mehr aus, als alle Arbeiter des Gutes zusammen.

Und er würde hinzufügen: Sie sind die Ursache unserer Leiden und unseres Elends. Sie werden an einem anderen Ort zum Verwalter ernannt werden und Ihr Werk fortsetzen, wir aber werden in alle Winde zerstreut und ziehen Mißerfolg und Kummer hinter uns her. Deshalb ist es besser, wir begleichen unsere Rechnung mit Ihnen, bevor wir auseinandergehen. Wir werden Sie nicht schlagen oder gar töten, werden weder Ihrer Frau noch Ihrer Tochter noch dem Hund etwas antun und Ihr Auto nicht zertrümmern. Wir wollen nur nicht, daß Sie verschwinden, bevor die Rechnung beglichen ist. Ein Sachverständiger soll aus der Kreisstadt geholt werden und mit Ihnen abrechnen. Abd al-Wahid wird reden und reden, und wir wissen doch ganz genau, was dabei herauskommt. Aber wir haben es gern, daß er den Verwalter herausfordert und ihn so zwingt, an unserer mißlichen Lage Anteil zu nehmen, wenn es auch nur Spielerei ist. Wir wissen, daß die Zeit lang und das Schicksal gewaltig ist, daß jeder Ehrgeizige auch einmal unterliegen muß. Für das Menschenherz ist es aber in Stunden der Not tröstend, wenn das Elend auf viele Schultern verteilt wird.

Der Verwalter sah auf seine Uhr und dann wieder den Weg hinunter. Er wandte sich Abd al-Wahid zu und versuchte, seinen Arm dessen rauher Hand zu entwinden. Wir alle lächelten und beobachteten genau: Sein Gesicht wurde zusehends bleicher, und er sagte bedrückt: »Freunde, Arbeiter!«

»Was heißt hier Freunde und Arbeiter? Wir wünschen, daß Sie uns anhören, bevor wir uns trennen. Verstehen Sie?«

Und wieder blickte er zu dem Weg hin. Dann brüllte er wie ein Löwe: »Der Kommissar hat mir mitgeteilt, daß Polizei anrückt. Zum Glück kommt sie zur rechten

Zeit. In unserem Land herrscht jetzt eine vorzügliche Ordnung!«

Wir alle wandten uns zu dem Weg um. Tatsächlich, die Polizei war bereits da. Wir sahen uns an und waren uns einig: Gewiß hatte der Verwalter sie herbeigerufen.

Mas'ud lief zu Abd al-Wahid hin, befreite den Arm des Verwalters aus dessen Griff und stieß ihn beiseite. Inzwischen hatten die Polizisten uns eingekreist. Sie hatten die Waffen im Anschlag, als gingen sie gegen ein feindliches Regiment vor, das in Gefangenschaft geraten war.

»Ich habe es euch von Anfang an klarzumachen versucht: Einer aus Damaskus bleibt ein Damaszener, und einer aus Bagdad ein Bagdader«, ereiferte sich der Verwalter. Prahlerisch redete er weiter: »Dieses Gut unterliegt nun nicht mehr eurer Selbstverwaltung. Es bleibt euch nicht, wie ihr euch eingebildet habt. Es ist denen übereignet, die für die Befreiung gekämpft haben ... Was die Ziege im Wald frißt, das findest du in der Gerberei wieder. Von heute an gehört das Gut den Helden, zehn alten Mudschahids*.«

»Zehn statt hundertfünfzig, abgesehen von den zusätzlichen Arbeitskräften.« Niedergeschlagen ging einer nach dem anderen fort. Der Verwalter aber redete weiter: »Bis jetzt ist alles ruhig. Doch ihr seid im rechten Augenblick gekommen. Diese Schurken! Ausländer haben ihnen destruktive Ideen eingeimpft. Ich werde euch die Liste mit den Namen der Unruhestifter geben.«

Lange, sehr lange hatten wir die Polizei, die Armee erwartet, damit sie uns unterstützten und der Gerechtigkeit zum Siege verhalfen, die revolutionären Gesetze festigten und der Sabotage der Gutsverwalter, ihren Diebereien und Unterdrückungsmaßnahmen gegen uns ein Ende bereiteten. Wir waren felsenfest überzeugt, daß sie eines Tages eintreffen würden. Das entfachte unsere Begeisterung und spornte uns zu aufopferungsvoller Arbeit an. Mehr noch: Wir vergaßen unsere Sorgen und unsere Not. Wir bemühten uns, sie herzuholen. Dann und wann riefen uns Abd al-Wahid und Mas'ud im Haus eines von uns zusammen. Stundenlang setzten wir Briefe und Bitt-

---

* Algerische Freiheitskämpfer.

schriften auf. Jeder von uns äußerte mit Begeisterung, was ihn bewegte, und wollte es die »Obrigkeit« wissen lassen, von deren Unvoreingenommenheit und Ehrlichkeit wir überzeugt waren. Eines Tages würde eine unserer Bittschriften in ihre Hände gelangen, und sie würde dann Polizei und Truppen senden, um uns, sich selbst, Algerien und der Revolution dadurch zu dienen, daß der Verwalter festgenommen wurde.

Nun aber waren sie da und umstellten uns. Gewiß waren unsere Briefe und unsere Bittschriften unterwegs verlorengegangen und hatten sie nicht erreicht. Ach, konnten wir jemals zu ihr vordringen, die Wege frei machen, die zu ihr und zur Gerechtigkeit führten?

»Weiter, Opa.«

»Was, du schläfst noch nicht?«

»Du willst nur die Geschichte nicht zu Ende erzählen! Lieber Opa, was ist denn nun mit der Kuh der Waisen geschehen?«

»Kuh der Waisen ... Kuh der Waisen? Ach ja! Sie lebten von ihr. Sie ersetzte ihnen die Mutter und nährte sie fürsorglich mit reiner, süßer Milch.«

»Das weiß ich doch schon, Opa! Aber die Frau ihres Vaters, nachdem alle ihre Ränke und ihre Bemühungen fehlgeschlagen waren, die beiden zu vernichten und sein Herz allein zu gewinnen, kleidete sich in einen Burnus und folgte den Spuren ihres Mannes. Als sie an seinem Arbeitsplatz anlangte, versteckte sie sich. Dann ertönte ihre Stimme wie die einer Unglückseule: ›He, du, der im Walde Holz schlägt und nicht auf die Ernte wartet, schlachte die Kuh der Waisen, dann hast du Gewinn.‹ Wie nun weiter, Opa?«

Wir gingen auseinander, die Polizisten besetzten die wichtigen Punkte und warteten auf die große Auseinandersetzung. Zu Hause dachte ich darüber nach, was zu unternehmen sei, um die Situation zu retten.

Da öffnete sich die Tür, ohne daß zuvor angeklopft worden war. Mas'ud, Abd al-Wahid und ad-Darradschi schoben sich herein. Ich betrachtete sie so genau, als sähe ich sie zum ersten Male.

Mas'ud – ein Mann mittleren Alters, trotz aller Lebhaftigkeit weise, bedachtsam, weizenfarbene Haut, schmale

Augen wie ein Chinese, lange feine Nase, runder Kinnbart, mächtiger Schnurrbart, gedrungene Gestalt, aber hager, mit einem gelben Lappen auf dem Kopf.

Abd al-Wahid – in der Blüte der Jahre, groß, braunhäutig, scharfer Blick, kleiner, trockener Mund, vorstehende Backenknochen, breite Augenbrauen, gekrümmte Nase. Sein Äußeres ruft den Eindruck hervor, er sei ein Häftling oder ein Kriminalpolizist.

Ad-Darradschi, ebenfalls in reifem Alter, klein, rundes Gesicht, rötliche Haut, braune Augen, Stupsnase, wulstige Lippen, schneeweiße Zähne, große Ohren. Er sieht aus, als hätte er zu Hause eine Herde heiratsfähiger Töchter oder als stünde er unter dem Pantoffel.

»Was führt euch her?«

Ich wußte, daß sie sich mit den Arbeitern in Verbindung gesetzt hatten. Sie hatten vereinbart, mich mit einer Aufgabe zu betrauen. Ich hatte das nur gesagt, um das Gespräch in Gang zu bringen, da sie lange schwiegen.

»Wir sind zu dir gekommen.«

»Nun, das sehe ich. Und was wollt ihr?«

»Die Arbeiter wünschen, daß du sie vertrittst, in Anbetracht...« Ich wartete nicht, bis sie meine beiden gefallenen Söhne erwähnten, denn ich wollte der Sache lieber die tragische Note nehmen und beeilte mich daher, trocken einzuwerfen: »Ich bin bereit. Was möchtet ihr?«

»Du sollst mit den alten Mudschahids verhandeln, bevor du etwas anderes unternimmst.«

»Welche Mudschahids? Wo sind sie?«

»Die Polizisten sagten, sie würden gleich eintreffen. Geh hinaus zu ihnen. Die Kommission, die Gewerkschaft und die Arbeiter wollen dich nicht auf ein Gesprächsthema mit ihnen festlegen. Sie teilen dir nur mit, daß sie nicht tatenlos zusehen werden. Sie fordern dich auf, für das Recht einzutreten. Sie haben dich gewählt wegen...«

»Ich weiß schon.«

Auf meinen Stock gestützt, verließ ich unverzüglich die Hütte und machte mich auf zum Gutseingang. Sehr bald waren sie da.

Ich pries Allah, daß es »Indochina«, der »Chinese«, al-Baraka, Bu Rabb und Kasirwadhnu waren.

Sie waren offenbar überrascht, daß ich ihnen in den Weg lief wie ein Rabe in der Mauser. »Indochina« konnte seine Verblüffung rasch überwinden. Er trat auf mich zu und rief aus: »Allah erbarme sich der Gefallenen! Was treibst du denn hier, du Unglückswurm?« Er umarmte mich. Dann wandte er sich um und sagte zu seinen Begleitern: »Erinnert ihr euch des ›Löwen‹ und des ›Todesmutigen‹? Allah erbarme sich ihrer! Dies ist ihr Vater.« Und wieder zu mir: »Was machst du hier?«

Er hatte mein Gefühl in Wallung gebracht und die Wunden in meinem Herzen wieder aufgerissen. Meine Söhne erschienen mir: Zwei harmlose Kinder laufen jauchzend um mich herum ... Ich beuge mich zur Arbeit nieder, wende die Erde unter der Sonnenglut, Schweiß trieft vom Körper ... Im Morgengrauen öffne ich die Bewässerungskanäle, damit sich das Wasser sprudelnd ergießt, zäume den Hengst des Kolonisten auf, und er steht bei mir, furchterweckend wie das Schicksal ... Ich wälze mich in Schmutz und Öl unter dem Traktor, zwei junge Burschen schwitzen neben mir und versuchen, an meiner Stelle den Traktor zu steuern ... Die jungen Mädchen im Dorf blicken ihnen nach, die beiden gehen beiseite, um zu rauchen ... Zwei Fida'is, die die Kolonisten dieses Gebiets in Schrecken versetzen ... Die Zungen werden nicht müde, über die Heldentaten der beiden zu berichten ... Zwei Soldaten, von ihren Kameraden »Löwe« und »Todesmutiger« genannt, treten gegen den Feind an und fordern das Schicksal heraus ... Zwei Märtyrer, ihr teurer Leib von Blei zerfetzt. Ihre Kameraden sind nach dem Waffenstillstand und dem Sieg zurückgekehrt, sie aber haben sich für ewig verspätet.

Mir traten Tränen in die Augen, mir wurde schwach, beinahe wäre ich zu Boden gesunken. Ich erholte mich erst, als ich »Indochina« die Hände hinstreckte, um damit seine Frage zu beantworten. »Ich arbeite hier und bin Mitglied der Selbstverwaltungskommission.«

Allah erbarme sich der Märtyrer! dachte ich und war nicht sicher, ob meine Lippen dies vielleicht auch flüsterten.

Er betrachtete die Ehrentafel des Gutes, auf die die Arbeiter die Namen meiner Söhne geschrieben hatten.

Dann wandte ich mich wieder »Indochina« zu. Unsere Blicke trafen sich, mir war, als murmelte er: »Richtig, du bist in ehrenvollen Angelegenheiten zu uns gekommen. Wir dachten damals nur an das Ganze, um uns selbst sorgten wir uns nicht. Wir waren Kämpfer in einem langen, harten Krieg, in dem wir die Grundlagen für den Sieg schaffen mußten. Unser Leben bedeutete nichts gegenüber dem Erfolg unserer Bemühungen. Der Tod war überall, und wir suchten und verfolgten ihn unablässig. Jawohl! Und meistens trafen wir mit ihm zusammen, bezwangen ihn – und das Leben ... Damals saugten wir nur an den Brüsten unserer Mutter. Sie waren groß und fest. Ihre Umarmung war warm, und ihre Atemzüge waren heißer als ein Vulkan. Die Revolution säugt uns, die Erde saugt unser Blut und die Geschichte unseren Ruhm. Aber jetzt, ach ...«

Bedrückendes Schweigen folgte. Ich wußte nicht, wie ich es brechen sollte. Mir schien, daß »Indochina« und seine Kameraden die ärmsten Waisen waren. Unwillkürlich drangen über meine Lippen Worte, die meine Handbewegung erklärten: »Ich gehöre zu einer von hundertfünfzig Familien auf diesem Gut.«

Der »Chinese« ging zur Seite und ließ den Blick gierig über die Gebäude des Gutes, die Bäume, die Weinstöcke und die Blumen schweifen. Bu Rabb wandte sich an Kasirwadhnu. Sie tauschten Zigaretten und Feuerzeug. Al-Baraka stieß einen Seufzer der Beunruhigung aus. »Indochina« dachte eine Weile mit gesenktem Kopf nach und sagte dann kaum vernehmbar: »Wir sind fünf von zehn, ja von Tausenden alter Mudschahids ohne Zukunft.«

»Opa, kommst du denn gar nicht weiter als ›He, du, der... schlachte die Kuh der Waisen, dann hast du Gewinn‹?«

»Ach, meine Liebe, drei Tage lang hat die Verfluchte das wiederholt, bis ihr Mann überzeugt war, daß die Stimme vom Himmel kam.«

»So, er war also überzeugt.«

»Ja, und am vierten Tag ging er nicht in den Wald. Er hielt den Jungen, das Mädchen und die Kuh im Hause fest. Am späten Vormittag holte er ein Fleischerbeil, ein Messer und eine Leine und fesselte die Kuh. Dabei hörte er immerzu die verfluchte Stimme: ›He, du, der im Walde Holz schlägt und nicht auf die Ernte wartet, schlachte die Kuh der Waisen, dann hast du Gewinn.‹«

»Und was dann, Opa?«

Der Verwalter kam mit seinem Auto. Seine Frau saß neben ihm, Tochter und Hund dahinter. Die Mündung des Jagdgewehrs ragte aus dem Fenster heraus. Die Frau versuchte, sie mit einem rosa Tuch zu bedecken. Lächelnd grüßten wir ihn. Er fuhr mit unverminderter Geschwindigkeit vorbei. Kasirwadhnu folgte ihm mit dem Blick, bis er verschwunden war. Mir schien, daß sich ihm das Bild der Tochter für immer eingeprägt und er sich entschlossen hatte, um ihre Hand anzuhalten.

Auf einen Wink »Indochinas« setzten wir uns mit schweren Schritten in Bewegung. An ihrer Seite fühlte ich mich stark. Zornig sagte ich, auf die Polizisten weisend: »Er hat sie hergerufen, um Schutz zu haben, bis er wegfährt.«

»Wer?«

»Der Verwalter ist zur Jagd gefahren und hat uns, euch und die Polizisten zurückgelassen, damit wir uns einigen.«

»Einigen – worüber?«

»Hör zu, ›Indochina‹, mein Sohn. Auf diesem Gut wie auf anderen sind von Anfang an Soldaten, Leute ohne Arbeit, Kämpfer, Söhne von Gefallenen und Witwen. Dieses Gut ist auf ihren Schultern entstanden. Doch davon wollen wir jetzt nicht sprechen. Nur Hoffnung und Stolz kann man genießen. Dieses Gut gehört uns, nach Gesetz und Revolution. Wenn es uns auch viel Mühe kostet, so hoffen wir doch, daß es uns eines Tages besser gehen wird. Es ist für uns recht hart, zu sehen, daß alles, was uns seit dem Ausbruch der Revolution bis heute gesagt worden ist, Lug und Trug, eine Fata Morgana ist. Mein Sohn, wir verspielen den Sozialismus nicht ...«

»Indochina« unterbrach mich erregt, in drohendem Ton: »Seit Jahren leiden wir unter dem Elend. Dieses Gut gehört dem Staat, und der Staat weiß schon, was er damit anzufangen hat ...«

»Opa, er hat Beil und Messer geholt und die Kuh gefesselt. Und dann?«

»Ach ja, er hat sie geschlachtet, abgehäutet und ihr Fleisch zerschnitten.«

»O Allah, die Arme!«

»Freudig schleppte die Verfluchte die Kuh in ihr Haus und briet das Fleisch für ihre Söhne.«

»Und die Waisen, Großvater? Es war doch ihre Kuh.«

»Sie gab ihnen den Mageninhalt und verwehrte ihnen drei Tage lang, das Haus zu betreten.«

»Den Mageninhalt ... und alles andere hat sie ihnen weggenommen?«

»Aber meine Liebe, wenn du wüßtest, was aus dem Mageninhalt für sie herauskommt!«

»Was denn, Opa?«

Er dachte wieder an die Ereignisse des Vormittags.

»›Indochina‹, mein Sohn, hör zu. Auf dem Gut sind nur hundertfünfzig Arbeitskräfte. Wir brauchen weitere hundert. Wir brauchen jemanden, der die Produkte kontrolliert, die wir auf den Markt bringen und von denen die Hälfte schon unterwegs verlorengeht. Einige müssen wir in die Selbstverwaltungskommission wählen. Das ist Sozialismus, und wir sind Brüder. An eurer Stelle können wir alle Arbeiten leisten, und wir können euch auch einen Teil unserer Einnahmen abtreten.«

All das widerte »Indochina« allmählich an. Der »Chinese« lachte laut auf, und al-Baraka seufzte tief.

Die Arbeiter hatten mir keinen bestimmten Standpunkt empfohlen. Sie hatten mich mit der Angelegenheit betraut, stellvertretend für sie, doch mit voller eigener Verantwortung.

»Opa, du vergißt!«

»Hm, habe gesagt: ›He, du, der die Kuh der Waisen schlachtet, du wirst Gewinn haben.‹«

»Nein, nein, Opa, wir waren ja schon beim Mageninhalt!«

»Richtig! Die beiden Waisen schafften den Mageninhalt fort und legten ihn in einer Waldschlucht hin. Und als sie nun so herzzerreißend weinten, daß es die Felsen erweichte und die Berge erbeben ließ und die Erde spaltete, da geschah das Wunder.«

»Oh, lieber Opa, hat sich der Mageninhalt wieder in die Kuh verwandelt? Wurde die Kuh der Waisen wieder lebendig?«

»Indochina« sah den Weg hinunter, ich ebenfalls. Er betrachtete den Gutseingang und die Tafel daneben. Ich hatte die schwache Hoffnung, der Gewerkschaftsvertreter würde kommen. Dann dachte ich an den Landarbeiterkongreß und versank in die Einzelheiten, doch »Indochina« sprach mich plötzlich an: »Wir gehen jetzt und kommen morgen zurück. Auf Wiedersehen!«

Aus dem Verwaltungsgebäude drang Lärm. Die Polizisten nahmen Abd al-Wahid, Mas'ud und ad-Darradschi fest. Trotzdem murmelte ich: »Vergeßt nicht, daß uns eure Besuche früher sehr erfreut haben.«

»Opa, was für ein Wunder, hat die Kuh wieder gelebt?«

»Nein, meine Liebe, etwas anderes ist geschehen. Schlaf jetzt, morgen erzähle ich dir die Geschichte zu Ende.«

Er blies die Kerze aus, umarmte das Mädchen und zog die Decke um sich.

Rachid Boudjedra
Umm Hani

Sie hatte sich niemals an den Gedanken gewöhnen wollen, daß sie nicht mehr in ihrem Dorf lebte und deshalb unterließ sie es nicht ein einziges Mal, wenn sie Gelegenheit dazu hatte, mit ihren Nachbarinnen darüber zu sprechen, die es nie fertigbrachten, ihr bis zu Ende zuzuhören, so sehr breitete sie sich aus, und sie rief die kleinsten Einzelheiten ihres Lebens in Aïn wach, beschrieb jedes Mitglied ihrer Familie und jedes Zimmer ihres Hauses, befaßte sich gar mit dem Leben des Kadi und mit seiner riesigen Ziegenherde, sprach von Si al-Hadsch, dem Eigentümer der Omnibusse, und von seinen drei Frauen...

Um die Wahrheit zu sagen, sie brachte immer deutlich zum Ausdruck, daß sie den Kadi und seine Ziegen, Si al-Hadsch, den Omnibuseigentümer, und seine drei Frauen weder jemals gesehen noch gekannt hatte, denn als wahrhafter Ehemann gestattete ihr verstorbener Gatte ihr nur einmal im Monat, stets begleitet von einem ihrer Kinder, ins Bad zu gehen.

Sie erzählte von ihrem Haus, vom Innenhof, den im Sommer ein riesiges Weinspalier bedeckte, vom Schnee, den sie im Winter abklopfen mußte, um ihre schmutzigen Schüsseln zu waschen, von der riesigen Kiste, in die sie sorgfältig ihre mit Gold und Silber bestickten Ganduras einpackte, von den Vorhängen aus rot und weiß gestreifter Sackleinwand vor den Türen, gegen die im Herbst, zur Zeit der angefaulten Granatäpfel, hartnäckig die Fliegen stießen, von den Melonenscheiben, die am Brunnenrand in der sommerlichen Brise erquickten...

Aber am fesselndsten waren die Erzählungen von Umm Hani, wenn sie von der Mauer des Hauses gegenüber sprach, die sich düster und weiß dehnte, der einzige äußere Anblick, der sich ihr bot, wenn sie durch das Schlüsselloch schaute, eine Vergünstigung, gebührend gewährt von ihrem Gatten, der ihr als wahrhafter Ehemann nicht mehr erlaubte. Die Großmutter sprach niemals von der Mauer des Hauses gegenüber, ohne die riesige Eidechse zu erwähnen, die an sonnigen Tagen die gesamte glatte weiße Fläche beherrschte und deren Ausgelassenheit sie in höchstem Maße beunruhigte.

Sie erzählte auch von den Stimmen der Kinder aus der Koranschule, die an ihr Haus grenzte. Sie leierten die ganze heiße Mittagszeit hindurch dieselben Suren herunter, von Zeit zu Zeit vom Heulen eines Schülers unterbrochen, der eine körperliche Züchtigung erhielt, weil er seine Lektion nicht gelernt hatte oder weil er gar dem Lehrer die wöchentlichen zehn Duros nicht gezahlt hatte.

Und war sie einmal im Erzählen, dann redete sie stundenlang weiter, bis sich die Nachbarinnen Hals über Kopf davonmachten, da sie sich plötzlich erinnerten, daß sie das Abendessen nicht zubereitet hatten oder daß gar der Augenblick gekommen war, da der Mann zurückkehren würde.

Und am nächsten Morgen gab es die gleiche Versammlung, dieselben Geschichten, tausendmal wiederholt, aber immer mit feinen Abweichungen; sie erzählte wieder von dem Innenhof und dem Weinspalier, von dem Schnee und der Eidechse, von der Mauer des Hauses gegenüber und den stammelnden Stimmen der Kinder, die unablässig dieselben Suren wiederholten, von den heißen Mittagsstunden, den wärmetrunkenen Fliegen, den reifüberzogenen Melonenscheiben und dem Schlüsselloch. Aber je länger sie sprach, um so mehr beschwor sie andere Dinge herauf: Die Horden von Bettlern, die in der letzten Nacht von den Bergen herabgekommen und von Tür zu Tür gezogen waren, mit rauher Stimme traurige und gedämpfte Litaneien singend, eingehüllt in ihre Burnusse, und die Alten schlugen mit ihren Stöcken auf den Boden und verfluchten die Jungen, wenn es ihnen gelang, sie zu überholen, und sie liefen im Gänsemarsch dahin, in der Hand Blechdosen, halbvoll von vermoderten Brotrinden, die das Dorf nicht mehr wollte, keuchend, geifernd, heilige Sprüche lallend, struppig – so erschienen sie Umm Hani wie Liliputaner, die sie durch das Schlüsselloch vorbeigehen sah; erschreckt und halbtot vor Angst, wandte sie sich nach diesem alltäglichen Anblick ab und setzte sich zu Si Dschelali, ihrem Mann. Und dieser betete beim Lärm der Horde, die eben vorbeigezogen war, nachdrücklich seinen Rosenkranz und bat Gott um Barmherzigkeit und Beistand, hingelümmelt auf seinem Teppich mitten im Innenhof und schlotternd in seiner großen weißen Dschellaba an diesen milden ostalgerischen Sommerabenden mit einem Hauch von Jasmin.

Die Großmutter lebte jetzt in Constantine. Ihr Mann war ein Jahr zuvor gestorben. »Unmittelbar vor der Unabhängigkeit«, sagte sie oft, und sie war selbst fast unbewußt verwirrt von diesem Zusammenhang, den sie herstellte. Infolge angehäuften Aberglaubens kam es so weit, daß sie sich vor dieser Befreiung fürchtete, die ihr irgendwie den verehrten Mann genommen hatte.

Seit sie bei ihrem Sohn wohnte, in diesem alten Haus in der Rue Ben Badis gegenüber der Madrasa, von der nicht weniger der Putz abbröckelte und wo man jeden Morgen am Brunnen Schlange stehen mußte, um unter Mühen zwei Eimer Wasser nach Hause zu bringen, hatte ihre Schwiegertochter ihr die gesamte Einkaufsbefugnis übertragen, von der sie fast allein in dem kleinen Laden Gebrauch machte, dessen Eigentümer, ein Greis mit Turban und roter Nase, seine Zeit damit verbrachte, hinten im Laden, der nach getrockneten Gewürzen und Fleckenwasser roch, mit Hilfe seines Neffen, eines Fußballspielers, der der Stolz seines Viertels war, falsch zu wiegen.

Und dort, in dieser baufälligen Straße, die sie von früh bis spät durchmaß, von Ami Hasans Laden bis zum Ofen für alle, wohin sie das riesige Brot trug, das ihre Schwiegertochter in der Schule geknetet hatte, in die sie ihre beiden Enkelinnen begleitete, dort sehnte sie sich nach dem Schlüsselloch, nach der glatten weißen Mauer des Hauses gegenüber, nach der sonnensatten Eidechse, nach den monotonen Stimmen der Koranschule in der Mittagszeit, die den Schweiß hervortrieb, nach den von den angefaulten Granatäpfeln trunkenen Fliegen und den reifüberzogenen Melonenscheiben.

Seit einiger Zeit ging die Alte nicht mehr aus, sie klagte über ihr linkes Auge. Es schwoll unablässig an. Ihr Sohn versuchte sie immer wieder zu überzeugen, daß sie einen Arzt aufsuchen müsse, doch sie weigerte sich hartnäckig. Wenn er mit ihr darüber sprach, dann antwortete sie stets mit einem Seufzer, daß ihr verstorbener Mann, wenn er noch lebte, sie zu einem Zauberer gebracht hätte, der den bösen Blick von ihr nähme, den die auf ihre gute Gesundheit neidischen Nachbarinnen auf sie geworfen hätten.

Eines Tages redete ihr eine Frau, die sie zufällig bei einem Besuch bei Sidi Raschid, dem Heiligen der Stadt, traf, ein, sie müsse, um gesund zu werden, auf ihr krankes Auge die Eingeweide einer weißen Taube legen, die an einem Freitagmorgen getötet worden sei und die man vorher im Hause sieben Tage lang in Freiheit gehalten habe.

Umm Hani war entzückt von diesem guten Rat, und am nächsten Morgen kaufte sie die weiße Taube, die eine Woche lang in den beiden winzigen Zimmern der Wohnung einherstolzierte, über die rissigen Möbel flatterte, den Kindern Schnabelhiebe versetzte, so daß sie nach der Rückkehr aus der Schule wahre Feldzüge unternahmen, um sie zu fangen, zur großen Bestürzung der alten Frau, die energisch gegen jeden Anschlag ihrer Enkel einschritt.

Am Vortag der großen Opferung wollte Zina, ihre Schwiegertochter, die beiden Zimmer lüften, die unter dem anarchischen Aufenthalt des geweihten Federviehs zu leiden begannen. Sie öffnete die Fenster. Die Taube, die nichts sehnlicher gewünscht hatte, flog ruhig davon, gleichgültig gegenüber ihren Schreien. Sie brachte alle Bewohner der Sackgasse in Bewegung, in die niemals ein Sonnenstrahl drang und in der der geringste außergewöhnliche Vorfall das Ausmaß eines außerordentlichen Ereignisses annahm.

Umm Hani, die ihre Einkäufe in Ami Hasans Laden machte, erfuhr es von einer Nachbarin, die eilends in den Laden kam, die wahrhafte Börse allen Klatschs in diesem Stadtteil.

Und die Rückkehr ging vonstatten unter den Klagen der alten Frau, die sich das Gesicht zerkratzte, unterstützt vom schmerzerfüllten Konzert aller Nachbarinnen, die auf ihren Türschwellen erschienen waren, und vom Geschrei der Kinder, die begierig waren zu erfahren, was vorgefallen war.

Dann sprach Umm Hani mehrere Tage lang nicht ein einziges Wort, saß reglos in ihrer Ecke, die Wangen zerrissen, die Augen krank, und weigerte sich noch immer, einen Arzt aufzusuchen. Eines Morgens ging sie ins Dorf, um ihre monatliche Wanderung zum Grab Si Dschelalis, ihres verstorbenen Mannes, zu machen. Sie ließ sich wie auch sonst einige Stunden dort nieder, streute über dem weißen Stein Hirsekörner und Brotkrumen aus und goß Wasser in eine Vertiefung im Grabstein für die Vögel des Paradieses.

Dann ging sie wie üblich weg, aber sie kam nie wieder nach Constantine.

Man wußte, daß sie blind geworden war, und die Frauen im Stadtviertel behaupteten, der Frevel an der Taube, die man hatte wegfliegen lassen, habe die Erblindung der alten Frau verursacht.

Rachid Mimouni
Der Ausbrecher

In seiner unendlichen Güte hat der Oberste Führer, vom
Volke geliebter gewaltiger Schmied der Geschichte, diesen Mittwoch aus Anlaß seines Geburtstags zum gesetzli-
chen Feiertag erklärt, zum großzügig bezahlten Urlaubs-
tag für alle Beschäftigten aller Behörden und Betriebe,
einschließlich jener, welche Stunden- oder Tageslohn erhalten, zum Ferientag für Schüler und Studenten, die in
den Genuß einer kostenlosen Mahlzeit kommen sollen,
mit Fähnchen garniert, die sein Konterfei tragen und die
es im gebotenen Moment frenetisch und unablässig zu
schwingen gilt vor dem Zyklopenauge der auf die Straßen
der Hauptstadt losgelassenen Kameras, auf Straßen über-
schäumender als eine Herde wildgewordener junger Käl-
ber, die zu lange eingesperrt waren. Auf den untersten
Stufen seiner schattigen Residenz werden die Bauern ihre
schönsten Früchte niederlegen, die Dichter ihre schönsten Verse deklamieren und die schönsten Jungfrauen
ihm ihre schmachtende Anbetung entgegenschreien. Den
Geschäften der Stadt wurde von der Verwaltung der
strikte Befehl erteilt, nicht vor Mitternacht zu schließen,
den spärlich bestückten Schaufenstern zum Trotz, welche
die ganze Nacht lang beleuchtet bleiben sollen, ebenso
wie den Cafés, welche den ganzen Tag über mit bunten
Limonaden und verschiedenen Säften beliefert worden
sind, ganz zu schweigen von Tee, Kaffee und Gebäck,
und auch den Restaurants mit ihren sonst so kümmerli-
chen Speisekarten, die zur Feier des Tages ihren glücklichen Gästen nicht nur helles und dunkles Fleisch und
zehn verschiedene Sorten Fisch werden bieten können,
sondern zudem zum Dessert exotische Früchte, die schon
so lange in den Regalen unserer Händler fehlen, daß unsere Kinder sie nicht einmal kennen, und die Bars, ge-
meinhin überwacht als Brutstätten von Intellektuellen,
werden jetzt mit Genehmigung des Präfekten bis in die
frühen Morgenstunden den männlichen Bacchantinnen
schäumendes Bier ausschenken dürfen, sowie allerlei ge-

gen harte Devisen eingeführte Spirituosen, deren vielgestaltige Flaschen endlich wieder die Regale füllen, die nackter und trauriger waren als die befriedigte Geliebte nach dem Liebesakt – ein Anblick, bei dem alte Trunkenbolde Tränen der Sehnsucht vergießen und der Zeiten gedenken, die ferner sind als die Freude. Am heutigen Abend werden sie, bar jeder Scham und jeglichen Maßes, in den Getränken von damals schwelgen, die auf so wundersame Weise wieder aufgetaucht sind.

Aus Anlaß dieses großen Tages wurden alle Gebäude frisch getüncht, einheitlich in Blau und Weiß, die schwächlichen und leprösen Bäume entstaubt, den blinden Straßenlaternen ihr Licht zurückgegeben, die Verkehrsadern der Stadt mit reichlich Wasser gewaschen – zum nicht geringen Schaden der Einwohner, welche wußten, daß sie diese flüssige Verschwendung mit tagelang trockenen Wasserhähnen würden bezahlen müssen. Der Kanalisation wurde untersagt, sich in die Straßen zu ergießen, den Bettlern und Clochards, sich auch nur von ferne blicken zu lassen, die wenigen noch freien Intellektuellen wurden mit Hausarrest belegt, die Selbstmordfälle und Tobsuchtsanfälle aus den Statistiken gestrichen, es wurde daran gedacht, die öffentlichen Uhren aufzuziehen, welche aus Achtlosigkeit arthritisch geworden waren, die Fassaden der Gebäude wurden mit bunten Lämpchen und Siegesparolen geschmückt, allen Kämpfern der Großen Volkspartei das Mäntelchen der Rechtschaffenheit umgehängt, die Klitterung aller Geschichtsbücher wurde veranlaßt, die ausländischen Journalisten ausgewiesen, dem Himmel anbefohlen, seine Wolken aufzulösen, der letzte politische Gegner in seinem Hotelzimmer erstickt, wiewohl man ihn sich doch als Sündenbock für zukünftige Volksunruhen hatte aufsparen wollen, die Lebensläufe der hohen Würdenträger wurden mit großartigen Heldentaten ausgeschmückt und jene ihrer Gattinnen züchtig zurechtgestutzt, allen Frömmlern wurde befohlen, sich ihren Bart abzunehmen und die Straßen wurden reichlich mit Fahnen versehen, die aufgefordert sind, trotz Windstille zu wehen. Die Autofahrer können ihre ganze Freude hinaushupen und dürfen parken, wo immer sie wollen, die ausländischen Botschaften sind autorisiert worden, jeden Antrag für ein Visum anzunehmen, jedoch nur diesen einen glorreichen Tag lang und unter der Bedingung, daß sie der Polizei unverzüglich die Namen der Antragsteller mitteilen, die Strafgefangenen dürfen die Feierlichkeiten am Bildschirm verfolgen.

Die jungen Männer wissen, daß die Mädchen in züchtiger oder aufreizender Aufmachung ausgehen und werden es wagen, sie im Schutze des Halbschattens anzusprechen oder besser noch im Schutze der amöbenhaften Menschenmenge, die sich auf den großen Plätzen um die Musikkapellen und ihre höllischen Verstärker schart, welche mit Frachtflugzeugen aus den musikliebenden Ländern eingeführt worden sind, oder schließlich in den schicken Eiscafés, deren Eis süßer schmeckt als meiner ersten Liebe erster Kuß.

Die Zeitungen haben gemeldet, daß der Oberste Führer, vom Volke geliebter Gewaltiger Schmied der Geschichte, durch eine großzügige Amnestie tausend Gefangenen die Freiheit gegeben hat. Auf freien Fuß gesetzt: die Bäcker, Aushungerer der Massen, die Gewicht und Preis des Brotes manipuliert, die betrügerischen Krämer, die das Milchpulver für die Säuglinge mit Gips vermischt hatten, die Apotheker, die verdorbene Medikamente verkauft hatten, der zerstreute Drucker, welcher das Bildnis des Obersten Führers, vom Volke geliebter Gewaltiger Schmied der Geschichte, mit blauen Augen versehen hatte, die jungen Herumtreiber, die die wenigen Blumenbeete in den wenigen Parks verwüstet hatten, als Zeichen des Protests gegen den langsamen Tod, der ihnen zugedacht war, und auch der einsame Demonstrant, den im ersten Monat seiner Haft ein Herzschlag niederstreckte.

Am späten Nachmittag fluten die Volksmassen durch die Straßen. Die dichtbevölkerten Stadtteile entleeren ihre Gedärme in die großen Boulevards. Die Kinos sind überfüllt mit Traumkandidaten, die Konditoreien werden von heißhungrigen jungen Mädchen gestürmt, deren Hinterteile nachgeben unter der Berührung kostbarer Seiden mit dem rauhen Baumwollstoff von Jeans. Den fliegenden Händlern, die bunte Steine verkaufen, fliegen

Preise und Waren davon. Die Menge strömt immer schwerfälliger dahin und staut sich schließlich auf den Plätzen, auf denen man gerade die Tribünen aufgebaut hat.

Der Tag ging zur Neige, als der Chef des Sicherheitsdienstes die Nachricht erhielt. Dieses Geschöpf der Nacht, das mit so finsteren Geheimnissen umging, daß es alle Fenster seines Büros hatte zumauern lassen, welches unzugänglicher war als die Wege ins Himmelreich, hatte sich allmählich in ein Ungeheuer aus der Unterwelt verwandelt, unförmig und schleimig, von dem man nichts weiter als Augen von nyktalopischer Schönheit erkennen konnte. Er lebte nur für seine Akten, welche er zärtlicher hätschelte als seine vier Sprößlinge, für die raffiniertesten Verschwörungen, die er mit der freudigen Grausamkeit einer ausgehungerten Muräne anzettelte und aufdeckte. Er hatte es übernommen, alle Genossen umbringen zu lassen, deren Vergangenheit ein schlechtes Licht auf den Obersten Führer, vom Volke geliebter Gewaltiger Schmied der Geschichte, hätte werfen können, alle politischen Gegner, selbst die, die ins Ausland geflohen waren, zu entführen und zu Tode zu foltern, alle potentiellen Rivalen in Skandale zu verstricken, so daß sie sich zu lebenslanger Haft verurteilt wiederfanden, bis sie einer nach dem anderen einer Epidemie von Herzinfarkten zum Opfer fielen, die vermeintlichen Thronfolger, welche es gewagt hatten, an ihre Zukunft zu glauben, in die entlegenste aller Botschaften zu verbannen, den fähigen Ministern zum sofortigen Rücktritt zu raten, sämtliche Gewerkschaften zu unterwandern, wiewohl sie streng linientreu waren, falsche Verschwörungen anzustiften, um den noch nicht korrumpierten jungen Offizieren den Abschied geben zu können, alle echten Verschwörungen zu zerschlagen, um die noch nicht verabschiedeten jungen Offiziere zu verhaften, wie er auch Universitäten und Ministerien, staatseigene Betriebe und Moscheen, die finsteren Winkel der Stadt und die Warteschlangen vor den Supermärkten mit in seinem Sold stehenden Agenten gespickt hatte.

Im ganzen Land gab es nur noch einen Mann, den er nicht hatte bezwingen können.

»Er ist ausgebrochen!«

Der Chef des Sicherheitsdienstes rief unverzüglich den Kerkermeister, der die Kaserne befehligte, die drei Generalstabschefs der drei Armeen und einen geheimnisvollen bärtigen Fremden zu sich.

Und wie von Übelkeit geschüttelt begannen die Kasernen in der Umgebung der Hauptstadt, ihre Soldaten auszuspeien, ihre Polizisten, Fallschirmspringer, Eliteeinheiten, mobilen Einsatztruppen, schnellen Eingreifgruppen, Sonderwachen, Stoßtrupps, Aufruhrbekämpfungsbrigaden, Anti-Terror-Einheiten, ihren Abwehrdienst, ihre Bereitschaftspolizei, allesamt mit Pistolen, Gewehren, Handgranaten, Maschinengewehren und den verschiedensten Radar-, Meß-, Horch-, Stör-, Spür- und Minenräumgeräten bewaffnet. Blitzschnell füllen sich die Straßen mit Motorrädern, getarnten und ungetarnten Polizeifahrzeugen, Lastwagen, Halbketten-Schützenpanzern, Jeeps, Panzern mit Rädern und mit Gleisketten, Gelände- und Amphibienfahrzeugen, während der Himmel von einem Reigen von Hubschraubern, Jagdflugzeugen und Bombern belebt wird ...

Seit so langer Zeit war er schon eingesperrt, daß er sich nicht mehr an das Gesicht seiner Mutter erinnerte, seine Kindheitserinnerungen verloren hatte, nichts mehr von der Farbe des Himmels wußte, von der Melancholie einer alten Melodie, die man achtlos vor sich hin summt, nichts vom Brabbeln eines Säuglings, von der Sanftheit einer liebenden Frau, die sich öffnet im Schutze der Nacht. Seit Jahrhunderten schon lebte er nur in Stunden der Nacht, deren Finsternis die Beklemmung noch verstärkte, umgeben vom dumpfen Geräusch der Stiefel, vom Klicken der Gewehre, die geladen wurden, vom Quietschen der Schlösser, die geöffnet oder geschlossen wurden, von geheimnisvoll gemurmelten Befehlen und dem Eindringen der eiskalten Spitzel, die niemals laut wurden oder aufgaben. Hartnäckig versuchten sie es immer wieder, stellten zum tausendsten Mal die gleiche Frage, nahmen arglos die gleiche Antwort entgegen, welche sie mit der immer gleichen Beflissenheit notierten. Niemals ließen sie ab von ihrer kalten Zurückhaltung, es sei denn, um sich von Zeit zu Zeit einige falsche Vertraulichkeiten zu gestatten.

Von den Folterknechten, die nach ihnen kamen und bis zum bleichen Morgen blieben, schienen sie nichts zu ahnen. Seine Vergangenheit war gründlicher zerpflückt worden als das Leben des Propheten, und die geringste seiner Taten, das geringste seiner Worte war zum Gegenstand ausführlicher Exegesen geworden.

Für ein einziges Wort hatten sie ihm alles versprochen: ein strahlendes Morgen für den Geringsten unter den Menschen, für die Wehmütigsten unter ihnen die Rückkehr der Kindheit, das öffentliche Eingeständnis aller begangenen Fehler, von Rechtsverweigerung und Machtmißbrauch, das Ende der Kartoffelknappheit und das Kilo Fleisch noch billiger als das Lächeln meines Letztgeborenen, für jeden Bürger das Recht, die Ruchlosigkeit der Regierenden anzuklagen und sie alle zehn Jahre einmal zu Unrecht Erworbenes wieder herausrücken zu lassen, einen Lohn, welcher höher ist als der höchste Berg des Landes, ganz zu schweigen von den verschiedenen Prämien und der Möglichkeit, jedes Jahr den Gegenwert seiner monatlichen Bezüge in harte Devisen einzutauschen, die Bewilligung eines direkt aus Japan importierten gepanzerten Autos, das beim Öffnen der Wagentür die Nationalhymne erklingen läßt, und einen grün-weiß-roten Ausweis, welcher ihm den Zugang zum verschlossensten aller Geschäfte für die Privilegierten erlaubt, um sich dort mit Käse aus aller Welt einzudecken, und vor allem Butter, die in der Sonne schmilzt wie mein Herz unter den Liebkosungen meiner Frau, und die Zusicherung, seine Kinder zusammen mit denen der hohen Würdenträger in eine Schweizer Schule zu schicken, jeden Morgen und Abend von einer Sondermaschine abgeholt, und die Freilassung aller politischen Gefangenen, der Schriftsteller und Protestsänger, die Abschaffung der Sondersteuer für Whisky, die Möglichkeit, auch ohne Genehmigung ins Ausland reisen zu können, und für den Verzweifeltsten von allen das Recht, »Leck mich am Arsch« zu sagen.

Er sagte: »Leckt mich am Arsch!«

Er begann zu laufen und wählte instinktiv die dunkelsten Wege, die engsten, unbelebtesten, verrufensten Straßen in der Hoffnung, irgendwann in das Viertel zu gelangen, wo er geboren wurde. Doch unauffindbar blieb die Straße seiner Kindheit, die Straße der Schlachter mit ihren Ständen voller Blut, die Straße der Gerber mit ihren Becken, in denen widerlich stinkende Häute schwammen, der Färber mit ihren bunten Wollsträngen, die tropfend in der Sonne hingen, der Messinghändler, die in ihren finsteren Verschlägen kaum zu sehen waren, die Straße der fliegenden Händler, die Waren feilboten, welche sie geschickt aus den elegantesten Geschäften entwendeten, der umherziehenden Trödler, die ihre eigenen Kleider zum Kauf anboten, die Straße der Taschendiebe mit dem strengen Ehrenkodex, der es ihnen verbot, einen Bewohner des Viertels auszunehmen, die Straße der schäbigsten Bordelle, die als einzige bei minderjährigen Kunden ein Auge zudrückten, die Straße des Schmuggels, der Gauner und Gestrandeten von allen Horizonten, der Herumtreiber, Säufer, Arbeitslosen, der Waisen, Hungernden und Gebrechlichen ...

Aber es hatte sich alles verändert in dieser Stadt, die einst so entgegenkommend und gastfreundlich gewesen war, die in der Morgensonne gestrahlt und sich kokett von den Touristen hatte fotografieren lassen, und die sich heute wie ein angegriffener Igel in sich selbst zurückzog, furchtsam und feindselig dem Fremden gegenüber durch ihre neuen Boulevards mit den zu scharfen Biegungen, ihren Straßen, die ins Nichts führten, ihren unzugänglichen Vierteln, ihren Verbotsschildern, ihren deprimierenden Farben, ihren öden Nächten. Schlimmer noch, die Stadt hatte das Meer verstoßen, welches ihr die Füße umspülte, sie hatte die volkstümlichen Viertel verraten, die der Fliehende suchte. Von Gasse zu Gasse stieß sich der Flüchtende am reglosen Gleichmut der Tore, stets aufs neue zurückgewiesen, atemlos, nahm er, einer blinden Hummel gleich, seinen ziellosen Kurs wieder auf, zu anderen ebenso gleichgültigen Türen und den ewig abweisenden Bürgersteigen.

Und plötzlich steht er auf dem halbmondförmigen Platz, im gleißenden Licht von tausend gnadenlosen Scheinwerfern. Keuchend kniet er nieder. Blinzelt. Ein geblendeter Nachtvogel. Zu spät zum Rückzug. Schon umringen ihn einige Neugierige. Mühsam richtet sich der Mann wieder auf. Er ist riesengroß, als stünde er auf Stelzen. Kaum kann er das Gleichgewicht halten, schwankt auf seinen langen Beinen, sein Oberkörper knickt nach vorn, er wagt einige hastige Schritte, um das Gleichgewicht wiederzufinden, und die Gaffer weichen erschreckt zurück, machen ihm Platz, sondern sich so von ihm ab. Seine hervorquellenden Augen sind vom Irrsinn gezeichnet, ein unechtes Lächeln verzerrt sein vor Angstschweiß glänzendes Gesicht zu einer Affenfratze. Wegen des großen roten Umhangs, in den er sich gehüllt hat, halten ihn die Nachtschwärmer, die sich im Halbkreis um ihn drängen, für einen Spaßmacher.

Er ist umzingelt, es gibt kein Entkommen.

Er weicht zurück, immer weiter, und schließlich steht er mit dem Rücken zur Wand. Er versucht, Atem zu schöpfen, schluckt mit offenem Munde. Eine groteske Anstrengung.

Er tritt wieder vor, taumelt.

»Brüder, helft mir«, röchelt er unter Aufbietung all seiner Kräfte.

Rascher als ein Kaleidoskop gleitet sein Blick über die Umstehenden hinweg. Die tiefen Falten, die seine Wangen durchfurchen, unterstreichen das Ungewöhnliche dieses zerquälten Gesichts. Die Ältesten, die das verkrampfte Lächeln aufmerksam betrachten, glauben eine Sekunde lang einen Anflug von Vertrautheit zu entdecken, der sich jedoch schnell wieder verflüchtigt.

Es ist lange her, so lange, Hunderte und Aberhunderte von Jahren, als die Nächte der Stadt noch voller Leben waren, die Bars ausreichend mit Spirituosen versorgt, die Regimegegner noch lebten und frei ihre Meinung sagen konnten, die Spalten der Zeitungen und Zeitschriften den Schriftstellern offenstanden, die zu Museen umgewandelten Gefängnisse aus der Kolonialzeit noch nicht wieder zu Gefängnissen geworden waren, als die Bücher noch in den Regalen der Buchhandlungen standen und die Polizei keinen Zutritt zu den Universitäten hatte, als die Große Volkspartei noch Kritik zuließ, als die Mädchen anzogen, was sie wollten, als die hohen Würdenträger noch ihre Einkäufe machen konnten ohne Angst, gelyncht zu werden, als man auf den Straßen sogar im Regen noch singen konnte, ohne befürchten zu müssen, vor ein Sondergericht gebracht zu werden, als man sich noch vorstellen konnte, daß ein Land ohne die Krücke des Erdöls vorankommen würde, als die Strandkiefern ihren Stolz noch aufrecht gen Himmel trugen und mein Freund, der Geiger, das Kreuz seiner Kunst, als das Brot noch viermal weniger kostete, als alle meine Freunde arbeitslos, aber noch keine Trinker waren, als die an einem Tag des Volkszorns zerstörte amerikanische Botschaft noch in Trümmern lag, als die Kinos noch annehmbar waren und die Geschichtsbücher veröffentlicht wurden, und als das Meer noch in den Rocksäumen der Stadt spielte.

Vor jenen undenklichen Zeiten lächelte das Gesicht dieses Mannes von der Titelseite der Zeitungen und erleuchtete die Bildschirme. Man sah ihn überall, erkannte sofort die vertrauten Umrisse seiner Gestalt, in Versammlungen und bei Massenkundgebungen, während der Militärparaden und an den Tagen des freiwilligen Militärdienstes, unter den streikenden Hafenarbeitern, bei den Bergbauern, beim Sturm auf die heute wieder aufgebaute amerikanische Botschaft, oder einfach beim Abendspaziergang durch die Straßen der Stadt.

Und dann war der Mann ganz plötzlich nicht mehr da, war einfach im Rachen des Nichts verschwunden. Es mußten die alten Zeitungen, in denen sein Name stand, eingestampft werden, gewisse Sequenzen aus den Nachrichtensendungen dieser Zeit herausgeschnitten, der Stuhl, auf dem er während der Arbeiterversammlungen und -kongresse gesessen hatte, geräumt, all seine Vertrauten und Freunde eingesperrt, das Viertel, aus dem er stammte, unter schärfste Bewachung gestellt und die Nennung seines Namens verboten werden, alle seine Namensvettern verpflichtet werden, den ihren zu ändern, das Haus, in dem er gewohnt hatte, abgerissen und dort ein öffentlicher Park angelegt, sämtliche Bücher seiner Bibliothek, nachdem man sie auf der Suche nach kompromittierenden Geheimdokumenten durchblättert hatte, verbrannt, mehrere Seiten aus den Geschichtsbüchern gerissen und sein Gesicht aus dem Gedächtnis des Volkes getilgt werden.

»Da wir ihr Mitleid nicht erregen können, helft mir, sie zu korrumpieren, häuft Berge von Geld vor mir auf, Gold und Schmuck eurer Frauen, und alles, was ihr erben, alles, was ihr stehlen konntet: aus den Tresoren der Banken oder den Geldbeuteln der Hausfrauen, beim Betrügen des Staates mit Hilfe von ausländischen Firmen, oder alles, was ihr geduldig gespart habt, an jedem Tag voll schwerer Arbeit, in jeder mühsam durchwachten Nacht. Für den Geringsten in ihrer Hierarchie brauchen wir ein Vermögen, welches die kühnsten Phantasien übertrifft, so sehr haben sie sich an Luxus und Ausschweifung gewöhnt: an ihre Bäder mit elektronisch gesteuerten Wasserhähnen aus massivem Gold und ihre Schlafgemächer, die so zahlreich sind, daß sie nachts aufstehen müssen, um sich aller ihrer Betten erfreuen zu können, an ihre Gattinnen, schwerer behängt mit Schmuck als Granatapfelbaumäste im Spätherbst, und die Launen ihrer Kinder, verwöhnter als der Star meiner Träume, an ihre Büros, so üppig ausgestattet wie ein Luxusbordell, und ihre Gier nach den Frauen der anderen, an ihren unstillbaren Hunger nach technischen Spielereien aus dem Ausland und ihr Anhäufen von Dingen, die ihnen bereitwillig von den staatseigenen Betrieben geschenkt werden.«

Er richtet sich wieder auf – endloser als ein Tag ohne die Geliebte.

»Ihr und ich, wir wissen, daß die Macht sie selbstzufriedener als Herrscher von Gottes Gnaden hat werden lassen, überheblicher als siegreiche Generäle am Abend der Schlacht, wilder als die Löwen unserer Legenden, uns gegenüber verächtlicher als gegenüber ihren Frauen, die sie mit Wonne von früh bis spät demütigen, und mehr noch als gegenüber jeder anderen geschändeten Frau, heuchlerischer als ein hungriges Krokodil, abstoßender als die Mülltonnen der Wohngebiete, die die Müllmänner in der Eile zu leeren vergessen, heimtückischer als das Chamäleon, das seiner Beute auflauert, bereit, jede Farbe und jede Tugend anzunehmen, und bereit, jede Sprache zu sprechen, leichthin jene zu verfluchen, die sie gestern noch verehrten und heute jenen zu schmeicheln, welche sie zuvor in den Schmutz gezogen hatten; sie sind korrupter als die Verkäufer in den staatseigenen Warenhäusern, aber auch unruhiger als Bauern, die auf den ersten Regen hoffen, als Mütter, die bei ihren fiebernden Kindern wachen, als ein Arbeitsloser in der Angst vor dem nächsten Tag, als die Braut, die die Rückkehr ihres Geliebten aus dem Exil erwartet, um mit ihm in einer tollen Umarmung zu verschmelzen, die jedoch, nachdem das erste ungestüme Verlangen gestillt ist, unweigerlich gequält wird vom Stachel der Eifersucht, die um so ungerechter ist, als sie nichts weiß von der Härte des Exils und seinen furchtbaren Nächten voller Einsamkeit, von den Qualen des einsamen Schattens, der sich auf der Suche nach dem unauffindbaren verwandten Schatten erschöpft von Straße zu Straße schleppt – wenn selbst die Erinnerung schwindet. Ja, sie sind noch viel unruhiger, und wenn ihr wollt, können wir noch heute nacht Schulter an Schulter in das Viertel marschieren, wo sich im Schatten hoher Bäume verschämt ihre Villen verstecken, durch die Straßen des Volkes, das beim ersten Wort bereit sein wird, uns zu folgen. Unterwegs zertrümmern wir die großen Plakatwände, auf denen ihr falsches Lächeln prangt, wir setzen die Supermärkte, in denen sie nur Importwaren kaufen, in Brand, unsere Wut wird die Wände ihrer klimatisierten Büros zum Schwanken bringen, und wenn euch der Sinn danach steht, plündern wir die Schönheitssalons, in denen ihre Frauen sich die Fassade aufpolieren lassen, legen Feuer an den Rundfunk, der uns mit ihren honigsüßen Reden vergiftet und demolieren ihre blitzenden Limousinen. Auch wird es uns nicht schwerfallen, die Barrikaden und spanischen Reiter zu überwinden, die sie sicherlich errichten werden, um uns aufzuhalten, und die Gewehre ihrer Wachen gegen sie zu richten, die sie trotz fürstlicher Entlohnung immer gehaßt haben. Und wenn die Angst ihre heimtückisch an den Straßenecken verborgenen Maschinengewehre außer Gefecht gesetzt, ihre direkt mit den umliegenden Kasernen verbundenen Alarmsirenen zum Verstummen gebracht, die komplizierten Verriegelungsmechanismen ihrer gepanzerten Türen blockiert und die Geheimgänge, an deren Ausgängen startbereite Hubschrauber auf sie warten, verschüttet hat – dann stehen sie nackt vor uns.«

Ein echtes Lächeln verjüngt sein Gesicht.

»Wir werden sie dazu bringen, alles zu gestehen. Sie müssen uns sagen, warum ihre Mütter sich weigerten, ihnen Wiegenlieder zu singen, warum ihre Frauen im Selbstmord oder in der Psychiatrie endeten, warum ihre Kinder ihr Lächeln verschmähen, warum die Luft zittert, wenn sie vorübergehen, die Tiere fliehen, die verliebte Braut zu singen aufhört, der Himmel vor Zorn grollt, die Blumen verwelken, die Quellen versiegen, die kleinen Kinder weinen und Gott vor Furcht erbebt. Sie müssen uns sagen, durch wie viele Morde sie an die Macht gekommen sind, mit wieviel Morden sie sie behalten haben, durch welches Wunder sie in so kurzer Zeit die Reichtümer des Landes vergeuden konnten, warum sie alles den Ausländern anvertraut haben, von unserem Boden bis hin zur Luft, die wir atmen, den Aufbau der Fabriken, die Verwaltung der Hotels, die Anlage von Straßen und Schienen, die Heilung ihrer Krankheiten, den Bau der Moscheen, die Errichtung der Heiligtümer, die Ausstattung der Krankenhäuser, die Ausbildung ihrer Kinder, den Bau der Metro, die Kleidung ihrer Frauen, die Anfertigung von Statuen der Nationalhelden, das Studium unserer Finanzgeheimnisse. Sie müssen uns sagen, wie wir bei den von ihnen bekanntgemachten Verschwörungen die echten von den falschen unterscheiden sollen, wie jener wegen Hochverrats hingerichtete Spion, der an schlechte Fremde die Reste unserer nicht mehr bestehenden Staatsgeheimnisse ausgeliefert hat, wieder ein hoher Würdenträger werden konnte, wer jene verhängnisvollen Unfälle arrangiert hat, die den politischen Harem dezimiert haben, wie sie die Nachrichten, die Geschichte, die Wahlen, die Uhrzeit, den Wetterbericht, die volkswirtschaftlichen Statistiken fälschen.«

Der Halbkreis schließt sich immer enger.

»Wenn wir ihre Archive und Tonbänder durchgesehen haben, stellen wir sie öffentlich vor Gericht. Wir werden all ihre Schandtaten ans Licht bringen, ihre Niedertracht, ihre obskuren Geschäfte, ihre schmutzigen Schiebereien, ihre finsteren Machenschaften und ihre ganze Ruchlosigkeit. Wir veröffentlichen alle Berichte, die von Nutzen sein können, und dann müssen sie sich vor einem unbestechlichen Ausschuß für ihre Untaten verantworten. Wir wollen keine Rache, sondern eine gerechte Bestrafung. Wir werden gewissenhaft darüber wachen, daß sie in den Genuß sämtlicher Rechte kommen, die ihnen jene Gesetze zusichern, welche sie abertausendmal mißachtet haben, wiewohl sie sie ganz nach ihrem Belieben abgefaßt hatten.«

Er verstummt, und die Menge stimmt ihm murmelnd zu.

»Danach müssen wir die Weisesten unter uns auswählen, und sie bitten, uns Gesetze und Bestimmungen zu geben, die für immer der Macht mißtrauen, die sie unaufhörlich im Zaum halten und überwachen. Trotzdem werden wir wachsam bleiben, stets bereit, auf die Straße zu gehen.«

Der Mann mit dem geheimnisvollen Bart bahnt sich einen Weg durch die Menge und geht langsam auf dem hell erleuchteten Platz vorwärts, in der Hand eine Pistole. Der Redner hat ihn in diesem Moment wiedererkannt und weicht zurück, bis er mit dem Rücken an der Wand steht. Der Mann zielt und drückt einmal ab. Dann dreht er sich um und geht.

Niemand hat sich gerührt.

Bahrein

Fawzia Raschid
Eine unbeendete Geschichte

»Leila ist ein Geschenk unserer Vorsehung... Bald
macht sie ihren Abschluß und wird als Lehrerin arbeiten... Das wird viele Probleme lösen.« Das sagt mein
Vater öfter, und meine Mutter sieht ihn zweifelnd an...

Wie gewöhnlich sitzt er sorgenvoll bei einem Glas Tee
und ißt dazu billigen Reis und Linsensuppe ohne Gemüse.

»Diese Werkstatt wird unsere Lage so bald nicht ver-
bessern«, sagt sie kurz und knapp.

»Ich glaube nicht, daß ich zu etwas anderem geeignet
bin!«

Meine Augen klettern die Wand empor, und der Raum
verströmt überall den Geruch des Todes.

Seit wann ist unsere Lage so verzweifelt?

»Dieses Mal werde ich die Prüfung schaffen, und ob ich
Lehrerin werde, ist doch unwichtig.« (Schüchtern bittet
Leila um Erlaubnis, in einer Firma arbeiten zu dürfen.)

Das Gesicht meines Vaters ist gerötet, als ob er schreien
wollte. Es gibt Geschrei... Die Gesichter vermischen
sich, die Blicke gehen verloren. Man sieht nur die gelbe
Farbe, die alles überdeckt.

Mein Vater bewegt sich wie ein Gespenst, das den
Staub der langen Jahre ausklopft. Er legt das Zeugnis
weg, das ihm nicht das ermöglicht, was er gewollt hat...

Er murmelt etwas vor sich hin, was wir nicht hören
können... Er zieht sich in eine Ecke des Zimmers zurück... Er betet! Er hat ihr die Erlaubnis gegeben, in der
Firma zu arbeiten.

Fröhlich haben wir angefangen, alles farbig werden zu
lassen... Die Wand bekommt die Farbe des Alls. Unsere
Mahlzeiten vermehren sich. Es werden drei! Mein Vater
bekommt ein neues Hemd, und meine Mutter sieht mit
ihrem neuen Kleid wie eine Braut aus. Aber er nennt
mich immer noch »Stier«, und er ist immer noch grund-
los ärgerlich auf mich!

»Wenn du der Älteste meiner Kinder wärest, wäre ich heute stolz auf dich ...«

Hätte er tatsächlich aufgehört, mich zu schlagen?!

»Vierzehn Jahre! Was hat man denn von diesen vierzehn Jahren in dieser Zeit?!« Das sagt er jedesmal, wenn er Leila zu Hause vermißt. (Früher, bevor sie angefangen hatte zu arbeiten, hatte er nicht erlaubt, daß sie ausgeht.)

Von neuem machen sich mein Vater und meine Mutter gegenseitig Vorwürfe, und ihre wütende Brüllerei hört nicht auf.

»Diese ... geht aus ohne meine Erlaubnis.« So schimpft er, und dann sagt er noch viele andere Sachen, die ich nicht verstehe.

»Wenn du sie schützen möchtest, mußt du sie aus deiner Autorität entlassen!« antwortet meine Mutter.

Leila kommt herein ... Die Augen meines Vaters heften sich an ihr Gesicht ... Er begrüßt sie mit einem Lächeln! Er schweigt! Dann geht er hinaus, um sein Gebet fortzusetzen.

Vom Klopfen an der Haustür wache ich auf. Ich war in einem kleinen, klebrigen See geschwommen. Ich hatte stundenlang in Armen geschlafen, die ich vorher nicht kannte. Meine Augen wurden größer ... Ich spürte die Arme meiner Geschwister auf meiner Brust. (Unsere Betten stehen nebeneinander.)

Es ist halb elf Uhr abends ... Meine Mutter öffnet die Tür ... Leila tritt leise ein. Ohne etwas zu sagen, legt sich meine Mutter wieder neben meinen Vater ... Ich schlafe wieder ein!

Der Morgen: Eine Stimme, rotglühend wie die Sonne, durchdringt mein Ohr. (Wenn sie nur ein bißchen aufhören könnte zu schreien!) Meine Mutter schlägt meinen kleinen Bruder. Das Licht dringt ins Zimmer ... Er hat wohl wie gewöhnlich das Bett naß gemacht ... Ihr Fuß stößt mit einem heftigen Tritt gegen meinen Oberschenkel!

»Hör auf ... Ich fühlte mich nicht wohl, deshalb bin ich gestern abend länger bei meiner Freundin geblieben«, sagte Leila entschuldigend.

Obwohl ich mich verzweifelt bemüht habe, habe ich nichts verstanden!

Unsere Körper, die sich um den Ofen herum versammelt haben, sind so eng wie ein Kreis miteinander verbunden.

»Die Leute fangen an, über uns zu reden ... Man sollte sie verheiraten«, sagte sie zu meinem Vater.

»Es liegt nicht in meinen Händen ..., das weißt du doch! Und außerdem, ohne ihre Arbeit könnten wir nicht leben ...« Bevor er noch zu Ende gesprochen hatte, wurde er grau wie Asche im Gesicht; er fühlte sich unter Druck.

Das begreife ich nicht ... Die Jahre vergehen, und Leila ist nicht mehr jung ... (Vielleicht hat ein neuer Bräutigam ein Angebot gemacht!)

Mein Vater verläßt den Raum, ohne etwas Neues gesagt zu haben. Stille beherrscht den Raum für lange Zeit.

»Ich bin nicht mehr wie früher, Mutter ... Bald wird er den Heiratsantrag machen ... Ich liebe ihn, und mein Vater soll das endlich begreifen.«

...

»Vor ihm hat er schon mehr als zehn abgelehnt ... Ich kann das nicht mehr länger aushalten! Ich komme mir vor wie ein Stier mit verbundenen Augen. Jetzt reicht's!«

Meine Mutter sah besorgt aus, als sie sie so hörte.

Wir rennen zusammen ...

Sie schaut zu Boden, ohne Bewegung. Sie schreit fürchterlich. Lange Zeit verläßt sie das Bett nicht ...

»Es ist möglich, daß sie einen Nervenzusammenbruch hat.« Er zeigt auf Leila und packt sein Stethoskop in seine Tasche.

Die Zeit der Trauer und Besorgnis vergeht schnell und umgibt unsere Mägen und Zimmer.

Leila bewegt sich nicht von der Stelle trotz der Gebete meines Vaters und der traurigen Blicke meiner Geschwister. Und das, obwohl meine Mutter aufgehört hat, mit uns zu streiten.

Leila arbeitet nicht mehr. Am Anfang des Monats tut sie kein Geld mehr in den Schrank meines Vaters. (Er hatte das Geld nie aus ihrer Hand genommen.)

Viele Monate sind vergangen ...

Wir beeilen uns, ins Zimmer zu kommen, weil von dort plötzlich lautes Schluchzen kommt. Es ist das erste Mal, daß Leila weint.

Sie starrt lange in unsere Gesichter und in das Gesicht meines Vaters, bevor sie ...

»Versteht doch, daß ich diesen Menschen liebe ... Ich muß ihn bald heiraten!«

Es trifft uns wie ein Blitz aus heiterem Himmel. Sie zeigt auf ihren Bauch, der ungewöhnlich angeschwollen ist!

Irak

FUAD AT-TEKERLI
Der Backofen

Entwürfe zu einer ungeschriebenen Selbstverteidigung.

Es stimmt, daß ich zuerst nicht die Wahrheit gesagt habe. Ich habe sie einen Monat und einige Tage lang verschwiegen. Jedoch war ich während der ganzen Zeit inhaftiert, und die Ehre ist kostbar, und der Mensch weiß nicht, wann er die Wahrheit sagen muß.

Meine Herren Richter, ich bin unschuldig in dieser Sache, denn ich habe Farha, die Frau meines Bruders Abd al-Hamza, getötet, weil sie Ehebruch begangen hat. Ich habe sie überrascht mitten in ihrem Verbrechen, und da hat mich mein Ehrgefühl gepackt, das Ehrgefühl eines Arabers, ich habe den Verstand verloren, wie Sie wissen, denn die Ehre ist kostbar, und es ist Sitte bei uns, daß sie mit Blut reingewaschen wird. Deswegen habe ich mein Jagdgewehr geladen, das hier vor Ihnen liegt, und habe auf sie geschossen, als sie dabei war, das Verbrechen zu begehen. Der Liebhaber aber, gestatten Sie mir, meine Herren Richter, daß ich zuerst von ihm spreche.

Ich habe ihn nicht mit ihr zusammen gesehen, wie Sie vermuten könnten. Sie kam an jenem Morgen aus dem Zimmer ihrer Familie, um uns Frühstück zu machen. Dabei trug sie eine rote Dischdascha* mit weißen Streifen. Ich sah sie am Backofen, wie sie das Feuer schürte, um uns das Fladenbrot zu backen. Sie sagte mir, daß sie einen Fehltritt, daß sie Ehebruch begangen hat und sich umbringen will. Dann ging sie daran, das Feuer im Backofen anzuzünden und die Patronen vorzubereiten, um sie hineinzuwerfen und sich so umzubringen. Da kochte mir das Blut in den Adern, ich richtete das Gewehr auf sie, schoß und streckte sie zu Boden. Die Ehre ist kostbar, meine Herren Richter, und wir sind echte Araber, wir können es nicht zulassen, daß auf die Art Schande über uns kommt. Wir sind es gewöhnt, eine Ehebrecherin zu töten. Es ist Sitte bei uns, daß wir eine, die einen Fehltritt

---

* Hemdartiges Gewand für Männer und Frauen.

begangen hat, nicht mehr mit uns leben lassen. Sie ist Schmutz, den man beseitigen muß. Farha selbst hat mir gesagt, daß sie ihren Mann in ihrem Ehebett betrogen hat. Sie hat die Gelegenheit genutzt, daß der Direktor ihren Mann hat festnehmen lassen, hat sich mit ihrem Liebhaber verabredet, und der ist gekommen, nachdem es dunkel war. Ich habe nur die Ehre der Familie verteidigt. Ihr Mann ist mein Bruder, und sie ist meine Kusine, die Tochter meines Onkels. Sie hat ihre Jugend und ihre Schönheit ausgenutzt, denn sie ist erst neunzehn und hübsch, mit goldbraunen Augen, um ihren Liebhaber anzulocken, so daß er zu dieser zweifelhaften Verabredung kam. Nun ist alles zu Ende. Was aber meine Schwester mütterlicherseits angeht, Halima, die hat gar nichts gesehen. Das schwöre ich Ihnen beim Buch Allahs, des Erhabenen, beim Koran, ja, es stimmt, Halima war bei mir. Aber sie hat nichts getan, denn sie war nicht dort. Sie war doch auf der anderen Seite des Hauses. Um dem Hohen Gericht die Lage unserer Familie zu erklären und wie wir zusammenleben, will ich erst einmal sagen, daß wir arme Leute sind, wir wohnen alle in einem Haus. Das besteht aus mehreren Zimmern, alle aus Lehm gebaut.

An der Ostseite ist das Zimmer meines Bruders Abd al-Hamza, daneben das Zimmer unserer Mutter, dann das Zimmer meiner Familie. Ich bin seit zehn Jahren verheiratet und habe vier kleine Kinder. Ich hab in der Armee gedient bis zum Unteroffizier, ich bin nicht vorbestraft. Der Backofen steht mitten im Hof, dicht beim Zimmer meiner Schwester Halima. Meine Schwester hat ein kleines Zimmer aus Lehm, so wie unseres, in dem wohnt sie. Ich hatte vergessen, das dem Gericht klarzumachen.

In der Nacht, als es geschah, weckte mich meine Schwester gegen Morgen, in Wirklichkeit war ich aber schon wach. Ich glaubte, meine Tanten Nuriyya, die bei meiner Schwägerin war, die jetzt tot ist, war es, die uns rief und fragte, woher die Schüsse kommen. Ich ging hinaus und fand meine Schwägerin Farha neben dem Backofen liegen, in dem die Patronen zerplatzten. Das ist kurz gefaßt das, was ich dem Untersuchungsrichter gesagt habe, aber es entspricht nicht den Tatsachen, wie Sie wissen, meine Herren Richter. Ich hatte mich vergessen und habe Ihnen das mehrfach erzählt und bitte jetzt um Verzeihung. Das Unglück ist so plötzlich über uns hereingebrochen, daß wir dachten, wir regeln das schon irgendwie, aber die Wahrheit läßt sich nicht verbergen. Unglücklicherweise kann sie sich nicht verstecken. Ich schlief in jener Nacht im Haus, als mich um vier oder fünf Uhr morgens meine Schwester Halima weckte. Sie flüsterte mir zu, daß sie gesehen hat, wie jemand wegging und sich eilig über den Hof davonmachte. Ich stand auf und ging über den Hof zu meiner schlafenden Familie. Dann ging ich in das Zimmer meiner Schwägerin, Farha, die jetzt tot ist, und fand sie allein. Schließlich stellte sich heraus, daß meine Schwester Halima, sie ist eigentlich noch ein kleines Mädchen, siebzehn, und regt sich leicht auf, wie sie vor Ihnen bezeugt hat, Farha, die jetzt tot ist, mit einer fremden Person zusammenliegen sah, mit der sie Ehebruch beging. Halima kam dann zu mir und weckte mich, ich zog mich an, ging hinaus, um zu sehen, was los war, da sah ich Farha den Backofen vorbereiten. So ist es tatsächlich gewesen. Der Himmel war schon hell und der Backofen angeheizt, er spuckte rote Flammen. Farha sagte mir, ohne sich umzudrehen, etwas von Ehebruch, Ehre und Selbstmord. Mir wurde ganz wirr von ihren Geschichten, dann aber packte mich plötzlich die Wut. Ich nahm das Gewehr aus Halimas Hand, richtete es auf Farha und drückte ab. Ich schoß nur einmal auf sie mit diesem Jagdgewehr, das neben der Leiche gefunden wurde. Ich hatte es nur einmal mit Schrot geladen. Deswegen haben sie festgestellt, daß der Schuß durch ihren Kopf hindurchgegangen ist. Ich habe nur die befleckte Ehre der Familie verteidigt. Ich verlange ja nicht von Ihnen, meine Herren Richter, daß Sie mein Handeln für richtig befinden und daß Sie gnädig berücksichtigen, daß ich eine große Familie habe und ein armer Mann bin. Ich hab mir mein Leben selbst aufgebaut, habe Lesen und Schreiben gelernt und bin Unteroffizier. Ich habe eine Ehebrecherin umgebracht, weil sie Ehebruch begangen hat, aus keinem anderen Grund. Sie wissen, daß sie mir das selbst gestanden hat. Sie stand vor dem Backofen in ihrem roten Kleid und verriet mir, daß sie einen Fehltritt begangen hat und unser aller Ehre beschmutzt hat. Was aber die Aussage der Zeugin Nuriyya angeht, daß sie die ganze Nacht mit Farha im selben Zimmer war, die ist wertlos. Nuriyya ist geistig ein bißchen durcheinander, und außerdem hat mir die Getötete selbst gestanden, daß sie das Verbrechen, den Ehebruch, begangen hat. Außerdem hat meine Schwester Halima sie in einer schändlichen Situation gesehen, was weder vor der Ehre noch durch das Gesetz zu vertreten ist. Eine junge Frau, die die Festnahme ihres Mannes ausnutzt, um sich in derselben Nacht mit ihrem Liebhaber zu verabreden, damit er nach Sonnenuntergang in ihr Ehebett kommt und sie dann gemeinsam ihr abscheuliches Verbrechen begehen. In derselben Nacht, meine Herren Richter, während wir uns alle Sorgen machten wegen der Festnahme meines Bruders Abd al-Hamza, hat sie – ich weiß nicht wie – ihr Stelldichein mit dem Verbrecher in die Wege geleitet. Ich bin ein ungebildeter Mensch, ein Barbar, wie man sagt, aber ich weiß doch schließlich, wer ich bin und was ich zu tun habe. Obwohl ich immer noch ein junger Mann bin, nicht älter als dreißig. Ich habe der Getöteten deutlich zu verstehen gegeben, daß wir eine ehrbare arabische Familie sind, die die alten Sitten achtet und nicht zuläßt, daß ihre Ehre befleckt wird, und daß Ehebruch in unserem Haus nicht begangen werden darf. Ich habe mit verschiedenen Mitteln versucht, sie von ihren Vorstellungen und Einbildungen abzubringen und ihr klarzumachen, daß sie niemanden irgendwelcher niedrigen Dinge beschuldigen darf, aber sie war so dickköpfig, wie jemand, der plötzlich verrückt geworden ist. Da habe ich sie in ihr Zimmer zurückgehen lassen, in der Hoffnung, daß sie wieder zu sich kommt und bin gegangen, um Halima zu sagen, was geschehen ist, und um mich zu waschen. Ich war noch nicht fertig mit Waschen, da fiel der Schuß. Ich ging in den Hof hinaus, der hell erleuchtet war, denn aus dem Backofen schlugen Flammen. Tante Nuriyya kam auf mich zu und fragte nach der getöteten Farha und nach den Schüssen. Ich habe ihr irgend etwas geantwortet, dann habe ich sie zur Seite gestoßen und bin in das Zimmer meines Bruders Abd al-Hamza gelaufen, wo ich die beiden zusammen vorfand. Sie war schon tot. Vielleicht hat sie sich auch umgebracht, vielleicht hat sie den Revol-

ver genommen. Ich bin mit Halima in ihr Zimmer zu-
rückgegangen. Aber jetzt bin ich schon wieder von der
Wahrheit abgewichen. Das ist so eine Sitte bei uns, die Sie
nicht gewöhnt sind, meine Herren Richter, und vielleicht
können Sie nicht ertragen, daß wir uns nicht immer auf
eine Sache konzentrieren können. Wir Araber, die wir
arm sind, denken auf verschiedene Weise, mit anderen
Worten, wir sind zerstreute Leute. Wir fangen mit einem
Gedanken an oder einem Standpunkt, dann halten wir
uns aber nicht damit auf, ihn zu Ende zu denken, sondern
springen auf einen anderen über, der schöner ist oder
angenehmer. Dann wechseln wir ein drittes Mal auf etwas
über, wonach es uns verlangt. Wir sind rohe, aber ehrbare
Leute. Wir wollen in Frieden leben und unser Brot essen.
Alles, was man sich über uns erzählt, ist glatte Lüge. Ich
bin außerdem unschuldig, wie ich schon ein paarmal gesagt habe. Ich habe meine Ehre verteidigt, wie das jeder
ehrbare, verheiratete Mann tun muß, der außerdem eine
große Familie hat, an deren Zukunft er denkt. Bei der
Ehre ist es egal, ob es sich um Ehebruch handelt oder
darum, daß ein junges Mädchen entehrt wird, das kann
man nicht voneinander trennen. Und wir alle sind, was
die Ehre anlangt, in ein und derselben Lage. Wir werden
auf die Probe gestellt, ob wir ehrbar sind oder ob wir
unsere Ehre mit Blut verteidigen. Nichts anderes habe ich
getan. Ich weiß nicht, wie ich meinen Herren Richtern
diesen schwierigen Standpunkt erklären soll. Ich bin ein
Beduine, ein Nomade, ein ungebildeter Mensch, und habe die Ehre auf meine besondere Art verteidigt. Der
Standpunkt ist zwar schwierig zu verstehen, aber letztlich
doch ganz einfach, ohne jede Unklarheit. Ich werde Ihnen ein letztes Mal die Wahrheit vortragen.

Wir waren eine Familie, mein Bruder Abd al-Hamza
und seine Frau, Farha, die jetzt tot ist, in einer Seite des
Hauses. Neben ihnen meine Mutter und mein Vater,
dann ich und meine Familie, meine Frau und vier kleine
Kinder. Danach meine Schwester mütterlicherseits, Halima, in ihrem Zimmer neben dem Brunnen. Der Backofen
war fast in der Mitte des Hofes, am Tag, als es geschah,
war mein Bruder festgenommen worden. Er hatte sich
den Anordnungen über die Bodenreform widersetzt,

trotzdem ich ihm davon abgeraten hatte, da hatte ihn der Direktor festnehmen lassen. Tante Nuriyya kam, um über Nacht bei der Frau meines Bruders zu bleiben. Ganz einfache, klare Tatsachen. Dann schlich sich der Liebhaber der Getöteten ins Haus, wir wissen nicht, wann. Und gegen Mitternacht oder etwas später wurde die Ehre der Familie mehr und mehr befleckt. Alles war ruhig bei Tagesanbruch, als das Frühstück und das Fladenbrot vorbereitet werden mußten. Da wurde auf einmal die Schande aufgedeckt. Die Getötete, Farha, hat während der ganzen Nacht gehurt, danach war sie nicht müde und schlief nicht. Vor Sonnenaufgang stand sie auf, als ob sie gar nichts getan hat. Danach kam sie heimlich nachsehen, was wir machten. Das Verbrechen ließ ihr keine Ruhe. Sie weckte uns mit glänzenden Augen und unordentlichem Haar aus dem Schlaf, um uns zu sagen, daß es besser für sie ist, wenn sie sich umbringt, als daß Hurerei in dieses Haus Einzug hält, als ob ihr ihr abscheuliches Verbrechen, ihr Ehebruch, nicht reichten. Da erwiderte ihr Halima, daß sie ganz gut gesehen hat, wie sie nackt mit ihrem Liebhaber die ganze Nacht die Ehe brach. Farha war wie vom Blitz getroffen. Die ungeschminkte Wahrheit betäubte sie und brachte sie durcheinander. Sie lief weg und hielt sich dabei die Hand vor den Mund. Nach alledem blieb mir gar nichts weiter übrig, als die Befleckung unserer Ehre mit ihrem Blut reinzuwaschen. So wird das in unserem Land gemacht, meine Herren Richter. Mit dem Blut der Frau. Ich nahm mein Jagdgewehr, zog mich an und ging zu ihr. Wie ich Ihnen schon gesagt habe, stand sie bei Tagesanbruch im Freien vor dem Backofen und zündete das Feuer an. Wir beide waren allein. Sie sagte mir offen, daß sie sich umbringen wird, weil sie nicht mit ansehen kann, daß das Verbrechen, der Ehebruch, ohne Strafe bleibt. Da mußte ich einfach mit dem Jagdgewehr auf sie schießen. Danach warf Halima in guter Absicht eine Handvoll Patronen in den Backofen, in dem das Feuer brannte, von ihren Explosionen erwachte das Haus.

Das ist die Wahrheit, meine Herren Richter. Alles, was dagegen gesagt wird, ist reine Lüge und eine absichtliche Verdrehung.

Es ist Lüge, wenn Nuriyya gesagt hat, daß sie die ganze Nacht mit der Getöteten, Farha, zusammen war und daß sie niemanden bei ihr hat eintreten und mit ihr Ehebruch treiben sehen. Fragt sie doch, wieso sie Farha dann bei Tagesanbruch nicht hat aufstehen sehen, um sich bei ehrbaren Leuten einzuschleichen. Wer hat denn von ihr verlangt, daß sie das Frühstück vorbereitet, Fladenbrot bäckt und das Feuer im Backofen anzündet? Wenn sie das von sich aus in Abwesenheit ihres Mannes und ohne den geringsten Anlaß habe tun wollen, warum ist sie dann ins Zimmer von Halima gekommen? Wann hat ihr denn Halima je geholfen, das Frühstück vorzubereiten?

Es ist Lüge, wenn Nuriyya behauptet, daß sie gesehen hat, wie die Getötete, Farha, auf uns zeigte, auf mich, daß sie sprechen wollte, daß aber das Röcheln des Todes sie daran hinderte und zum Schweigen brachte. Das ist alles Gefasel. Denn ich bin der, der sie vom Backofen weggezogen hat, wo sie sich umbringen wollte. Ich ging mit ihr in ihr Zimmer, dann kehrte ich mit ihr dorthin zurück, wo sie zuerst gewesen war. Ich bin es, der weiß, wo die Getötete, Farha, zu Boden gefallen ist und wo sie gestorben ist.

Es ist auch Lüge, was im medizinischen Gutachten steht, nämlich, daß die Getötete, Farha, von einem Revolver am Kopf getroffen wurde und daran starb. Ich habe abgedrückt, aber ich weiß nicht genau, was für eine Waffe ich in der Hand hatte. Lüge und dummes Gerede ist das, was da gesagt wird, daß Halima beteiligt gewesen ist. Ich beschwöre Sie bei Gott, halten Sie sie aus diesem Verbrechen raus! Sie weiß überhaupt nichts davon. Ich bin der Verbrecher, wenn Sie so wollen, der seine Ehre verteidigt hat und diese Lügnerin und Ehebrecherin ins Jenseits befördert hat. Und ich bin unschuldig, meine Herren Richter. Haben Sie Mitleid mit mir, wenn Sie das Urteil sprechen. Ich habe aus edlem, ehrenhaftem Anlaß getötet. Also verfahren Sie mit mir ehrenhaft und sprechen Sie ein mildes Urteil. Es gibt jemanden, der traurig sein wird, wenn ich nicht mehr da bin, glauben Sie mir ... Ich aber ... o weh ... Das ist die Wahrheit, die ganze Wahrheit.

Wenn der Mensch einsam ist, kann er nichts anderem trauen als den Erinnerungen. Gibt es etwas den Erinnerungen ähnliches, das die Gegenwart inmitten von Einsamkeit greifbar und begreiflich macht? Während ich in diese massive, steinerne Zelle eingeschlossen war, verlief – weit entfernt von mir – draußen die Gegenwart, die die anderen erlebten – in den Straßen, auf den Märkten, in den Häusern, den Tälern und Höhlen. Und auch im Pfeifen der Gewehrkugeln. Ich hatte meine Zweifel, ob nicht Jahre vergehen würden voller Schnee und Früchte, ehe das Pfeifen aufhörte. Es war in meinem Ohr, drang immer wieder sehnsüchtig in meine Erinnerungen.

Im schwachen, gelblichen Licht meiner Zelle sah ich eine Spinne, die sich auf eine jener großen, grünschimmernden Fliegen herunterließ, wie man sie so zahlreich bei verwesenden Leichnamen findet. Wie lange schon faulte ich in dieser Einzelhaft, fern von den anderen und der Sonne! Jedes Zeitgefühl ging hier verloren. Die Fliege summte. Die Spinne nahm sie zwischen ihre Kiefer und bedeckte ihre moosigen Flügel mit feinen grauen Fäden scharfen, klebrigen Saftes. Ich ging ganz nah heran und sah der Fliege in die Augen. Es schien, als wollten sie aus den Höhlen treten. Die Fliege summte noch immer und mühte sich mit all ihrer Kraft, zu entkommen. Ich wendete mich ab und fragte mich, ob das das Leben wäre.

Damals, früher, war meine Freundin verführerisch vor mir hergelaufen und hatte mich mit kleinen weichen, nassen Sandklumpen beworfen, die den Strand bedeckten, den wir im Sommer oft besuchten, um uns ein wenig zu erholen. Sie sprang ins Wasser und tobte, laut lachend, eine halbe Stunde oder mehr wie ein kleiner Delphin herum. Dann legte sie sich, heftig keuchend, ganz dicht neben mich. Das war Leben. Wenn die Sonne sie müde gemacht hatte, erzählte sie mir Geschichten und Klatsch – das war Leben. Damals in jenen Tagen, da wir noch jung und naiv waren und nichts weiter zählte als

Strand, feuchter Sand und Meer, war es aber auch, als wir lernen mußten, daß wir einander verletzen konnten. Gerade hatten wir begonnen, uns an den Quellen der Liebe und der Freude zu laben. Für uns war Glück keine Illusion, sondern etwas sehr Nahes, Wirkliches. Aber es war eben zu nah, in der Reichweite der Kugel eines alten Gewehres. Ja, meine Kleine, es war uns nicht möglich, mit einem von Schande belasteten Gewissen zu fliehen. In den Gesichtern der anderen war die Schande immer gegenwärtig, konnten wir sie erkennen. Bis dahin hatten wir das Unglück, das uns vielleicht einmal treffen könnte, in eine ferne Zeit gerückt und uns damit beruhigt, daß man uns nichts anhaben konnte, oder wir hatten uns etwas anderes vorgemacht. Vielleicht aber war alles nur deshalb so gekommen, weil wir trotz allem ein schlechtes Gewissen hatten und uns der schweren Bürde, die auf uns lastete, entledigen wollten? War das etwa auch der Grund gewesen, warum wir uns so gern mit Sand beworfen hatten?

Die Fliege summte wieder. Ich ging näher heran und sah, wie sie das Unmögliche versuchte, nämlich sich aus der Einzelhaft dieser klebrigen Macht zu befreien. Der Mensch trägt viele Fragen mit sich herum. Wieviel war wohl bei diesem Insekt die Sehnsucht nach Leben wert? Warum summte es unaufhörlich? Was wußte es überhaupt vom Leben? Gemächlich und fast milde enthüllte die Spinne die Fliege und krabbelte dann mit ihr die Mauer hinauf. Der kleine Fliegenkopf baumelte herunter, und nun konnte ich auch mehr als nur zwei grüne Augen sehen. Aber was für ein Grün war das? Ich wußte nicht, warum plötzlich übermächtiger Groll in mir aufstieg. Ohne mir dessen bewußt zu sein, stieß ich durchdringende Protestschreie aus, so daß im Nu der Gang, der zu meiner Zelle führte, von schweren Stiefeln widerhallte.

Man holte mich heraus und brachte mich auf einen balkonartigen Vorsprung, der auf einen großen, zementierten Hof hinausging. Der Hof wiederum war voller Dinge, von denen ich aber nur die äußere Form wahrnahm. Wie lange war ich wohl in tiefster Finsternis gewesen? Die kalte Morgensonne überflutete mich, das Licht stach meine Augen wie glühende Nadeln. Noch immer brodelte Wut in meinem Innern. Ich atmete tief die frische Luft ein. In dem starken Licht, dem ich ausgesetzt war, kam es mir vor, als würde ich mich zu einem großen Ballon aufblasen und zu einem seltsamen Klumpen Licht werden. Wenn ich doch nur gewußt hätte, wie viele Tage das gewesen waren, die verblaßt waren wie Buchstaben, geschrieben mit jener geheimnisvollen chinesischen Tinte. Wie viele Tage waren das gewesen, die ich ohne richtige Nacht und ohne wirklichen Morgen verbracht hatte? Ich konnte die Augen nicht öffnen, aber an der kalten Sonne merkte ich, daß es Morgen sein mußte. Vielleicht war es Frühling? Ich blieb bewegungslos auf meinem Platz und lauschte in die Stille. Ein stechender Schmerz durchbohrte plötzlich meinen Kopf. Unbewußt hielt ich mir die Augen zu. Die Stille dauerte weiter an. Ich hätte mich gerne angelehnt, weil mir Licht und Sonne so zusetzten. Mein Körper zitterte wie eine Sonnenblumenblüte – dieser Körper, den die Feuchtigkeit der Zelle und all ihre Plagen so lange umhüllt hatten. Einer der Wärter nahm mich beim Arm und hielt ihn mit kräftigem Druck fest. Ich glaubte mich an etwas anzulehnen, das ich nicht richtig erkennen konnte. Und plötzlich nahmen die grünen Augen der Fliege auf abstoßende Weise eine seltsame Form an. Es war, als flehe sie mich mit der Innigkeit eines fanatisch Betenden um etwas an.

Immer, wenn der Mann meinen Arm preßte, wurde das Gesicht der Fliege größer, konnte ich sehen, wie aus ihrem Rüssel eine Flüssigkeit tropfte. Der Mann schüttelte mich mehrmals. Ich nahm die Hände von den Augen, aber mir war, als wäre ich in einen wirbelnden Strudel hineingerissen. Ich merkte, daß aus meinem Mund weißer Speichel floß. Ich schämte mich und versuchte, mich zusammenzunehmen. Doch verflucht, die Muskeln machten nicht mit.

Ich öffnete die Augen und konnte eine kleine erdgraue Staubwolke hinter einem Wagen erkennen. Ein Soldat nahm mich und führte mich zu einer Treppe, die wir hinunterstiegen. Mit geübten Griffen wurde ich in einen großen Eisenkäfig gesteckt, der auf einem von einem kräftigen Schimmel gezogenen Wagen befestigt war. Was soll das, fragte ich mich, ein eiserner Käfig? Ich warf

einen Blick durch die Gitterstäbe und sah finster drein-
blickende Gesichter, verschlossene grüne Türen, eine
grüngestrichene Wand, in der Sonne funkelnde Bajonette
und Militärstiefel. Wortfetzen drangen zu mir, die aus
tiefster Kehle hervorzubrechen schienen. Ich wendete
mich dem vorderen Teil des Wagens zu, aber da konnte
ich nur den Kopf und ein Stück Hals des Pferdes sehen.
Währenddessen wurde ein hagerer, langer Mann mit
blutverschmiertem Gesicht hereingebracht. Nachdem er
mich lange schweigend gemustert hatte, sagte er: »Wisch
dir das Blut vom Gesicht.«

Blut! Ob sie mich geschlagen haben? dachte ich. Möglich war es. Ich wischte mir mit der Hand übers Gesicht,
konnte aber kein Blut daran erkennen.

»Da ist doch gar kein Blut«, sagte ich. »Heute bin ich
auch nicht geschlagen worden.«

Mit warmer Stimme antwortete er: »Und doch ist da
Blut an deinem Gesicht.«

»Nein, da ist nichts.«

Ich streckte die Hand aus und wischte vorsichtig einige
Blutflecken von seinen Augen und Wangen. »Siehst du
jetzt noch Blut in meinem Gesicht?«

Er blickte kurz zu mir herüber. »Ah, wirklich, da ist
gar kein Blut in deinem Gesicht.«

Mir wurde klar, daß er mich durch den Schleier herun-
tertropfenden Blutes gesehen hatte. »Warst du die ganze
Zeit allein?«

Er seufzte tief und sagte mit seiner warmen Stimme:
»Uff! Das war eine bedrückende und zugleich kostbare
Erfahrung!« Nach einem Weilchen fügte er hinzu:
»Kannst du sehen, wo sie jetzt sind? Wo sind sie?«

»Überall . . .«

Nach lang andauerndem Schweigen sagte er, während
sein Blick durch die Gitterstäbe hinausschweifte: »Dann
ist alles klar.«

»Was?«

»Sie bringen uns zur Rennbahn.« Und er fuhr fort:
»Deshalb brauchst du nicht gleich zu verzweifeln. Das
Fest rückt näher.«

»Ich verstehe dich nicht.«

»Hast du etwa an einen ehrenvollen Tod geglaubt?«

»Und wo waren wir vor dieser Finsternis?«

Er preßte die Lippen zusammen und stieß das Wort Hunde hervor. »Sie haben sie daran gehindert, daß sie uns zu sehen bekamen. Ah, sie hätten den verborgenen Schlüssel für viele Probleme gefunden.«

»Für eine Menge Probleme.«

Er schwieg. Dann beugte er sich ein wenig herüber und blickte mich fest an. »Wir werden sehen.«

Nachdem er wieder längere Zeit geschwiegen hatte, sagte ich: »Aber was soll dieser Käfig? Wohin werden sie uns darin bringen?«

»Durch die Straßen . . . die Straßen der ganzen Stadt.«

»Warum durch die Straßen?«

»Damit . . . damit . . . ah, wir werden sehen.«

Flüsternd fragte er mich: »Wo haben sie dich verhaftet?«

»Im Dorf vor der Stadt, bei den Hügeln.«

Er seufzte wieder: »Herrgott, dieser Käfig. Mein Lieber, der Wunsch nach Wahrheit ist eine zerstörerische Leidenschaft. Wir werden sehen . . . werden sehen.«

Stimmen ertönten um den Wagen herum, ich hob den Kopf. Das Pferd zog an, und der Wagen setzte sich in Bewegung. Wir kamen in eine langgestreckte Straße. Warme, köstliche Sonne überflutete uns, machte uns kräftiger. Ich sah, wie kleine Staubwolken am Straßenrand aufwirbelten und Bajonette im Sonnenlicht blitzten. Von weitem erschienen die Häuser wie schlafende Kriechtiere, die ihrem Ende entgegensehen. Ängstlich sagte ich zu meinem Kameraden: »Tiefe Stille hält die Stadt umfangen.«

»Das Blatt hat sich gewendet. Sie wollen, daß uns Angst packt. Aber, mein Freund, was heißt, uns packt Angst? Wir sind zu Angst geworden – Kümmernisse und Sorgen erregen uns nicht mehr.«

»Aber warum ist es so still in der Stadt?«

»Mein Freund, wir werden die Fesseln der Angst lösen. Vielleicht kommt das ganze Glück auf einmal, an einem Tag. Die Ferne rückt näher.«

Er beugte sich vor und blickte lange zu den Häusern hinüber. »Wir werden diesen Tag erkämpfen.«

Nach einem Moment des Schweigens sah er mich

plötzlich fest an. Seine Hand ruhte auf meinem Rücken. »Es ist zum Wohl der Welt, wenn ich wie viele andere Menschen auf der Erde diesem falschen Spiel nicht mehr traue.« Er räusperte sich. »Sie hat mir immer gesagt, daß Leben Mut bedeutet.«

»Wer?«

»Sulaiha.« Er lächelte traurig. »Ein schöner Name, nicht wahr?«

»Sehr schön.«

»Sie ist hier in der Stadt. Und du, hast du keine Sulaiha?«

Ich klopfte ihm auf die Schulter. Wir lächelten still vor uns hin.

»Mein Lieber, das macht doch nichts, wenn wir ein wenig über Sulaiha geredet haben. Wir haben es uns selbst ganz schön schwer gemacht, was kann es da schon schaden, wenn wir angesichts des Todes an Sulaiha denken?«

Der Tag wird erkämpft werden – ein schöner Traum, sehr schön sogar. Um so furchterregender ist es da, zu wissen, daß das heute mein letzter Tag sein soll.

Er wandte sich mir zu und sagte warmherzig: »Ich glaube nicht, daß du den Tod fürchtest.«

Ich antwortete ihm nicht. Seit langer Zeit schon hatte ich mich daran gewöhnt, an den Tod zu denken, und aufgehört, ihn zu fürchten. Inmitten todbringender Gefahren dachte ich an den Tod wie an eine ganz natürliche Sache im Leben, den Schlaf etwa, ja oft kam er mir gar wie Essen und Trinken vor.

Ich hörte wieder seine Stimme: »Du hast mir nicht geantwortet.«

»Ist denn der Tod wirklich so ein Verlust, wenn schon vorher jedes Gefühl ausgelöscht wurde?«

Er drückte mich fest an sich. »Ach, mein Lieber, der Mensch ist eigentlich ein gestraftes Wesen.«

Wir schwiegen.

»Das ist eine andere Straße. Merkst du? Sie haben es den Leuten verboten, uns zu betrachten.«

»Aber warum?«

»Weil schon die Tatsache, daß wir – hier in diesem Spinnennetz – überhaupt da sind, für sie eine ganze Menge bedeuten würde.«

Ich senkte den Kopf. Unwillkürlich sah ich die Fliege

vor mir, und es tat mir leid, daß sie den Spinnenfäden nicht entkommen war. Ich wußte nicht, warum sie sich so deutlich vor meinem Auge abzeichnete. Unermüdlich bewegte sie ihre behaarten Beine und versuchte verzweifelt zu entkommen. Der Anblick ihrer Augen, die mich anzuflehen schienen, schmerzte mich. Das klare Grün erfüllte mich mit Reue. Ich schrie laut auf, das Bild der Fliege lag mir wie klebriger Kleister auf den Augen. Ich kam wieder zu mir, als etwas Scharfes in meinen Schenkel stach. Ich hörte lautes Stimmengewirr, das von den abgelegeneren Häusern herüberdrang, die leeren Straßen füllte und an den Wänden und den Schaufenstern der geschlossenen Läden abprallte.

»Schrei doch nicht!« sagte mein Freund.

»Sie hat mich um Hilfe angefleht, ich hätte sie retten können.«

»Versuche, dich zu beruhigen«, antwortete er streng.

»Aber sie sah aus wie jemand, der betet. Sie blickte mich unentwegt an.«

Diesmal fuhr er mich grob an. »Hör auf! Hast du gehört? Sie nehmen Abschied von uns. Ah, wenn sie nur herkommen könnten.«

»Sie werden kommen. Bestimmt kommen sie.«

»Du würdest Sulaiha sehen.«

Heftiger Schmerz überwältigte mich.

»Deine Sachen sind ja voll Blut«, bemerkte mein Freund erstaunt. Ich sah nach und fand Blut am rechten Oberschenkel. Ich tastete ihn ab, schaute genauer hin und bemerkte eine drei Zoll tiefe Wunde. »Es scheint, daß der Soldat zugestochen hat, als ich schrie.«

Er wurde ganz aufgeregt und sagte zornig: »Ich habe gesehen, wie er das Bajonett vom Fenster her durch die Gitterstäbe schob.« Wie ein verletzter Löwe sprang er auf, packte die Gitterstäbe, rüttelte daran und schrie den Soldaten an, der vorn auf dem Wagen mitfuhr. Er spuckte ihm ins Gesicht. »Du Hund … Hunde ihr! Ehebrecher!«

Der Soldat schob das Gewehr vor, bis die Mündung an seiner Kehle war. Mit einem Satz sprang ich auf und versuchte, ihn gewaltsam wegzuziehen, während er vor Erregung immer noch weiterschrie. »Hunde, Bestien!« Mit der rechten Hand drückte er das Gewehr von seinem

Hals weg und spuckte dem Soldaten noch einmal ins Gesicht. Ein anderer Soldat höheren Ranges versetzte ihm ein paar Fausthiebe. Der Soldat zog das Gewehr zurück und tauschte nur noch grimmige Blicke mit meinem Freund. »Laß ihn«, sagte ich, »was hat es für einen Sinn, mit Leuten zu streiten, die die Syphilis zerfrißt. Meine Wunde tut weh. Laß ihn in Ruhe.«

Er aber schrie nochmals los. »Einen wehrlosen Menschen darf man nicht verletzen!« Immer wieder wiederholte er diesen Satz, bis er endlich schwieg.

»Laß uns lieber an alle die denken, die kommen werden«, sagte ich. »Oder meinst du nicht auch, daß die letzten Minuten vor dem Tod uns noch die herrlichsten Phantasien bringen werden?«

Er seufzte und klopfte mir auf die Schulter. »Diese Feiglinge haben sie am Kommen gehindert. Um wieviel leichter wäre alles, wenn sie kämen.«

»Bestimmt kommen sie. Dann werden wir ihnen ein paar aufrüttelnde Worte sagen.«

Der Wagen bog in eine andere Straße ein, die ärmer aussah als die, auf der wir bisher dahingerollt waren. Von meinem Schenkel floß unaufhörlich Blut und tropfte auf den hölzernen Boden des Käfigs. Es tat nicht sehr weh, vielleicht deshalb, weil alles in den Hintergrund trat auf dieser gemächlichen Fahrt durch meine vereinsamte Stadt, da mein vorherbestimmtes Ende die langen Monate in jener Zelle abschließen würde, die meinen Körper mit ihrer Feuchtigkeit umhüllt und damit jedes Schmerzempfinden abgestumpft hatte. Wahrhaftig, der Mensch lernt das Ausmaß seiner Kraft erst dann kennen, wenn er sie erprobt und seine Erfahrungen macht.

Mein Freund blickte geistesabwesend vor sich hin. Ich war überzeugt, daß er in Gedanken Sulaiha besuchte und zweifelte, ob sie ihm jemals so nah wie heute gewesen war. Vielleicht hatte er um ihretwillen zur Waffe gegriffen, um diese einem Ameisenhaufen ähnelnde Ordnung zu zerstören. Denn der Mensch greift zur Waffe aus einem bestimmten Grund – wegen eines Kindes, wegen zweier Augen.

Plötzlich sah ich eine Nebenstraße, die Wehmut in mir wachrief. Wie oft war ich sie als Kind auf dem Weg zur

Schule entlanggegangen und auch später, als ich herange-
wachsen war und auf meine Freunde wartete. Wir waren
oft hier entlanggelaufen, freundschaftlich verbunden, und
hatten geplant, widerlegt und gestritten. Voll von über-
schäumenden Gefühlen und voller Elan waren wir damals gewesen, und wir hatten genau wissen wollen, wohin der Weg uns führt. Die Nebenstraße war zu Ende.
Frühlingsduft erfüllte den Wagen und ließ mich den
Erinnerungen an jene Tage nachhängen.

»War es Sulaiha, die dir gesagt hat, daß Leben Mut
bedeutet?« fragte ich nach einer Weile.

Er schrak zusammen. In die Leere starrend, sagte er
bekümmert: »Ach, mein Lieber, für mich ist alles zu Ende.« In einer Geste der Verlegenheit durchwühlten seine
Finger das staubbedeckte Haar. »Na ja, macht nichts.
Aber sag mal, hast du nicht auch Erinnerungen? Versuche doch, auf eine kleine Reise in die Vergangenheit zu
gehen.«

»Das habe ich schon in der Zelle getan.«

»Aber die Erinnerungen sind doch wie die Unendlichkeit, versuch es noch einmal. Der Wagen rollt so gemächlich dahin, und vor uns liegt noch viel Zeit, um uns ihnen
zuzuwenden. Na los!«

»Ich ertrage es nicht«, murmelte ich.

»Hast du nicht auch eine Sulaiha? Sulaihas gedeihen
doch wie junge Zicklein.«

Er beugte sich wieder vor, wie es seine Gewohnheit
war, und schaute zum Himmel hinauf. Ein wenig traurig
sagte er: »Ein später Frühling. Offenbar sind die Regen-
güsse schon im Winter heruntergekommen.« Als stimme
er sich selbst zu, meinte er noch: »Die Felder trocknen
immer mehr aus.«

Stimmen waren zu hören, sie schienen aus der Nähe zu
kommen. Bald darauf war der Käfig nur noch ein einziges
Knäuel von Wörtern und Sätzen. Ich beobachtete, wie
die Gesichter der Soldaten zornig wurden. Es war durchaus möglich, daß sie schon hier das Feuer auf uns eröffne-
ten. Mein Blick glitt vom Straßenpflaster zu den Geschäften und Häusern hinüber, die den Eindruck erweckten,
als seien sie in Bewegung geraten. Ein Gerufe und Geschrei brach an, dem das Dröhnen von Stiefeln folgte.

Mein Freund wurde unruhig. Da sah ich plötzlich Tränen seine Wangen hinunterlaufen.

»Du weinst?«

Mit bebender Stimme antwortete er: »Du weißt, ich weine nicht aus Furcht. Nur gute Menschen können weinen.«

Ich senkte den Kopf. Auf dem Boden und meinen Schuhen waren Flecken geronnenen Blutes. Die Militärhose meines Freundes hatte Brandlöcher. Wieviel Tiefen hatten diese Schuhe schon durchschritten, wieviel Höhen erklommen. Ich erinnerte mich meiner Kameraden, die, ganz gleich, wo sie waren – in Häusern oder grünen Tälern – darauf gehofft hatten, daß sich der Schlaf über die Lider der weiten Ebenen herabsenkte und die Berge wieder näherrückten. Ach, und die Nächte unter freiem Himmel, das Pfeifen der Kugeln, der Abschied für immer und dann doch ein Wiedersehen! Ich hörte meinen Freund schluchzen und erinnerte mich an das Gesicht eines Kameraden, dem eine verirrte Kugel die Wange aufgerissen hatte und der vor dem Tode immerzu die Worte wiederholte: »Wer hat das Licht gelöscht? Wer?« Vergeblich bemühte ich mich, die Tränen zurückzuhalten. Noch immer hielt ich den Kopf gesenkt. Und wieder hörte ich seine traurige Stimme: »Ja, Sulaiha, die Ferne rückt näher. Sie kommt heran.«

Er streckte seine Arme vor und hob meinen Kopf an. »Nur die Guten weinen. Selbst Heerführer haben manchmal geweint.«

Durch Tränen hindurch sagte ich: »Man erzählt, daß sogar Alexander oft geweint hat.«

»Ich weiß.«

Ich versuchte, das Thema zu wechseln. »Wer ist Sulaiha?«

»Es ist auch deine Sulaiha. Meine wirst du bestimmt sehen, wenn du nicht schlafen kannst. Die Stimmen kommen näher, alles fängt zu beben an.«

Der Wagen fuhr auf einen kreisförmigen Platz. Das Pferd blieb stehen. Wie große Eidechsen huschten die Soldaten hin und her. An die Mauern prallten Wellen fremder Stimmen und drangen wie Sprühregen in den Käfig. Hundert oder mehr Meter vom Platz entfernt war eine Straße, von der tosende Wogen herüberwallten. Und plötzlich tauchte ein buntes, dichtes Gewirr zorniger Menschen auf, das die Kette der khakifarbenen Uniformen durchbrach. Die Menge näherte sich dem Platz. Es waren Tausende Augen und Tausende Münder. Stöhnende Rufe und Kinderweinen erfüllten den Platz. Gewehrsalven peitschten los.

»Wir sind diesen Preis nicht wert.« Ungewöhnliche Freude lag in der Stimme meines Freundes. »Ich habe Angst, sie töten die Kinder.«

»Ja«, antwortete ich, »sie hätten uns still sterben lassen sollen.«

Mitten in die Schreie der Menge hinein rief er mit lauter Stimme: »Aber wenn der Damm einmal gebrochen ist, welche Macht kann den Strom dann noch halten!« Er lachte aus vollem Halse und rief immer wieder: »Der Damm ist gebrochen, der Damm ist gebrochen!«

Ein blutiger Kampf hatte begonnen, bei dem alle möglichen Mittel eingesetzt wurden – Hände und Zähne, Steine, Sand, Schreie. Eine Gruppe Männer und Frauen näherte sich dem Wagen. Sie drängten sich heran, um unsere Hände, Beine, ja selbst Schuhe zu berühren, so als wären wir Heilige. Einige Frauen bemühten sich, das Blut von meinem Schenkel zu wischen, und stießen dabei helle Freudentriller aus.

»Wir sind diesen Preis nicht wert! Weh euch!« rief mein Freund. Aber die Frauen sprangen zum Käfig herauf. Männer folgten ihnen, ja sogar einige Kinder. Im Nu bildeten sie eine Menschenmauer um den Käfig. Wenige Minuten danach spannten andere das Pferd aus, Männer legten sich in die Riemen und zogen in rasender Eile den Wagen. Unaufhörlich hagelte es Kugeln. Wir rollten wie Strohsäcke im Innern des Käfigs umher. Ein Mann fiel vom Wagen. Eine Kugel hatte ihn im Rücken getroffen. Durch eine Lücke konnte ich noch sehen, wie er sich vor Schmerzen auf der nun leeren Straße zusammenkrümmte. Der Wagen fuhr von einer Gasse zur anderen. Wegen der Erschütterung des Wagens schoß das Blut nur so aus meinem Schenkel. An der engsten Stelle einer Gasse traf meinen Freund eine Kugel am Arm und eine andere mich an der Schulter. Ruckartig bogen sie mit dem Wagen in eine finstere Gasse ein. Wie zwei Steine fielen wir auf den blutgetränkten Boden.

»Ihr Lieben ihr, wir sind doch diesen Preis nicht wert!«

Die Augen der Menschen hingen an uns, als wollten sie uns in sich einsaugen. Hände streckten sich uns entgegen, um uns mit der Demut, mit der man einen Heiligen um Segen bittet, zu berühren. Eine Frau streichelte zärtlich mein erstarrtes Gesicht. Mein Freund schob sich dicht zu mir heran und versuchte, mich zu stützen, obwohl ihm das Blut aus seinem Arm auf die Hände tropfte. Als er ganz nahe bei mir war, fragte ich: »Hast du Sulaiha gesehen?«

Mit kindlicher Freude antwortete er: »Sie alle sind Sulaiha.«

Die Männer und Frauen hatten mich so weit vorgeschoben, daß sie dicht bei mir waren. Die Frau streichelte noch immer mein Gesicht. Ich drehte mich ihr mühsam zu. Ein schwarzer Schleier legte sich über meine Augen, und ich fühlte, daß ich gleich ohnmächtig werden würde. Inmitten des Rausches sah ich plötzlich wieder die grünen Augen der Fliege, die mich flehend anschauten. Und nun wußte ich es – diese Augen glichen denen meines Mädchens, als Sprengstoff das Haus über ihr hatte zusammenstürzen lassen.

An seinem Körper sah man allenthalben die kahle Haut. Es fiel sogar schwer, die Farbe seines Fells zu bestimmen. Doch der Anblick vereinzelter Haarbüschel auf der Stirn verriet, daß es braun war, das gewöhnliche Braun von Hunden.

Er hatte bereits ein schönes Alter erreicht. Sein Leben hatte sich in einer schmalen Gasse abgespielt. Dort hatte er sich mit den Hunden anderer Reviere herumgebissen und den Fleischer überlistet, damit er ihm zwischen den Beinen hindurch einen Knochen wegschnappen konnte. Und in kurzen Augenblicken erregter Freude war er der Spur einer Hündin gefolgt oder hatte vor irgendeiner Wand eine Katze gestellt.

Doch diese Tage waren lange vorüber. Er war schwach geworden. Seine Rippen traten hervor, und jede Bewegung wurde ihm schwer.

Einmal war ihm ein wunderlicher Einfall gekommen, der ihn nicht wieder losgelassen hatte. Er beschloß, die gewohnte Umgebung zu verlassen und in einem nahegelegenen Obstgarten unterzuschlüpfen, um sich dort, weg von der Hitze, dem Kampf und der Angst – vielleicht zum ersten Mal in seinem Leben – eine Pause zu gönnen. Nachzudenken über sich.

Den Bauch eng an die Erde gepreßt, kroch er unter dem Zaun hindurch in den Garten, einst Schauplatz einiger Liebesabenteuer seiner Jugend.

Er stand auf einem Erdhügel und spähte nach allen Seiten. Er roch den Duft der Dattelblüten, und die alten Erinnerungen stiegen auf. Das, was ihn umgab, war sein Reich. Hier konnte er tun und lassen, was er wollte. Die Erde mit seinen Füßen treten, seine Spur hinterlassen, wo immer er wollte.

Er fand ein feuchtes, schattiges Plätzchen, wo er sich niederließ. Kühle umgab seine räudige Haut. Mehrere

Male drehte er sich, dann hatten sich seine Nerven beruhigt. Er legte den Kopf auf die Vorderpfoten und schloß die Augen. Doch Schlafen war das letzte, was er nun tun wollte.

Wie er auf die Welt gekommen war, wußte er nicht mehr. Als er anfing, seine Umwelt wahrzunehmen, fand er sich in einer elenden Gasse, deren Bewohner nichts anderes auf die Straße zu werfen pflegten als Abfall, trockene Schalen und Kinder. Sich zu ernähren war deshalb nicht einfach. In nächster Nachbarschaft mit einer ganzen Meute roher Hunde, wurde das Leben von Tag zu Tag schwerer.

Er bedachte seine Lage. Weder als Sieger noch als Besiegter war er aus dem Kampf hervorgegangen. Als Sieger nicht, weil er kein Haus gefunden hatte, das ihn aufnehmen und beköstigen wollte und wo er seine Tage angenehm hätte verbringen können.

Vielleicht zog er das Pech an. Er war nicht schön genug, um jemanden so zu betören, daß er ihn umsorgte.

Außerdem war er starrköpfig und wedelte nicht vor jedem mit dem Schwanz. Er hatte vielmehr gelernt, keinem dieser Zweibeiner – und sei es ein Kind – zu trauen. Wußte man denn, was sich in einer ausgestreckten Hand verbarg, etwas zu fressen oder ein Stein?

Er war auch kein Verlierer, denn trotz der schwierigen Umstände gelang es ihm, am Leben zu bleiben. Er hatte dem Hunger ein Schnippchen geschlagen, hatte die Fangzähne seiner Artgenossen und die Quälereien der Kinder überstanden, und er war auch den Gewehrkugeln entgangen.

Seine Haut war über und über mit Narben bedeckt. Er hatte überlebt, und das war nicht zu unterschätzen. Aber was war das für ein Leben!

Er hob den Kopf und sah ein Stück entfernt eine Krähe auf der Erde herumlaufen, mit dem Schnabel etwas aufnehmen und wegfliegen.

War das ein anstrengendes Leben!

Die Zähne waren ihm ausgefallen und die Pfoten rissig geworden. Er schien zu nichts mehr zu taugen als zum

Sterben. Ungewiß, wie lange er noch darauf warten mußte. Was tun, um bis dahin den Bauch zu füllen? Sollte er
jetzt, im Alter, den Kopf beugen, mit dem Schwanz wedeln und diesen und jene anbetteln. Jetzt, wo er nur noch
wenige Tage zu leben hatte. Wahrscheinlich wäre ein
schneller Tod das beste, um solch einem Schicksal zu
entgehen.

Aufmerksam werdend, richtete er seine Ohren auf.
Warum war ihm diese Idee nicht schon eher gekommen?
Wenn er sich schon nicht den Ort seiner Geburt aussuchen durfte und die Art und Weise, sein Leben zu leben,
so konnte er doch wenigstens seinen Tod bestimmen.

Da er nun einmal ein Hund war, mußte er nur einem
Jungen ins Bein beißen oder nach Anbruch der Nacht die
Leute in den Hauptstraßen aus dem Schlaf reißen, um zur
Zielscheibe der Gewehrschüsse zu werden.

Aber das war zu einfach. Es war auch nicht sehr klug,
anderen das befriedigende Gefühl zu geben, ihn losge-
worden zu sein. Es sollte vielmehr ein Tod sein, der sie
aufregte, Furcht in ihre Herzen trug – und vielleicht Be-
dauern.

Ein elegantes Ende, ein Luxus, der ihn für die vielen
Entbehrungen, mit denen er täglich fertig geworden war,
entschädigen würde. Und wenn auch nur für Augenblik-
ke.

Sein Tod als Vorbereitung auf diese bunte, lärmende
Welt, nach der ihn seit langem mit Sehnsucht verlangte,
und vor der er immer geflohen war.

Als die Sonne hinter den Dattelpalmenwedeln verschwand, erhob sich der Hund von seinem Lager. Er
warf einen letzten Blick auf den Garten und kroch wieder
unter dem Zaun hindurch auf die Straße.

Die Autos jagten schnell an ihm vorbei und warfen ihm
Sand ins Gesicht.

Es sollte möglichst rasch gehen, dachte er bei sich, und
seine Augen verfolgten, wie die merkwürdigen Maschinen an ihm vorbeirasten. Welche sollte er wählen? Vielleicht eines der kleinen hellen Autos? Oder ein metallic-
glänzendes neues? Oder den mit Menschen vollgestopf-
ten roten Koloß? Vielleicht auch das schwarze, das so
ungewöhnliche Geräusche machte?

Er hatte nicht erwartet, daß es so schwierig sein würde. Er mußte sehr sorgfältig wählen, damit er nicht auf unentschuldbare Weise seinem Leben falsch eine Ende setzte.

Er zog sich vom Straßenpflaster zurück. Da tauchte ein neues Problem auf.

Er lehnte sich an den Stamm eines Baumes und begann zu überlegen. Sein Innerstes sagte ihm, daß dies die Art zu sterben war, die er sich immer erträumt hatte. Das Auto sollte von leuchtender, glänzender Farbe sein. Es müßte groß und würdevoll sein. Ein verborgenes, dunkles Gefühl sagte ihm, daß dies kein Irrtum sei.

Mit dieser Vorstellung, die ihn ganz in Besitz nahm, begab er sich zum Straßenrand, um zu warten. Ein winziger, kurzer Augenblick – fast hätte er den gräßlichen Fehler begangen. Aber bevor er sich auf die Straße warf, wendete er noch einmal seinen Kopf. Er holte noch einmal tief Atem, als es kam.

Es war das Auto seiner Träume. Von heller Farbe, schnell und sauber, genau so wie er es gewollt hatte. Es kam immer näher.

Einen Augenblick schlug sein Herz wie wild, dann übergab er sich dem Auto.

Der Fahrer hörte, daß irgend etwas auf den Vorderreifen aufgeprallt war. Er unterbrach das Gespräch, um seinen Kopf aus dem Fenster zu stecken. Zu dem Beifahrer, der ebenfalls Ausschau hielt, sagte er: »Noch ein Hund.«

Der Fahrer fuhr das Auto an die Seite. Er machte seinem Kollegen ein Zeichen auszusteigen und zu dem Hund zu gehen. Dieser packte den Schwanz und zog den Leichnam zum Heck des Wagens. Dann öffnete er die Hecktür und warf den toten Hund an seinen Pfoten ins Wageninnere. Dort landete er auf einem großen Haufen, Unrat, Müll und Leichen anderer Hunde.

Jordanien

Du dummer Kerl, du dummer, dachte sie bei sich.

Er redete weiter: »Der Wahn der Frau ist der Wahn jeder Revolution ... Wenn sie das Alte zerschlagen hat, glaubt sie gleich, ihre Freiheit wäre damit absolut.«

Du Dummer, dachte sie. Die Studenten rings um sie herum boten das Bild einer entfesselten Welt. Ihre Körper waren unter der Kleidung in unermüdlicher, hemmungsloser Bewegung. In der Nähe lachte ein Mädchen. Er sah sie an und stockte. Ein junger Mann schrie irgend etwas, zwei Mädchen wollten sich vor Lachen ausschütten.

»Revolution gegen das Alte, das heißt, neue, bessere Traditionen schaffen«, sagte er. »Aber jetzt sind sie eben mal so.«

Sie hörte nicht mehr zu. Seine Stimme klang verkrampft und kindlich. Neben dem Mund zeichneten sich zwei Kerben ab. Sie schloß daraus, daß er litt.

Nun schwieg er und starrte vor sich hin wie einer, der vergeblich versucht, sich an etwas zu erinnern. Sie merkte, daß er nach ihrer Brust Ausschau hielt. Mit einer unwillkürlichen Bewegung raffte sie den Busenausschnitt zusammen. Diese Geste brachte ihn aus der Fassung. Er wollte noch etwas sagen, nahm aber wahr, daß ihre Augen maskenhaft erstarrt waren, listig, nach innen gerichtet. Er streckte ihr die Hand hin und sagte: »Hat mich sehr gefreut. Ich muß gehen ...«

»Ach Gott, so bleib doch ein bißchen sitzen!«

Im Dorf saß seine Mutter auf der Schwelle am Haus.

»Nächstes Jahr, so der Herr will«, sagte sie, »kriegt Khalid das Zeugnis.«

Ihre negroide Nachbarin rief: »Da schenkst du mir eine Dschubba, als Freudengabe für das Zeugnis!«

Sein Vater hob den Kopf vom Gebetsbuch und sagte: »Die Pest meines Vaters schenken wir dir!«

Darauf die Nachbarin: »Bei Gott, du mußt mir eine schenken, du mußt!«

Sie stand auf, und der Vater wandte sich wieder dem Gebetsbuch zu.

»Jetzt haben wir ihn nur noch zu verheiraten«, überlegte seine Mutter.

»Weshalb hast du's so eilig?« fragte sie. »Bleib ein bißchen sitzen!«

Er berührte ihre Hand, die sie ihm noch nicht gereicht hatte.

»Ich habe da eine sehr wichtige Verabredung«, erklärte er, »sehr dringend.«

Er lief weg, als hätte er wirklich eine sehr wichtige Verabredung, rempelte die Passanten an, überquerte eilig die Straße, rannte in höchster Geschwindigkeit weiter, wenn er einen Wagen kommen sah. Dann fiel ihm ein, daß er eigentlich gar nicht wußte, wohin er gehen sollte, außer in die Pension. Vor einem Schaufenster blieb er stehen und beobachtete, wie sich die Gesichter der Passanten auf einem schwarzen Kleid, das dort ausgestellt war, widerspiegelten. Plötzlich entdeckte er einen schwellenden Busen, ohne Gesicht, der die schwarze Fläche geradezu durchbohrte. Er fuhr herum, um der Besitzerin gegenüberzutreten. Aber sie war schon an ihm vorbeigegangen. Er sah nur ihr großes schwankendes Hinterteil.

Er ließ den Gedanken, in die Pension zurückzugehen, fallen und beschloß, ein paar Studienfreunde zu besuchen. Er traf sie im Pyjama an, wie sie gerade mit einer Wäscherin mit gewaltigen Brüsten und mächtigem Gesäß schäkerten und wiehernd dabei lachten. An der Küchentür stand die Dienerin und lächelte.

Zuerst redeten sie ganz begeistert und mit fertigen Meinungen über Politik: Die Gegner waren stets im Irrtum, sie handelten nur in böser Absicht. Etwas später wandte sich Said an ihn und sagte:

»Also ich muß mich wirklich wundern! Beim Allmächtigen, ich kann es nicht fassen! An eurer Uni habt ihr Mädels wie Sand am Meer, aber du tust überhaupt nichts dergleichen. Du brauchst doch bloß die Hand auszustrecken, mein Lieber, du machst doch was her!«

Die Dienerin kam mit dem Tee und stellte ihn auf dem Tisch vor ihnen ab.

Said lachte und packte sie am Nacken. »Da hast du was in der Hand!« rief er. »Du bist aber mollig geworden, Mädchen!«

Dann nahm er seine Rede wieder auf: »Jetzt stell dir mal vor, mein Lieber, eine sitzt neben dir im Seminar. Du tust so, als denkst du dir nichts dabei, schubst sie mit dem Ellbogen an die Brust und sagst: ›Verzeihung, Mademoiselle.‹ Wenn du merkst, daß sie rot anläuft und durcheinander ist, dann weißt du Bescheid: Die ist fällig.«

Zwischendurch warf Kamil immer wieder ein: »Bloß mach irgendwas! Irgend etwas!«

»Oder eine andere Methode«, fuhr Said fort. »Du sitzt zum Beispiel mit einer da. Nach der üblichen Einleitung: Dein Kleid ist schön, du bist schön, einfach toll, einfach Klasse, nimmst du einen Zug aus deiner Zigarette und bläst ihr ins Ohr. Da ist sie gleich hinüber...«

Ahmad, der die ganze Zeit geschwiegen hatte, mischte sich nun ein:

»Du, das ist erprobt! Da sitzt einmal einer von unseren Freunden im Kino, und eine sitzt neben ihm. Jedesmal wenn er sie anfassen will, rutscht sie ihm weg. Er sagt: ›Du bist aber schön‹ und ›Wie süß du bist‹, doch sie rückt ab. Bis er es satt hat. Er zündet sich eine Zigarette an und bläst ihr hier so ins Ohr. Keine Viertelminute ist herum, da sagt sie: ›Komm, gehen wir.‹«

»Mahmud«, erklärte Said.

»Na, Mahmud«, rief Ahmad, »kennst du nicht Mahmud?!«

Kamil wiederholte immer noch sein: »Irgendwas, irgendwas!«

»Hauptsache, du rührst dich!«, setzte er noch hinzu.

Said legte ihm die Hand auf die Schulter.

»Also, mein lieber Khalid«, sagte er mit ernstem Gesicht, »in den nächsten zwei Tagen wollen wir Resultate der Operation sehen.«

Nachmittags um zwei Uhr aß er einsam und allein sein Mittagessen. Um drei Uhr schlief er. Um fünf wachte er auf. Sein Körper war gespannt wie eine Saite. Er schlenderte die Straße entlang – Frauenleiber beobachten. Er hoffte, und er träumte. Seine Augen begegneten den Augen einer Frau. Sie lähmten ihn, fesselten ihn, er lief wie

177

hypnotisiert. Dann entfernten sie sich. Vorsichtig, als ob er verfolgt würde, ging er weiter.

Seine Mutter streckte ein Bein auf der Türschwelle aus, ein ausgemergeltes, schlaffes Bein. Sie erhob sich und sagte:

»He, ein Jahr noch, und Khalid ist mit der Universität fertig.«

»Bei Gott«, rief ihre negroide Nachbarin, »du mußt mir eine Dschubba schenken, als Freudengabe für das Zeugnis!«

Sein Vater hob den Kopf vom Gebetsbuch, während seine Lippen weiter murmelten.

»Was, eine Dschubba?« fragte er. »Die Pest meines Vaters kannst du haben!«

Die Nachbarin rief: »Bei Gott, du mußt sie mir schenken, du mußt!«

Der Vater wandte sich wieder dem Gebetsbuch zu. Die Mutter blickte gedankenverloren vor sich hin, dann nickte sie ein. Ihre negroide Nachbarin stand auf und ging weg. Sie lächelte, als sie sich erinnerte, wie Khalid sie an der Hoftür geküßt hatte ...

Auf dem Rückweg zur Pension kaufte er grüne Oliven. Die elektrische Lampe, die den Laden erhellte, war an einem langen, schwarz gewordenen Strick festgemacht, der von der Decke herabhing. Sie baumelte genau über dem Kopf des Händlers und beleuchtete den hervorspringenden unteren Teil seiner Stirn, die Nase und ein Stück vom Kinn. Das übrige Gesicht sah aus wie ein dunkles Loch. Der gewaltige, massige Körper bewegte sich träge und ohne einen Laut, ganz in Hingabe und Harmonie gehüllt: Es war die Versunkenheit eines Menschen, den nichts interessieren konnte, was außerhalb seines Wohlergehens lag.

Er streckte eine kleine, zarte Hand aus, die Hand einer Frau, riß ein Stück von der Zeitung ab, die da hing, und wickelte die Oliven ein.

»Noch einen Wunsch?« fragte er.

Er hatte das Gefühl, noch etwas nehmen zu müssen. So sagte er:

»Dazu für einen Piaster süßes Nußmus.«

Der Krämer schnitt das Mus ab und schlug es in Papier

ein, wobei er sich wieder sehr langsam und wie versunken bewegte. Khalid dachte bei sich: Aber was mach ich nur mit dem süßen Nußmus?

Er stieg die Treppe zum fünften Stock hinauf. Jede Etage war genau wie die darunterliegende. Aus allen Wohnungen drang das Klappern von Messern und Gabeln auf den Tellern. Im Radio wurde ein Schlager gesendet: Ein junges Mädchen erklärt, daß sich all ihre Taschentücher vom vielen Weinen aufgelöst hätten, und nun müsse sie einen neuen Stoß Taschentücher haben. Als er sein Appartement betrat, empfing ihn eine Atmosphäre der Sterilität und Einsamkeit.

Er verteilte sein Abendbrot auf kleine Teller und stellte sie auf den Tisch. Sein Blick fiel auf das Stück Zeitung, in das die Oliven eingewickelt gewesen waren. Am Rand befand sich eine kleine Spalte mit der Überschrift: »Offene und mutige Meinung«. Er überflog die ersten Zeilen. Darin hieß es, der Verfasser sei entschlossen, ganz offen und mutig zu sein, auch wenn das einige verärgern sollte. Aber was Recht sei, müsse Recht bleiben.

Da gehe ich nun in einen Laden, überlegte er, ich bezahle einen großen Piaster für grüne Oliven und bekomme außerdem etwas ohne Bezahlung, etwas, das vielleicht den Lauf meines Lebens verändert... In ihm erwachte der Wunsch, auch einmal so entschieden und entschlossen zu werden und immer zu wissen, was er zu tun hätte, sich genau zum richtigen Zeitpunkt und ohne Zögern an eine Sache zu wagen. Er mußte nur auf jemanden warten, der ihn beim ersten Schritt führen würde.

Er verdrehte den Oberkörper nach links, wobei er sich mit der Hand auf den Tisch stützte, ohne die Zeitung beim Weiterlesen nachzuschieben. Der Rest des Artikels besagte, daß nichts dagegen einzuwenden wäre, wenn Sportmannschaften auf lokaler Ebene Wettkämpfe durchführten. Ja, das sei sogar erforderlich, ansonsten werde dem Sport nicht die Wertschätzung zuteil, die er auf offizieller und populärer Ebene genieße. Sobald man aber einer Mannschaft von außerhalb gegenüberträte, müsse man wie eine einzige Hand, wie ein einziges Herz, zusammenhalten.

Im Nebenzimmer stöhnte die Inhaberin der Pension

auf. Vielleicht schläft sie mit dem alten Mann, der schon lange mit mir in der Pension wohnt, dachte er. Vorsichtig schlich er sich zur Zwischentür und spähte durch einen Spalt, den er vergrößert hatte. Er sah die Besitzerin zusammengerollt auf dem Bett liegen. Sie hielt ein Kopfkissen gegen den Bauch gepreßt und stöhnte mit geschlossenen Augen. Er griff nach der Chlorodinflasche, stieß die Tür zu ihrem Zimmer auf und rief, ohne sich zu entschuldigen:

»Madame!«

Die Frau schrak zusammen und starrte ihn entgeistert an.

»Sechs Tropfen auf ein Wasserglas«, sagte er, »und die Kolik ist weg.« Sein Ton klang befehlend, es lag etwas wie Hochmut darin. Die Frau nahm die Flasche, ohne etwas zu erwidern.

Er kehrte in sein Zimmer zurück und tadelte sich selbst: Aber was weiß ich denn, ob sie wirklich eine Kolik hat?

Er beendete sein Abendbrot. Jetzt kam das Lernen und dann der süße Taumel, in den ihn die erste Zigarette nach dem Essen versetzte. Er schaute hinüber zur gegenüberliegenden Wohnung auf der anderen Straßenseite und wartete darauf, daß der Mann, der da wohnte, mit seiner Ehefrau ins Schlafzimmer ginge. Jede Nacht hoffte er, der Mann würde einmal seine Frau umarmen, bevor das Licht verlöschte. Ohne schlechte Absicht. Nur so, um zu wissen, daß es Menschen gab, die glücklich waren. Und obwohl das noch niemals geschehen war, hoffte er weiter.

Die Nacht senkte sich auf die Hänge seines Dorfes nieder. In ihrem dunklen Leib barg sie die Seelen der Toten, die in der Erinnerung des Dorfes weiterlebten. Der Kupfermond war verschwunden. Seine Mutter ging zu Bett. Sie schlug das Kreuz über dem Kopfkissen, um die Teufel, die darauf schlummerten, zu vertreiben. Sie lauschte den Sternen, wie sie weinten, und seufzte: »Was ist das bloß für eine Nacht . . . Ein großer Mann wird sterben, da gibt es keinen Zweifel.« Die negroide Nachbarin sang ihr Kind noch immer in den Schlaf, obwohl es längst über einem Lied eingeschlummert war, in dem ein Fremder vom Heimweh nach seinen Leuten und seinem Land klagt: »Gleich den schönen roten Anemonen, abgerissen von den Wurzeln, hingeworfen in die Mittagshitze, daß sie welken, schwärzlich dunkelnd wie die Winternacht – so ist der Fremdling ...« Sein Bruder, der in der Stadt angestellt war, las einen Kriminalroman.

Der Mann in der gegenüberliegenden Wohnung trat an das Fenster, seine Frau folgte ihm. Die untere Hälfte des Mannes war vom Fensterbrett verdeckt. Seine Augen blickten böse, als ob er gleich durch die Luft auf Khalid losgehen wollte. Die Frau blieb noch ein wenig am Fenster stehen und sah zum Himmel hinauf. Dann streckte der Mann die Hand aus und ließ krachend die Jalousie herunter. Das Licht ging drüben aus. Auch in Khalids Zimmer erlosch das Licht. Im kühlen Zimmer seines Bruders brannte es weiter. Er setzte die Lektüre seines Krimis fort: »Der clevere Lupin sitzt in der Klemme! Wird er diesmal entkommen?«

Khalid streckte sich im Bett aus. Bis Mitternacht hielten ihn die Tagträume wach. Hebst du die Augen zum schwarzen Himmel, bevor du das Fenster schließt, so wirst du weinen, dachte er ... Dieses Onanieren ... Er schwor sich, er würde es nie wieder tun.

Dann schlief er ein.

Früh um sieben Uhr klopfte die Inhaberin der Pension mit dem Schlüssel an die Glastür seines Zimmers.

»Monsieur Khalid ... Monsieur Khalid ...«

Er wachte mit schlechtem Gewissen und Schuldgefühlen auf, sprang aus dem Bett – sein Körper war straff gespannt – und schüttete sich kaltes Wasser über Gesicht und Nacken.

Sein Wachsein war nur äußerer Schein, innerlich schlief er weiter. Er rasierte sich gähnend und nahm sein Frühstück ein, ohne etwas zu schmecken. Dann machte er sich auf den Weg zur Universität. Der Morgennebel stach ihm wie mit glühenden Spießen in die Nase. Da kamen auch die kleinen Studentinnen. Einige gingen in dieselbe Richtung wie er, andere wieder in entgegengesetzte Richtung. Sie trugen graue Kostüme, am Knie waren die Röcke eng, und grüne Jacken darüber. Sie hatten kleine feste Popos, ihre Näschen waren durchscheinend und braun.

In der Vorlesung sprach der Dozent mit metallischer

Stimme, in gleichförmiger Tonlage über »drei Ursachen«. Khalid riß sich noch zusammen bei der ersten Ursache. Als der Lehrer zu »Zweitens« überging, holte Khalid tief Luft. Der Dozent redete und redete... Das Mädchen, das neben mir sitzt, hat ihr Kinn nicht rasiert. Ich werde eine Zigarette anzünden und ihr den Rauch ins Ohr blasen. Der Nebel heute früh war wie Rauch... »Drittens. Eine sozial-biologische Ursache«. Er verlor den Faden der Vorlesung. Reicher Orientale heiratet bekannte Tänzerin... Tanzender Reicher heiratet bekannte Orientalin... Schlafen möcht ich...

»Ich möchte schlafen«, seufzte sein Bruder, der in der Stadt angestellt war. Er schob die vor ihm liegenden Akten beiseite und nickte am Schreibtisch ein. »Die Pistole flog aus Lupins Hand. Mit einer geschickten Bewegung fing er sie wieder auf.« Als er aus seinem Schläfchen erwachte, sagte er laut und vernehmlich: »Ich muß mir eine Pistole zulegen.« Er brachte die Akten wieder in Ordnung. Sein Vater hob den Kopf vom Buch und schlug das Kreuz. »Bereue...«, murmelte er, »der du thronst über den Cherubim... und komm uns zu Hilfe... O Gott erbarme dich, erbarm dich, Gott.« Als der Unterricht zu Ende war, ging er hinaus und setzte sich in die Sonne. Die Studenten schrien und rannten unaufhörlich herum. Ihre negroide Nachbarin sagte, während sie die Flöhe von ihrem Rücken verscheuchte – einen erwischte sie – ihr hätte geträumt, Wasser sei aus dem Wadi aufgestiegen. Es habe das Dorf erreicht und alles überschwemmt. Nichts sei über Wasser geblieben als ein Grab am Dorfrand.

»Wasser im Traum bedeutet was Gutes«, sagte die Mutter.

Sie sah ihn da sitzen. An der gespannten Haltung seiner Schulter und einem leisen Zittern der Wange erkannte sie, daß er ihre Anwesenheit gespürt hatte und keine Gelegenheit mehr sah, ihr auszuweichen. Du dummer Kerl, dachte sie und ging auf ihn zu.

»Guten Morgen, Monsieur Khalid.«

Sie sagte das, als ob sie sänge...

Er sprang auf. »Guten Morgen... Herzlich willkommen...«

Er zündete sich eine Zigarette an. »Du strahlst ja heute!« meinte er.

Dann verspürte er den Wunsch, ihr irgendwelche verblüffenden Dinge zu sagen, damit sie ihn bewundernd und ungläubig ansähe.

»Gestern hättest du dabei sein sollen!« rief sie. »Ich habe mit meiner Mama über die Rechte der Frau diskutiert, und mein Vater hat zu mir gehalten, aber auf der ganzen Linie. Ich habe zu Mama gesagt: ›Es ist das Recht eines Mädchens, zu lieben und ihren Lebensgefährten selber zu wählen.‹ Da ist sie vielleicht wütend geworden ›Was redest du da?!‹ hat sie geschimpft. ›Der Aussatz soll dich lieben!‹ Wir haben gelacht, mein Papa und ich.«

Sie lachte auf.

Sein Wunsch, etwas Erstaunliches zu sagen, war unwiderstehlich geworden. Er fürchtete nur, daß ihn einer der Studenten, die um sie herum schrien, hören könnte.

»Mama ist eben reaktionär«, stellte sie fest.

Er wußte nicht, was er erwidern sollte. So schwieg er.

Etwas später fragte sie: »Hast du den Film gesehen, der im ›Nilpalast‹ läuft? Es heißt, er soll schön sein.«

Er hätte sie gern gefragt, wovon der Film handelte, aber er konnte es nicht. Er wußte auch nicht, warum.

»Ich will ihn mir heute ansehen«, sagte sie. »Noch eine Viertelstunde, dann geh' ich los.«

Auf ihrem Gesicht lag ein Ausdruck, als ob sie eine Frage gestellt hätte und auf Antwort wartete.

Er war verwirrt und stotterte etwas, das sie nicht verstand.

»Schön«, sagte sie, »ich lade dich ins Kino ein. Gehen wir.«

Er stand auf und lachte verlegen.

Am Kartenschalter hielt er den Geldschein in der zitternden Hand und sagte mit erhobener Stimme:

»Was, du willst bezahlen? Unmöglich! Anscheinend hast du keine Ahnung von jordanischer Großzügigkeit!«

Dazu lachte er.

Im Kino faßte er nach ihrer Hand, war aber unschlüssig, was er als nächstes tun sollte.

Der Held des Films schien mit Dynamit geladen zu sein. Kaum daß ihn jemand berührt hatte, fand er sich der

Länge lang auf dem Erdboden wieder. In einem Winkel der alten schmutzigen Bar saß die Filmheldin und beobachtete ihn aus den Augenwinkeln. Jedesmal, wenn der Held einen Mann getötet hatte, richtete er sich auf und strich mit dem Handrücken über seinen Mund. Dann lachte das Publikum, und ein paar Zuschauer pfiffen.

Plötzlich legte Khalid den Arm um ihre Schulter. Er spürte, wie sich die Muskeln vor Überraschung spannten. Der Held tötete gerade wieder einen Mann, und das Mädchen lächelte ihm zu. Aufnahme außerhalb der Bar. Viele Pferde, von Indianern geritten, die seltsame Schreie ausstießen ... Seine Hand glitt hinab und tastete grob nach ihrer Brust.

Sie vermochte dem Film nicht mehr zu folgen. Die Szenen reihten sich ohne Sinn aneinander. Es gab nur noch sie und diese feuchte Hand und die Erwartung ihrer Streifzüge über ihren Körper.

Für einen Augenblick fühlte sie, daß sie sich von der Situation ablöste, sie von außen betrachtete.

Sie flüsterte: »Schäm dich!«

»Warum soll ich mich schämen?« hörte sie ihn fragen. »Laß mich doch.«

Seine Hand schnappte zu. »Guck dir lieber den Film an«, zischte sie.

Seine Stimme klang wie erstickt vor Anspannung, als er antwortete: »Der andere Film ist besser.«

»Hör auf ...«

Sie schob seine Hand weg und gab sich Mühe, nicht zu weinen. Sie spürte, wie sein Körper von ihr wegrückte. Im Widerschein des Lichts auf der Leinwand bemerkte sie, daß sein Gesicht verdrossen aussah, als ob er gleich losheulen wollte. Du Dummer, dachte sie für sich und konnte die Tränen nicht mehr zurückhalten. Sie streckte die Hand aus, suchte nach seiner Hand, bis sie sie gefunden hatte, und hielt sie fest. Seine Finger verschränkten sich mit ihren Fingern. Aber mit der anderen Hand fuhr er wie eine Schlange auf ihren Oberschenkel los.

Als der Film zu Ende war, lief er mit gesenktem Kopf neben ihr her, er schämte sich.

Sie sagte: »Jetzt muß ich aber schnell los. Mama wartet auf mich bei Groppi.«

Er versuchte einen Witz zu machen: »Und meine Mama erwartet mich im Hilton.«

Sie lachte nicht. Einen Moment lang schien sie ärgerlich zu sein, ihr Blick wurde starr. Er hielt ihr die Hand hin.

»Also schön«, sagte er, »hat mich sehr gefreut ... Besten Dank auch für ... Schön, ich bin in Eile, sehr in Eile.«

Sie drückte seine Hand und lächelte zärtlich.

»Komm doch noch ein bißchen mit, mein Lieber ...«

Dann gingen sie zusammen.

Kuwait

Jede Nacht, wenn ich diesen verfallenen Mann neben mir
ansah, hatte ich ein seltsames Gefühl. Ich sah in sein Gesicht und fragte mich:

Hätte meine Mutter dieses Gesicht jede Nacht anschau-
en können? Hätte mein Vater einschlafen können beim
Schnarchen dieses Mannes, das die Ruhe der Nacht stört
und Wut in mir weckt? Warum kann ich ihn nicht loswerden?

Warum wische ich das Verbrechen, das meine Eltern
mir unter Zwang antaten, als ich erst vierzehn Jahre alt
war, nicht einfach aus?

Dort gegenüber im Haus wohnt ein junger Mann,
hochgewachsen, mit schwarzen Augen. Oh, wenn er
mich zu sich nähme, ich würde berauscht und glücklich
in ihm schmelzen! Warum liege ich neben diesem häßlichen Zwerg mit dem künstlichen Gebiß, das ihm bei jedem Zubeißen aus dem Mund rutscht? Tag und Nacht
überfällt mich ein einziges Gefühl, es beschäftigt mich, es
zerreißt mich: Ich bekomme kein Kind von diesem
Greis; woher sollte dieses Kind auch kommen? Dieser
Siebzigjährige wirft nur Eiter aus; kein Kind kann er zeugen, auf dessen Gesicht auch er erscheint, kein Kind, das
das Verbrechen meiner Eltern auslöschen und mich von
dem Haß gegenüber diesem häßlichen Greis befreien
würde.

Warum bringe ich ihn nicht um?

Was hält ihn noch am Leben, wo sein Leben doch zu
Ende ist, seitdem er nicht mehr aufrecht stehen kann?
Dieses schlaffe Gesicht voller Flecken, dieser Kahlkopf,
auf dem die Fliegen am Nachmittag reihenweise sitzen,
diese krumme Nase, die täglich Tausende von Bakterien
befruchten kann, diese ganze Masse, warum soll sie erhalten bleiben? Erinnert sie mich doch an das Verbrechen
meines Vaters, der einen Preis dafür bekommen hat. Wie
hoch war mein Preis? Hundert Dinare, hundert Schafe
und zweihundert Kamelinnen. Und wo ist der Preis

jetzt? Was ist für mich geblieben außer diesem schlaffen Greis?

Jenseits dieser riesigen Wüste ruht sich mein Vater im Arm meiner Mutter aus und trinkt die Milch der Schafe. Meine Mutter freut sich jeden Monat über ein neugeborenes Kamel. Und ich bin hier, verbannt an einen Ort, wo alles mich auffrißt, erniedrigt und meine Glieder und meine Sehnsucht verbrennt. Meine Nachbarin Wadha hat dagegen ganz andere Gedanken, trotz ihrer schweren Arbeit im Haus. Denn Flihan, ihr Mann, erfüllt sie mit Liebe Tag und Nacht. Ich höre ihr Stöhnen wie eine schöne Melodie. Ihr Schweiß, der die Kopfkissen näßt, duftet den ganzen Tag nach der Vereinigung von Mann und Frau. Und ich, ich trage meine siebzehn Jahre und ziehe mich in mich selbst zurück wie ein Wurm unter die Mauern der Häuser.

Die Palmen wachsen, sie ergrünen und tragen Früchte. Das Gras wächst, die Blüten öffnen sich, der Regen fällt, die Sonne geht auf und unter, der Stern leuchtet, der Vollmond lacht – und ich? Ein Öllämpchen, dessen Docht Tag für Tag verbrennt. Dieser Alte, der jede Nacht auf mir reitet und mich mit dem Schweiß seiner erfolglosen Begierde näßt, der dann von mir heruntersteigt wie ein Tier, das seine Kraft verloren hat. Und ich bleibe zurück wie eine zerrissene Maus, die ihre Wunden leckt.

Warum bringe ich ihn nicht um?

Wer wird schon eine zerrissene Maus bestrafen; wer wird es mir schon übelnehmen; wer wird noch trauern um dieses Gerippe?

Mein Vater hat immer die unfruchtbaren Palmen abgehackt, mit ihren Wurzeln ausgerissen und dabei gesagt: »Mein Kind, die unfruchtbare Palme mußt du wegwerfen!«

Du elender Greis! Wer hält dich noch am Leben, wo du keine Lebenskraft und keine Seele mehr hast?

Die Nacht schleicht über den Horizont, und jedesmal, wenn sie kommt, schleicht mit ihr dieser ungeheure Gedanke; ich möchte leben. Drei Jahre sind genug, sind genug, um in dieser Finsternis zu vegetieren.

Ja, Herr Richter ... ich habe ihn umgebracht!

Ich höre das Stöhnen von Wadha und Flihan. Ich schleiche mich nach draußen, ich lausche ihnen, ich bewege mich, ich krieche wie ein verwirrtes Lebewesen, das den Atem der schönen Liebe riecht, von der es ausgeschlossen ist. All diese Jahre war ich die Gefangene meiner Bedürfnisse, die meine Kräfte aufgezehrt haben. Jeden Tag durchbohren die Augen dieses schönen jungen Mannes mein Herz. Warum soll er nicht der Mann sein, an dessen Brust ich einschlafen könnte?

Der Atem von Wadha und Flihan streut Salz in die Wunden der letzten drei Jahre, meine Begierden geraten außer Kontrolle. Sie zerstören alles in meinem Kopf. Es überrascht mich eine seltsame Kraft. Ich renne wie eine Wahnsinnige. Ich nehme den Hammer in die Hand, ich zittere wie Palmenzweige in einer stürmischen Nacht. Ich renne, bevor dieser Sturm nachläßt, der alle Wurzeln der Beherrschung und meiner überkommenen Existenz ausreißt.

Sein Kopf war leer und der Mund geöffnet. Das Gebiß lag neben seinem Kopf, und sein Schnarchen erfüllte den Raum.

Ja, ja, Herr Richter.

Ich schlug auf den schlaffen Kopf; der dumpfe Schlag zerstörte die Stille der Nacht und trennte Wadha von Flihan.

Libanon

Taufik Jussuf Awwad
Der Kaffeeverkäufer
(Ein Straßenbild)

»Abu Amin, bring uns eine Tasse Kaffee!« So riefen die Leute nach Abu Amin in den Straßenwinkeln Beiruts, oder wenn sie ihn an einem der abgelegenen Vergnügungslokale in den ruhigen Stadtvierteln, in denen man nach Sonnenuntergang saß und sich amüsierte, vorbeigehen sahen.

Abu Amin war ein Mann, vierzig oder fünfundvierzig Jahre alt, der nur nachts die Stadt betrat. Er ging einher, einen Behälter mit gelben Tassen um die Hüften gebunden, in seiner linken Hand hielt er eine Kanne mit Kaffee, in der rechten zwei leere Tassen, die er gegeneinanderschlug, um ein gleichmäßiges Klappern hervorzubringen, an dem seine Kunden ihn erkannten. Sobald sie dieses Klappern hörten, riefen der eine und andere: »Das ist Abu Amin!«

Ich sah ihn einmal im Stadtviertel »as-Saifi«. Er ging an uns vorbei, während wir an einem Tisch saßen, auf dem Becher voll Wein standen. Wir riefen ihn und forderten ihn auf, jedem von uns eine Tasse von seinem Kaffee einzuschenken. Er kam heran und setzte sich auf einen Stuhl vor uns, stellte die leeren Tassen auf den Tisch und die Kanne auf den Boden und begann, eine Tasse nach der anderen aus dem Behälter zu nehmen, der um seine Hüfte hing. Er wusch sie mit Wasser aus einem besonderen Gefäß, das an seiner Seite baumelte, aus, dann goß er den Kaffee ein und reichte auf den Fingerspitzen die Tasse einem von uns mit einer Geschicklichkeit, für die er berühmt war.

Als er damit fertig war, streckte er die Hand nach einem der Weinbecher – es war mein Becher – aus, warf mir einen kurzen Seitenblick zu, als bäte er mich um Erlaubnis, hob ihn an seine mit einem ungepflegten Bart bedeckten Lippen und trank.

Ich fragte ihn: »Auf wessen Wohl trinkst du?«

Seine Schultern zuckten, dann setzte er seinen Tarbusch ab und kratzte sich den Kopf. Es war ein Kopf, dessen Form man wegen der Unmenge dichter Haare, die ihn bedeckten und an seinen Schläfen herunterfielen, nicht erkennen konnte. Sie gingen in einen Vollbart über, der seit mehreren Wochen kein Rasiermesser gesehen hatte.

Während ich auf seine Antwort wartete, näherte sich plötzlich ein furchtsamer nackter Junge und verkroch sich unter den Rock Abu Amins, als ob er sich verstecken wolle. Abu Amin aber hob beide Arme und umschloß mit ihnen den Kopf des Kleinen.

Wir alle fragten: »Wer ist der Junge?«

Abu Amin nahm den Becher ein zweites Mal, trank und antwortete: »Es ist mein Sohn.«

»Dein Sohn? Hast du denn eine Frau?«

»Eine Frau! Sie hat mich gestern verlassen. So ist die Welt. So etwas machen die Frauen mit ihren Männern, wenn es solche sind wie ich. Ich bin verrückt.«

»Nein, nein! Ist das hier Amin?«

Er drehte seinen Bart zur Seite, küßte den Kleinen auf die Stirn, auf der Spuren des Weines zurückblieben, und antwortete: »Das ist Amin!«

Dann reichte er ihm den Becher, und der Junge trank einen Schluck. Wir alle wunderten uns, daß er nicht die geringste Rücksicht auf seine Jugend nahm, und ich sagte: »Machst du ihn nicht betrunken? Er ist ein Kind, das noch keine zehn Jahre alt ist.«

»Er muß seine Sorgen vergessen, wie ich meine Sorgen vergessen muß. Trinkt ihr nicht alle Wein, um euren Kummer zu vergessen? Ja, seine Mutter hat ihn verlassen. Er verbrachte die gestrige Nacht, indem er mit beiden Händen gegen die Zimmertür schlug: Er fürchtete sich, allein zu schlafen. Heute nacht mußte ich ihn mit mir nehmen, er läuft hinter mir her von Ort zu Ort. Das macht ihm nichts aus. Er trinkt den Schnaps wie ich, ohne betrunken zu werden, ich trinke jeden Tag mit ihm... Verflucht sei seine Mutter, die Unbarmherzige, die keine Zärtlichkeit kennt! Es ist ihre Schuld, sie hat mich getäuscht, sie ist nicht wütend über mich geworden, weil ich ein Säufer ohne Sinn und Verstand bin, sie hat sich daran gewöhnt, mich in einem solchen Zustand zu sehen. Wie konnte ich wissen, daß sie von mir keinen einzigen Schlag erdulden, daß sie fliehen würde? Ich habe sie ohne Grund geschlagen – aus einem ganz geringfügigen Anlaß, weil ich von ihr verlangte, sie solle aus ihrem Bett aufstehen und mir das Abendessen vorbereiten. Es war nach Mitternacht, ein oder zwei Uhr, ich weiß es nicht mehr. Sie aber zog es vor, im warmen Bett zu bleiben, anstatt aufzustehen. Ich beschimpfte sie und schlug sie, und sie floh. Ich glaubte, sie würde die Nacht bei Nachbarn zubringen und am Morgen zurückkehren, aber sie tat es nicht.«

»Und hast du sie bis zu dieser Stunde nicht gefunden?«

»Soll ich etwa nach ihr suchen? Ich? Gott bewahre! Sie wird zurückkommen, wenn es ihr gutdünkt. Ich mache mir keine Sorgen um sie und denke nicht an sie. Soll sie machen, was sie will! Was brauche ich sie? Ich liebe sie nicht.«

»Du liebst deine eigene Frau nicht?«

»Ich liebe keine der Frauen. Ich liebe niemanden auf der Welt außer Amin ... Frauen, die Frauen ... Beirut ist voll davon. Kann ich nicht eine finden, sooft ich eine brauche? Aber es war besser, daß ich die Mutter Amins im Hause ließ, damit sie sich um ihren Sohn kümmere. Seine Füße werden ihn von jetzt an immer hinter mir herschleppen, in den Nächten, durch Dreck, durch Regen, in Kälte und Wind – ein armseliges Geschöpf! Das ist sein Los, er muß sich an das Leben gewöhnen, an das sich sein Vater gewöhnt hat. Auch ich bin als Landstreicher auf der Straße groß geworden. Ich habe als Lastträger gearbeitet, vor dem Krieg als Schuster; ich bin ein Spieler gewesen, habe mich in allen Berufen versucht, bis ich schließlich bei dieser Kanne gelandet bin. Die Welt! Die Welt! So ist die Welt! Und die Mutter Amins sitzt jetzt ... Ich weiß nicht, wo.«

»War sie schön, deine Frau?«

»Wollt ihr damit fragen, ob ich eifersüchtig bin? Daß ich nicht lache! Habe ich euch nicht gesagt, daß ich sie nicht liebe, daß ich keine Frau auf der ganzen Welt liebe. Was ist das, Liebe? Sie ist nicht für uns bestimmt, sie ist für den, der genug Geld hat, sich ein Auto zu kaufen, für den, der ein Haus hat und einen Garten, ein Gefolge und

Diener, für den, der feste Arbeit hat und saubere Kleider trägt. Aber für uns? Die Liebe?«

Abu Amin schüttelte seinen Kopf, während er das sagte, und drückte seinen Sohn an sich. Dann zog er ihn unter seine Rockschöße an seine nackte Brust und stand auf, indem er die Tassen vom Tisch nahm. Er legte sie zurück in den Behälter an seiner Hüfte, nachdem er sie ausgespült hatte, und verschwand hinter einer Straßenecke, während das gleichmäßige Klappern in unseren Ohren klang.

Hanan al-Scheich
Der persische Teppich

Als Miriam mein Haar zu zwei Zöpfen geflochten hatte, legte sie den Finger an ihren Mund, leckte daran und strich über meine Augenbrauen hin. »Oje diese Brauen«, seufzte sie, »das geht rauf und runter.« Sie drehte sich schnell zu meiner Schwester um. »Sieh mal nach, ob dein Vater noch betet«, sagte sie. Ich wurde es kaum gewahr, da kam meine Schwester schon wieder zurück. »Immer noch«, flüsterte sie, streckte die Arme aus und reckte sie zum Himmel empor, um ihn nachzuahmen. Ich lachte nicht darüber, wie gewöhnlich. Auch Miriam lachte nicht. Sie nahm das Kopftuch vom Stuhl, bedeckte ihre Haare und verknotete es eilig unter dem Kinn. Behutsam öffnete sie den Schrank und langte nach ihrer Handtasche. Sie schob sie unter den Arm, klemmte sie in der Achselhöhle fest und reichte uns beide Hände hin. Ich faßte die eine, meine Schwester die andere. Sie gab uns zu verstehen, daß wir wie sie auf Zehenspitzen laufen sollten. Wir hielten den Atem an, als wir uns zur offenen Haustür hinausschlichen. Während wir die Treppe hinunterstiegen, verdrehten wir die Köpfe nach der Tür, dann nach dem Fenster. Sobald wir bei der letzten Stufe angelangt waren, fingen wir zu rennen an und blieben nicht eher stehen, als bis die lange, enge Gasse hinter uns verschwunden war. Wir überquerten die Hauptstraße, und Miriam winkte ein Taxi heran.

Es war die Furcht gewesen, daß wir uns alle gleich verhalten hatten. Heute würden wir unsere Mutter zum erstenmal wiedersehen, seit sie sich nach der Scheidung von unserem Vater getrennt hatte, denn er hatte geschworen, es nicht zuzulassen, daß sie uns je zu sehen bekäme. Wenige Stunden nach der Scheidung war Gerede aufgekommen. Es hieß, sie werde einen Mann heiraten, den sie schon geliebt hätte, bevor sie von ihren Verwandten zur Hochzeit mit unserem Vater gezwungen worden war.

Mein Herz hämmerte. Ich wußte, daß ich dieses Herzklopfen nicht von der Furcht oder vom schnellen Laufen bekommen hatte. Es rührte von der Scheu vor dieser Begegnung, von meiner üblichen Verklemmtheit her. Ich war eben geblieben, wie ich immer gewesen war, und hatte meine Schüchternheit behalten. So sehr ich es auch immer versucht hatte, ich konnte meine Gefühle nicht einmal meiner Mutter zeigen. Nie wäre ich dazu fähig, mich in ihre Arme zu werfen, sie mit Küssen zu bedecken und ihr Gesicht zu halten, wie es meine Schwester tat, wie es ihrer Natur entsprach. Ich habe lange darüber nachgedacht, nachdem Miriam meiner Schwester und mir ins Ohr geflüstert hatte, daß unsere Mutter vom Süden gekommen sei, und daß wir sie morgen heimlich besuchen würden. Ich beschloß, mich einmal zu überwinden und genauso zu benehmen wie meine Schwester. Ich würde einfach hinter ihr stehen und sie ganz mechanisch nachahmen. Blinde Nachahmung, wie der Schauspieler sagt. Aber ich kannte mich, kannte mich in- und auswendig. Wie sehr ich mich auch anstrengte, um mich selbst zu bezwingen, sooft ich vorher darüber nachgrübelte, was sein müßte und was nicht sein dürfte – alles, wozu ich mich entschlossen hatte, war vergessen, sobald ich in der Sache drinsteckte. Dann schlug ich meinen Blick zu Boden, meine Stirn runzelte sich, auch wenn ich keineswegs verzweifelt war, sondern vielmehr meinen Mund beschwor, er möge doch die Lippen zu einem Lächeln verziehen. Aber es war alles umsonst.

Als das Taxi am Hauseingang anhielt, standen da auf den Podesten zwei Löwen aus rotem Sandstein. Das freute mich. Für einen Moment vergaß ich meine Unruhe und Ängstlichkeit. Es machte mich glücklich, daß meine Mutter in einem Haus wohnte, an dessen Eingang zwei Löwen standen. Ich hörte, wie meine Schwester das Gebrüll der Löwen nachahmte, und fuhr herum zu ihr. Ich beneidete sie. Ich sah, daß sie die Hand hochreckte und einen der beiden Löwen anzufassen versuchte. Sie ist doch immer unkompliziert und ausgelassen, dachte ich. Ihre Fröhlichkeit läßt Sie nicht einmal in den kritischsten Augenblicken im Stich. Bitte, sie fürchtete sich ja auch nicht vor dieser Begegnung.

Sobald aber meine Mutter die Tür öffnete und ich sie

erblickte, brauchte ich auf niemanden und nichts zu warten. Sofort rannte ich zu ihr und warf mich in ihre Arme. Noch vor meiner Schwester. Ich schloß die Augen. Es war, als ob alle Gelenke in meinem Körper endlich erschlafften, nachdem ihnen lange Zeit der Schlaf verwehrt worden war. Ich atmete den Duft ihres Haars ein, er hatte sich nicht verändert. Zum erstenmal merkte ich, wie sehr sie mir gefehlt hatte, und ich wünschte, sie möge zurückkehren, um mit uns zusammenzuleben, trotz aller Liebe und Fürsorge, die wir bei meinem Vater und Miriam hatten. Meine Gedanken schweiften ab. Ich erinnerte mich wieder an ihr Lächeln, als mein Vater endlich in die Scheidung einwilligte. Der Scheich hatte sich eingemischt, nachdem sie ihm angedroht hatte, sich umzubringen, mit Benzin zu verbrennen, falls es nicht zur Scheidung käme. Ich war wie betäubt von ihrem Duft, den all meine Sinne bewahrt hatten. Ich dachte, wie sehr ich sie doch entbehrt hätte, obwohl sie damals so eilig hinter meinem Onkel in das Auto eingestiegen war, kaum daß sie uns noch geküßt hatte und in Tränen ausgebrochen war. Wir spielten danach weiter in der Gasse an unserem Haus. Als es Nacht wurde, hörten wir zum erstenmal seit langem nicht mehr, wie sie mit dem Vater zankte und herumstritt. Stille lag über dem Haus. Nur Miriams Weinen war zu vernehmen. Sie stand mit meinem Vater in verwandtschaftlicher Beziehung und war sich dessen wohl bewußt, als sie bei uns blieb.

Meine Mutter schob mich lächelnd beiseite, um meine Schwester zu umarmen und zu küssen. Dann umarmte sie auch Miriam, die zu schluchzen anfing. Ich hörte, wie sie, nun selber unter Tränen, zu ihr sagte: »Gott lohne es dir!« Sie wischte Miriam die Tränen mit dem Ärmel ab und sah jetzt wieder mich und meine Schwester an. »Man traut seinen Augen nicht«, rief sie aus. »Wie groß ihr geworden seid!« Sie umfing mich mit beiden Armen, während meine Schwester an ihrer Taille hing. Wir mußten lachen, weil wir gar nicht recht vorwärtskamen. Als wir schließlich doch in das Innenzimmer traten, war ich überzeugt, daß ihr neuer Ehemann darin sei, denn meine Mutter hatte vorher mit einem Lächeln zu mir gesagt: »Mahmud liebt euch sehr. Er wünscht sich, daß dein Vater euch mir überläßt, damit ihr bei uns leben könnt und auch seine Kinder werdet.« Meine Schwester antwortete ihr lachend: »Heißt das, wir werden zwei Väter haben?« Ich war immer noch wie betäubt und legte die Hand auf den Arm meiner Mutter, stolz darauf, daß ich mich so verhielt, daß ich ohne jede Mühe mir selbst, meinen linkischen Händen und dem Gefängnis meiner Schüchternheit entronnen war. Noch einmal rief ich mir das Bild zurück, wie ich der Mutter wieder begegnet und, was ich nie für möglich gehalten hätte, ganz spontan auf sie zugestürzt war, wie ich sie geküßt hatte, so inbrünstig, daß ich dabei die Augen schließen mußte. Ihr Ehemann war nicht da. Ich öffnete die Augen. Mein Blick fiel auf den Boden, und ich erstarrte. Verblüfft sah ich hinunter auf den persischen Teppich, der da ausgebreitet dalag, und dann mit einem langen Blick auf meine Mutter. Sie verstand nicht, was mein Blick bedeutete, wandte sich vielmehr zum Schrank, öffnete ihn und warf mir eine gestickte Bluse zu. Danach ging sie zum Toilettentisch, nahm einen Elfenbeinkamm, auf den rote Herzchen gemalt waren, heraus und reichte ihn meiner Schwester. Ich aber starrte weiter auf den persischen Teppich und zitterte vor Wut und Haß. Wieder sah ich meine Mutter an. Offenbar legte sie meinen Blick als Ausdruck von Sehnsucht und Zärtlichkeit aus, denn sie schloß mich in die Arme. »Ihr müßt alle zwei Tage zu mir kommen«, sagte sie, »und die Donnerstage verbringt ihr auch bei mir.« Ich blieb starr und steif. Am liebsten hätte ich ihren Arm fortgestoßen und sie in den weißen Unterarm gebissen. Ich wünschte mir, daß sich der Moment unserer Begegnung noch einmal wiederholen möge, daß sie die Tür öffnete und ich so dastünde, wie es sein müßte, die Augen niedergeschlagen, die Stirn gerunzelt. Meine Augen hingen jetzt nur noch an dem persischen Teppich, an seinen Linien und Farben, die fest in meinem Gedächtnis eingeprägt waren. Ich hatte immer darauf gelegen, wenn ich lernte, er war mir aufs Innigste vertraut. Ich hatte mich in sein Muster vertieft und es mit roten Melonenscheiben verglichen, eine Scheibe kam nach der anderen. Wenn ich aber auf dem Sofa saß, stellte ich fest, daß sich die Scheiben in einen Kamm mit feinen Zähnen verwandelt hatten. Die Blumenbuketts rings um alle vier Seiten waren purpurrot, so ähnlich wie die Farbe der Hahnenkammpflanze. Jeden Sommeranfang hatte meine Mutter Naphthalinkörner auf diesen und die anderen Teppiche gestreut, hatte ihn eingerollt und auf den Schrank gelegt. Das Zimmer sah blaß und traurig aus, bis sich der Herbst ankündigte. Dann trug die Mutter den Teppich auf das Dach, um ihn dort auszubreiten, die Naphthalinkörnchen, die sich den Sommer über durch Hitze und Feuchtigkeit größtenteils aufgelöst hatten, abzulesen und ihn mit einem kleinen Besen abzukehren. Sie ließ ihn danach noch auf dem Dach liegen. Erst gegen Abend holte sie ihn herunter und legte ihn an seinen gewohnten Platz. Ich war glücklich. Es kam wieder Leben in das Zimmer, seine Farben leuchteten viel fröhlicher. Doch einige Monate vor der Scheidung, als der Teppich ausgebreitet auf dem Dach in der Sonne lag, war er auf einmal verschwunden. Meine Mutter, die am Nachmittag hinaufgegangen war, um ihn zu holen, fand ihn nicht mehr oben vor. Sie rief nach meinem Vater, und ich sah zum erstenmal, wie sein Gesicht rot anlief. Sie kamen beide vom Dach herunter, meine Mutter war ärgerlich und verwirrt. Die Nachbarn erfuhren davon, aber jeder von ihnen schwor, daß er den Teppich nicht gesehen hätte. Plötzlich schrie meine Mutter auf: »Elia!« Alle Zungen standen mit einemmal still, die Zunge meines Vaters, meine Zunge, die meiner Schwester, die Zungen unserer Nachbarinnen und Nachbarn. Ich platzte laut heraus: »Elia? Das geht doch gar nicht, das ist nicht möglich!«

Elia war halbblind. Er ging im ganzen Viertel von Haus zu Haus, um das Geflecht an den Korbstühlen auszubessern. Wenn wir an der Reihe waren, sah ich ihn schon auf dem Steinsims sitzen, sobald ich aus der Schule kam. Vor ihm lagen die Bastbündel, und sein rotes Haar glänzte in der Sonne. Er streckte die Finger vor und zog einen Streifen mit solcher Leichtigkeit heraus, als wäre es ein Fisch, der durch ein ausgelegtes Netz schlüpft, ohne den kleinsten Schaden zu erleiden. Ich sah ihm zu, wie er den Streifen flink und geschickt in das Loch führte, ihn herumschlang und wieder damit herausfuhr, bis sich auf dem Stuhlsitz das Muster eines Kreises bildete, der genauso aussah wie der Kreis davor und wie der, der ihm folgen würde. Sie waren einer wie der andere, alle ganz gleichmäßig, als ob seine Hände eine Maschine wären. Ich wunderte mich über die Schnelligkeit und Gewandtheit seiner Finger, und daß er mit gesenktem Kopf dasaß, als könnten seine Augen doch etwas sehen. Einmal kamen mir Zweifel, ob er wirklich nichts weiter wahrnähme als Dunkelheit. Ich hockte mich nieder und schaute von unten in sein hochrotes Gesicht. Die Augen hinter der Brille waren fast geschlossen. Der weiße Spalt darin schnitt mir ins Herz und veranlaßte mich, gleich in die Küche zu laufen. Auf dem Tisch sah ich einen Beutel mit Datteln stehen. Ich streckte die Hand aus, legte ein Häufchen davon auf einen Teller und reichte ihn Elia hin.

Noch immer starrte ich auf den Teppich. Vor mir tauchte das Bild Elias auf, seine roten Haare, sein rotes Gesicht, die kluge Hand. Wie er sich allein die Treppe herauftastete. Wie er sich auf den Stuhl setzte. Wie er feilschte. Wie er aß und ganz genau wußte, daß er alles aufgegessen hatte, was auf dem Teller war. Wie er aus dem Krug trank und sich den Wasserstrahl geschickt in die Kehle goß. Eines Mittags kam er und rief, wie es ihm mein Vater beigebracht hatte, »Allah«, bevor er anklopfte und eintrat. Immerhin konnte meine Mutter ja unverschleiert sein. Da fiel sie auch schon über ihn her und fragte ihn nach dem Teppich. Er sagte gar nichts darauf, gab nur einen Laut von sich, der wie ein Schluchzen klang. Als er gehen wollte, stolperte er zum erstenmal und wäre beinahe gegen den Tisch gestoßen. Ich trat zu ihm und faßte ihn bei der Hand. Er hielt mich fest, und er erkannte mich, indem er über meine Hand strich, denn er sagte fast flüsternd: »Schon gut, meine Kleine.« Dann wandte er sich ab, um hinauszugehen, bückte sich und zog die Schuhe an. Ich glaubte, einige zarte Tränen auf seinen Wangen bemerkt zu haben. Mein Vater wollte ihn aber nicht fortlassen, sondern drang weiter in ihn: »Gott wird dir verzeihen, wenn du die Wahrheit zugibst.« Aber Elia ging. Auf das Treppengeländer gestützt, stieg er die Stufen hinab. Er brauchte mehr Zeit als sonst, um sich seinen Weg zu ertasten. Danach verschwand er, und wir haben ihn nicht mehr gesehen.

ELIAS KHOURI
Die dritte Frau

»Diese Frau«, sagte der Mann.

»Dieser Mann«, sagte die Frau.

Die Stimmen fielen auf den weißen Sand hinab. Der Mann stand dort, sah ein schwarzes Gesicht, das von einem schwarzen Stoff bedeckt war, und suchte etwas.

»Diese Frau, die vor mir steht«, sagte der fremde Mann und sah sich weiter um. Er wollte ihr von den Stimmen, die er im Gras gehört hatte, erzählen.

»Dieser Mann, der vor mir steht«, sagte die Frau und wollte ihn nach der Farbe des Königs, den er gesehen hatte, fragen. Aber sie fragte nicht.

Sie trat auf ihn zu, warf ihr langes, schwarzes Kleid zur Seite, bedeckte den Kopf des Mannes damit und ging mit ihm. Er ging. Der fremde Mann sah nichts. Er ging wie auf farblosem Sand. Die Farben, die sich mit dem Platz vermischt hatten, als er zum erstenmal zu ihr kam, glichen dem Kleid der Frau, das sie jetzt trug.

»Das ist die dritte Frau«, sagte der Mann. Er wollte es sagen, und er ging allein. Das schwarze Kleid bedeckte alles.

Der Mann öffnete seine Augen, öffnete sie immer weiter. Die Augen öffneten sich bis in die Unendlichkeit. »Ich sehe nicht«, sagte der Mann, »aber sie ist die dritte Frau. Ich möchte mich erinnern.« Er schloß seine Augen, um sich erinnern zu können. Er fühlte, daß etwas im Weiß seines Auges brannte. Er versuchte, seinen Mund mit der Hand zu berühren, um sie anzufeuchten, damit sie sich abkühlte. Er bewegte seine rechte Hand. Da war etwas, wie ein Arm, der sich bewegte, aber die Hand blieb starr. Er bewegte die linke Hand, der Arm blieb starr, und die Hand bewegte sich nicht. Er konnte nichts sagen. Er schlief ein und träumte nichts. Er schlief ein wie ein Stein oder wie jemand, der in Ohnmacht fällt.

Nach etlichen Tagen, die nicht zählbar waren oder an die der Mann sich nicht erinnern konnte, fand er sich mitten in einer langen Gasse wieder, vor ihm ein Gewand, das lief, und um ihn herum Gitterstäbe, die in der Mitte der Gasse aufgepflanzt waren. Alles war grau.

Der Mann versuchte, auf dem grauen Boden zu sitzen, aber das Gewand, das vor ihm gestanden hatte, bewegte sich und flog auf seine Augen zu. Er lief hinter ihm her und immer weiter hinter ihm her.

Mitten im Schweigen, das die Ohren umgab, explodierten die Stimmen. Der Mann konnte niemandem erzählen, wie die Stimmen begonnen hatten; sie waren wie ein plötzlicher Donner gekommen. Die Frau drehte sich um und ging weiter. Die Stimmen bewegten die Häuser. Der Lehm verwandelte sich in Wände, die sich aufeinander zu bewegten. Verschiedene Stimmen kamen von allen Seiten.

Und sieh, da ist der fremde Mann! Er läuft, sein Kopf vornüber gesunken, der Körper erbebt und beugt sich. Die Stimmen durchdringen ihn von überall her. Stimmen vermischen sich, Stimmen von Frauen, Männern und Kindern, von Tieren, Vögeln und Bäumen.

Die Frau drehte sich zum drittenmal um. Der Mann sah etwas, das Augen ähnelte. Er sah, wie das Schwarze sich im Wasser bewegte oder in etwas, das wie Wasser war.

»Als ob ich in einem Brunnen wäre!« schrie der Mann.

Der Rücken des Gewands der Frau zitterte, und sie rannte davon.

»Ich habe Angst«, sagte der Mann. »Ich habe Angst!« und rannte davon. Die Frau lief über einen nicht asphaltierten Weg. Er lief schnell und keuchte. Beinahe wäre er gefallen. Er wollte zum Platz zurückkehren. Er wollte den König beweinen.

»Aber wo ist der Köng?«

»Wo bist du, Majestät?«

»Wo ...?«

Die Stimme des Mannes kullerte vor ihm her wie Nußschalen. Er sah etwas, das wie ein Berg aussah und das sich vor dem Vogel verbeugte. Er sah die Frau. Sie kam zu ihm zurück, nahm ihn an der Hand und führte ihn in eine andere Gasse. Er roch den Geruch der Erde, der den Geruch von Winter an sich hatte. Sie zog ihn durch eine enge, niedrige Tür. Sie neigte ihren Kopf ein wenig, und er tat das gleiche. Sie neigte sich weiter hinab, bis sie beinah mit dem Kopf den Boden berührte. Er fiel auf den Boden. Sie zog ihn an seiner Hand hinter sich her. Er befand sich in einem Haus ohne Fenster.

Ein Geruch, eine Frau und ein nacktes Zimmer.

Die Frau setzte sich in eine Ecke des Zimmers. Ihr Atem wurde lauter. Er stand inmitten des Zimmers, sah sich um und versuchte zu sehen. Er spürte eine Bewegung. Er drehte sich um und sah sie. Sie entfernte den Schleier von ihrem Gesicht. Ihr Gesicht war hell. Von ihm ging ein Licht aus, das sich an den Wänden des Zimmers brach.

Sie drehte sich um und fragte.

Aber er wußte nichts zu antworten.

»Wo sind wir?« fragte er sie.

»Das ist ein Haus«, antwortete sie.

»Aber warum?«

»Weil ich möchte, daß du mit mir kommst.«

»Aber wie?«

Sie erzählte ihm vom Mond. »Der Mond«, sagte sie »wählte alle drei Jahre eine Frau und erlaubte ihr, mit dem Mann für einen Tag und eine Nacht in ihr Haus zu gehen. Der Mond hat mich auserwählt, als du dort warst. Ich nahm dich in meinem Gewand mit mir, und nun sind wir in meinem Haus. Warum kommst du nicht näher?«

»Aber wer wohnt in diesem Haus?«

»Meine Kinder«, sagte die Frau, »die Mädchen.«

»Aber ich höre keine Bewegung.«

»Sie sind da. Sie werden bald kommen. Warum kommst du nicht näher?«

»Ich habe Angst«, sagte der Mann, »ich kann mich nicht daran erinnern, dich jemals vorher getroffen zu haben. Wie heißt du?«

»Habe ich dich nach deinem Namen gefragt?«

»Nein.«

»Habe ich dich gebeten, mir zu erzählen, warum du in diese Stadt gekommen bist?«

»Nein.«

»Habe ich dich gezwungen, mit mir hierher zu kommen?«

»Nein.«

»Habe ich ..., habe ich ...«

»Nein, nein . . .«

»Komm her.«

»Nein.«

Die Frau ging auf ihn zu und setzte sich neben ihn.

»Aber . . .«

»Frag nicht mehr, Mann, es ist genug!«

»Bist du noch Jungfrau?«

»Ja.«

»Und all die weinenden Frauen dort, sind auch sie noch Jungfrauen?«

»Ja.«

»Aber wieso? Woher kommen denn diese Mädchen alle?«

Die Frau streifte ihr Kleid hoch und sagte, es sei warm hier drinnen. Sie sagte noch vieles mehr. Sie erzählte ihm, daß sie lange geweint habe.

»Ich war noch klein, und es gab eine Frau, die neben dem König begraben wurde. Ich war neu dort und wußte noch nicht, wie ich weinen sollte. Ich wollte nicht gehen, aber mein Vater. Also ging ich, und ich wollte nicht weinen, aber die Frauen. Also weinte ich. Ich wollte das lange Gewand nicht tragen, aber das Gewand mußte sein. Ich zog es an. Ich weinte. Ich weinte sehr laut und hörte, während ich weinte, die Stimme der Frau, die mir zuflüsterte, ich solle aufhören zu weinen. Ich weinte nicht mehr, ich weinte mit einer anderen Stimme. Da rief mich der König zu sich. Der Mann, der das Grab bewachte, sagte mir, daß der König mich sprechen wollte. Ich ging zu ihm. Ich konnte mich an nichts erinnern. Es war dunkel, und es gab so etwas wie einen Vogel. Als ich hinausging, wurde ich schwanger. Ich gebar drei Mädchen in drei Tagen. Dann kam der Mann, nahm die Mädchen fort und ließ sie in diesem Haus wohnen. Sie werden bald kommen.«

Der fremde Mann verspürte Hunger. Er sagte, er wolle unbedingt Salz essen!

»Das Salz, nein«, sagte die dritte Frau.

Sie zog ihr Kleid aus und lehnte sich nackt an die Wand. Die Schatten waren grau und schienen ins Blaue überzugehen. Ich sehe die Schatten, dachte der Mann. Er schaute sich den Körper an. Der Körper war grau und schien ins Weiße überzugehen. Er sah aus wie ein Bogen, der aufrecht stand und sich vornüber beugte. Der Mann hatte ein Gefühl, als ob etwas in ihm brannte. Es begann in seinem Magen, dann stieg es nach oben. Sein Gesicht schien anzuschwellen, als ob es gleich explodieren wollte. Er spürte, daß das Blut in seinen Schenkeln pochte. Er ging auf die Frau zu und versuchte, etwas zu sagen. Die Stimme zitterte, die Frau stand vor ihm. Er zog sich aus. Die Kleidung klebte an seinen Körper, als ob es seine Haut wäre.

Als der Mann nackt dastand, näherte sich ihm die Frau. Er zog sie an sich, nahm sie in seine Arme, sein Gesicht kam ihr näher. Sie fiel zu Boden, und auch er fiel zu Boden. Es schien, als ob sie weinte. »Aber sie weinte nicht«, sagte der Mann. Die Stimmen wurden lauter. Der Mann kam näher. Er war in ihr. Er war bei ihr. Er stand jetzt vor einer hohen Mauer. Was war mit ihr? Sie ging fort. Er sah sie weggehen. Dann hörte er die Stimmen. Das Weinen wurde lauter. Das Haus verwandelte sich in Stimmen von kleinen Mädchen und undeutliche Worte.

»Steh auf, steh auf!« schrie die Frau.

Er stand auf. Die Frau zog ihr langes Gewand über. Er zog so etwas wie ein langes Kleid an. Sie setzte sich, er setzte sich.

»Ich bin doch hier!« schrie sie.

»Ich bin doch hier!« antwortete das Echo.

Sie stand auf, dann kam sie zurück. Es war niemand da.

»Es ist niemand da«, sagte der Mann.

»Es ist niemand da«, sagte die Frau.

Sie lachte, er lachte. Sie kam näher, und er kam näher. Sie zog sich aus, und er zog sich aus.

Der Mann war bei der Frau. Der Platz war weit weg. Er nahm ihre Haare in seine Hand. Die Haare flogen durch den Raum.

Das Zimmer erweiterte sich.

»Die Stimmen!« schrie sie.

»Ich höre nichts«, sagte er.

»Die Stimme! Steh auf!« schrie sie, so laut sie konnte, und stand auf. Es waren die Stimmen und die drei Mädchen. Sie habe sie erwartet, sagte die Frau, schaute ihn an und sagte:

»Laß es uns noch einmal versuchen«, und wartete.

»Ich bin hier!« schrie sie. Und die Wände antworteten: »Ich bin hier!«

»Aber wo sind die Kinder?« fragte der Mann.

»Meine Kinder?« fragte sie.

»Deine Kinder«, sagte er. »Laß uns in den anderen Zimmern nach ihnen suchen«, fuhr er fort.

»Es gibt kein anderes Zimmer in diesem Haus.«

»Dann müssen wir auf der Straße suchen.«

»Wir können nicht auf die Straße gehen.«

Die Frau begann, leise zu weinen. Er setzte sich neben sie und küßte sie. Er spürte den Geschmack von Salz. Das Salz, nein. Sie kam ihm näher. Um zum drittenmal kam er ihr näher. Sie nahm ihn, und er nahm sie. Ihre beiden Körper verschmolzen ineinander. Aber während die Frau versuchte, ihm etwas zuzuflüstern, hörten sie Schritte und Worte. Die Dinge waren klar, und alles wartete. Er sprang auf und lief zur Tür des Zimmers:

»Es ist niemand da!«

»Es ist niemand da«, sagte die Frau und erzählte ihm, daß sie ihr gesagt hatten, sie solle mit dem einzigen Mann, der auf dem Platz wartete, nicht schlafen. »Sie erzählten mir, die Kinder würden kommen und weinen, aber ich glaubte ihnen nicht.«

»Laß es uns noch mal versuchen«, sagte der Mann.

»Du kannst es nicht mehr versuchen.«

Der Mann versuchte es noch einmal. Er entdeckte, daß es nicht mehr möglich war. Die Stimmen verschwanden. Er fühlte, die Luft war schwerer geworden. Der Kopf neigte sich im Sitzen und Stehen nach vorne. Er versuchte zu reden. Die Frau erzählte ihm von einem Mann, der vor langer Zeit gekommen und mit der Frau zum Platz gegangen war. Dort hatte er Salz verlangt und das Salz gegessen. »Er tat das Salz auf seine Hand, rieb sich damit über seinen Mund und danach schluckte er es hinunter. Ich weiß nicht, warum, und ich weiß auch nicht, warum er unbedingt Salz essen wollte. Er aß Salz und verlangte nach Wasser. Wir brachten ihm Wasser, und er trank es. Je mehr er trank, desto größer wurde sein Durst. Er trank und trank und schwoll immer mehr an; er verwandelte sich in eine Masse, die über den Platz quoll. Sein Rücken beugte sich, aber er verlangte weiter nach Wasser. Wir brachten es ihm. Er konnte nicht genug davon bekommen, aß aber sonst nichts. Aber er starb auch nicht.«

»Warum denn nicht?«

»Ich weiß es nicht«, antwortete die Frau, »vielleicht ist er doch irgendwann gestorben, vielleicht auch nicht, vielleicht hat die Frau ihn unter ihrem Gewand versteckt.«

»Aber warum stirbt er denn nicht? Führe mich zum Platz, ich möchte zurückkehren.«

»Aber du hast doch nicht mit mir geschlafen. Versuch es noch mal.«

»Ich habe es schon mehrfach versucht. Ich möchte zum Platz zurück.«

»Nein, du bleibst bei mir. Ich werde dich zu einem anderen Platz bringen.«

»Ich möchte aber zum Platz!«

»Ich werde dich mitnehmen. Du sollst das Meer sehen, bevor du zurückkehrst. Wir werden zu Fuß dorthin gehen.«

»Aber ich will nicht zu Fuß gehen. Ich möchte noch einmal über den Sand rollen. Ich möchte nach ihm suchen, um ihm meine Kleidung zu geben, und ich werde weitergehen.«

»Aber du wirst mit mir kommen. Das Meer wartet auf uns. Ich möchte sehen, wie das Blaue mich verschlingt. Ich möchte dich da hineinwerfen«, sagte die Frau.

Sie nahm meine Hand. Ich hielt sie fest. Es war mir, als ob ich einen hohen Berg erklimmen wollte wie jemand, der versuchte zu sehen. Ich war mit ihr.

Der fremde Mann war mit einer Frau, deren Namen er nicht kannte. Sie sagte ihm, sie würde ihn mit zum Meer nehmen. Er sagte zu ihr, daß er warten würde. Er sagte es ihr, schmiegte sich an sie und ging einen verschlungenen, mit abgebrochenen Ästen übersäten Weg entlang.

Libyen

Ahmed Ibrahim al-Faqih
Der Regen und die Träume

*Eine alte arabische Geschichte. Die arabischen Könige
und Staatschef behielten sich das Recht vor, diese Geschichte abzudrucken, zu bearbeiten, zu erzählen, neu
umzuschreiben und sich Tag für Tag und Jahr für Jahr
wieder ereignen zu lassen. Sie erlaubten es nicht, sie zu
veröffentlichen und nachzuerzählen, außer ihren Anhän-
gern, Polizeichefs und Statthaltern.*

Es war einmal vor langer Zeit ein Sultan von den Sultanen
des Bani-Qahtan*, der das Schweigen liebte und das Reden haßte. Die Menschen redeten miteinander nur in Zei-
chensprache; sie benutzen ihre Zunge nur zum Hochle-
benlassen. Das Motto seines Staates war: erst die Sicherheit – dann das Essen! Deshalb verschwanden die Brotlaibe vom Markt, und die Anzahl der Sicherheitskräfte stieg
und stieg, bis auf jeden Bürger zwei Polizisten kamen.

An einem regnerischen Morgen erwachte der qahtanische Sultan mit schlechter Laune. Er hatte ein lautes
Donnern gehört und einen schrecklichen Traum gehabt.
Eilig schickte er nach seinen Volk: Es sollte zum Palast
kommen und auf der Stelle vor ihm erscheinen.

Um seine große Liebe zu ihm auszudrücken, kam das
Volk angerannt und rief: »Der Sultan lebe hoch!«

Es gab ein starkes Gewitter, und es goß in Strömen.
Das Volk stand vor der Terrasse des Palastes, naß bis auf
die Knochen und zitternd vor Kälte, aber es brannte vor
Begeisterung und Sehnsucht, den Sultan zu sehen. Der
Sultan betrat die Terrasse und machte eine Bewegung mit
seiner edlen Hand, damit das Volk aufhörte zu jubeln.

Das Volk stand schweigend und ehrfürchtig im Regen
und schaute zum Sultan auf, der zu ihm sprach:

»Mein liebes Volk, gestern habe ich einen Traum gehabt ...«

Das Volk ließ den Sultan vor Freude und Glück hoch-

---

* Sagenhafter Stammvater der Südaraber.

leben. Die Wünsche für Glück, Gesundheit und ein langes Leben des Sultans wurden lauter. Das Volk wartete immer auf diese Träume und nahm sie als Wegweiser für sein Leben, weil die Träume, die der Sultan in der Nacht gehabt hatte, am nächsten Morgen Gesetze wurden und dem Volk den Weg wiesen, den es einschlagen sollte. Sie zeigten ihm seine Rechte und Pflichten. Sie wiesen es an, was es tun sollte, was es sagen sollte und was es trinken, essen und anziehen sollte. Sie legten fest, zu welchen Uhrzeiten es schlafen gehen und wann es aufstehen sollte, wie es Freundschaft zu schließen, wie es zu heiraten und wie es seine Kinder zu nennen hatte. Deshalb war jeder Traum, den der Sultan hatte, eine Gelegenheit, Freude und neue Hochrufe zum Ausdruck zu bringen, um dem Sultan und seinen Träumen zu huldigen.

Der Sultan machte noch eine Bewegung mit seiner edlen Hand und befahl seinem Volk, mit dem Jubeln aufzuhören. Er sagte: »Mein liebes Volk! Ich träumte, daß ich euch im Schlaf schlachtete ...«

So sprach der Sultan unter Qualen und mit Trauer. Die Worte blieben ihm im Halse stecken. Er sagte dies mit bekümmerter und ergriffener Stimme, denn er liebte sein Volk sehr, mehr als seine siamesische Katze Mischa und auch mehr als seinen Hund, den er als Geschenk vom König der Slawen bekommen hatte und den er so sehr liebte, daß er jeden Tag eine Stunde im Rundfunk reservieren ließ, um sein schönes, süßes Bellen zu senden. Er liebte sein Volk mehr als alle seine Torten mit Langusten und indischen Gewürzen, die extra für ihn gemacht wurden, um damit seine Schwächeanfälle, an denen er in letzter Zeit zunehmend litt, zu behandeln. Ja, er liebte sein Volk wirklich mehr als alle diese Dinge. All diese Lebewesen und Speisen hätte er für ein paar Tage entbehren können. Aber von seinem geliebten Volk konnte er sich nicht trennen, und seine Liebe und den Genuß, es zu regieren, konnte er keinen einzigen Tag lang entbehren.

Die Rufe des Volks wurden lauter und es stand im Regen, um die letzten Träume des Sultans entgegenzunehmen.

»Wir werden sterben, wir werden sterben, hoch lebe der Sultan!«

»Wir opfern uns für den Sultan!«

Der Sultan war begeistert, als er sah, daß das Volk Geduld genug hatte, auch diese schwere Prüfung zu ertragen.

Es tat genau das, was seine Träume ihm sagten.

Der Sultan fuhr fort:

»Mein liebes Volk, du weißt genau, wie sehr ich dich liebe, wie sehr ich mich um dein Leben sorge und wie sehr ich mir wünsche, mit dir in die Ewigkeit einzugehen. Aber Träume haben ihre eigenen Gesetze und ihre eigene Weisheit. Sie sind nicht Unsinn, sondern sagen mir, was die verborgenen, geheimen Kräfte sich wünschen. Wir können sie nicht verstehen. Die Menschen sind nur dazu da, ihre Befehle auszuführen, und es ist kein Wunder, mein liebes Volk, daß dieser Traum zur gleichen Zeit wie der Regen gekommen ist. Der Regen prophezeit Fruchtbarkeit, Blüte und Reichtum; das bedeutet, daß man über den Tod nicht die Hoffnung verlieren soll. Dein Tod, mein teures, geliebtes Volk, bedeutet Leben für diese Erde und die Errettung von Dürre.«

Dann verließ der qahtanische Sultan die Terrasse und wurde von seinen Sklaven auf einer Sänfte hinweggetragen; er führte sein Volk zu dem Ort, wo es geschlachtet werden sollte, und zwar am Fuße des Berges.

Mit Tränen in den Augen zog der Sultan sein Messer und befahl seinen Sklaven, die das Volk gefesselt und auf den Boden gelegt hatten, zu dem Volk in seinen letzten Stunden freundlich zu sein und seinen Kopf in Richtung der Qibla* zu legen, damit das Schlachten nach den richtigen Regeln geschah.

Das Volk schaute gen Himmel und wartete darauf, daß ein Wunder passierte und der Himmel ein Opferlamm schickte als Geschenk für seine Geduld und seinen Gehorsam. Aber der Himmel machte dicht und füllte sich mit schwarzen Wolken, denn er hatte schon vor langer Zeit aufgehört, Lämmer zu schicken, um die Menschen, die ihre Hälse den Sultanen überließen, vor dem Opfertod zu retten.

Das Volk streckte seinen Hals hin.

* Gebetsrichtung des Muslime nach der Kaaba in Mekka hin.

Der Sultan streckte seine Hand, in der er das Messer hielt, aus, um sein Volk zu schlachten, betete und pries dabei Gott mit erregter, trauriger Stimme.

Es regnete in Strömen. Die kommende Zeit der Fruchtbarkeit und Blüte kündigte sich an.

Marokko

AHMED SEFRIOUI
Kindheit in Fez

Wenn des Abends alles schläft, die Reichen in ihren molligen Betten, die Armen auf den Stufen der Kaufläden oder in einer Vorhalle, dann schlafe ich nicht. Ich denke an meine Einsamkeit und fühle, wie sie lastet. Ich bin ja nicht erst seit gestern allein.

Ich sehe, wie vor mir in der Sackgasse, die kein Sonnenlicht kennt, ein kleiner Junge von sechs Jahren seine Falle aufstellt, um einen Sperling zu fangen, aber der Sperling kommt nie. Er wünscht sich den kleinen Sperling so sehr! Nicht, daß er ihn essen oder gar quälen wollte, o nein! Er will ihn zum Spielgefährten haben. Mit nackten Füßen rennt er über die feuchte Erde an das Ende des Gäßchens, um die Esel zu sehen, die vorbeikommen. Dann läuft er wieder zum Haus zurück, setzt sich auf die Türschwelle und wartet auf den Sperling, der nicht kommt. Abends kehrt er bekümmert mit rotgeweinten Augen heim und läßt an seinem kleinen Arm eine Falle aus Kupferdraht baumeln.

Wir bewohnten »Dar Schuafa«, das »Haus der Hellseherin«. Wirklich wohnte im Erdgeschoß eine Hellseherin, die großen Zulauf hatte. Aus den entfernten Stadtvierteln kamen Frauen aller Stände, sie um Rat zu fragen. Sie konnte auch ein wenig hexen. Eingeweiht in den Kult des Gnuas, einer aus Guinea stammenden Sekte, vergönnte sie sich jeden Monat einmal eine Sitzung mit Musik und Negertänzen. Dann füllte sich das Haus mit Weihrauchschwaden, die Kastagnetten klapperten, es erklangen die mit drei Saiten bespannten Mandolinen, und wir konnten die ganze Nacht nicht schlafen.

Von dem umständlichen Ritus, der dort unten geübt wurde, verstand ich nichts. Doch konnte ich von unserem Zimmer im zweiten Stock aus durch den Rauch der Gewürze hindurch erkennen, wie die Schattenrisse sich bewegten. Sie ließen ihre sonderbaren Instrumente ertönen; ihre Kleider waren teils himmelblau, teils blutrot, manchmal auch von flammendem Gelb. Die Tage nach diesen Festen waren traurig, öde und grauer als sonst. Ich stand früh auf, um in den Msid zu gehen, die nur wenige Schritte vom Haus entfernte Koranschule. Noch pochte der nächtliche Lärm in meinen Schläfen, noch war ich vom Duft des Weihrauchs wie betäubt. Und rings um mich geisterten die Dschinns, die von der Hexe und ihren Freunden mit rasender Inbrunst beschworenen schwarzen Dämonen. Ich fühlte, wie die heißen Finger der Dschinns mich betasteten, und hörte ihr gellendes Lachen. Mit zugehaltenen Ohren brüllte ich verzweifelt die Koransprüche, die ich gerade gelernt hatte.

Die Schuafa bewohnte die beiden Räume des Erdgeschosses. Im ersten Stock wohnten Driss al-Awwad, seine Frau Rahma und ihre Tochter, die ein Jahr älter war als ich. Sie hieß Zainab, und ich mochte sie nicht. Die ganze Familie hatte nur einen Raum zur Verfügung. Rahma kochte auf dem Treppenabsatz.

Wir teilten den zweiten Stock mit Fatma Buzuidscha. Unsere beiden Fenster lagen einander gegenüber und gingen auf einen Innenhof, einen sehr alten Patio, dessen Fliesen längst ihr buntes Email verloren hatten, so daß es aussah, als sei er mit Ziegeln gepflastert. Jeden Tag wurde er mit Wasser gespült und hinterher mit Besen aus Palmenbast ausgewischt. Die Dschinns lieben die Sauberkeit. So gewannen die Kundinnen der Schuafa beim Eintritt gleich einen günstigen Eindruck, einen freundlichen, gepflegten Eindruck, der Vertrauen einflößte, zum Plaudern ermunterte, kurz, der Hellseherin für ihren Blick in die Zukunft höchst wertvolle Unterlagen schuf.

Nicht jeder Tag brachte Kundinnen. Es gab, so unglaublich es klingen mag, eine tote Saison. Doch ließ sich nicht voraussehen, wann sie eintrat. Plötzlich hörten die Frauen auf, sich um Liebestränke zu bemühen, kümmerten sich weniger um die Zukunft, klagten nicht mehr über Schmerzen in den Nieren oder Reißen in den Schultern, kein Dämon plagte sie mehr.

Die Schuafa benutzte diese Monate der Muße dazu, sich der eigenen Gesundheit zu widmen. Jetzt entdeckte sie Übel an sich, deren ihre Wissenschaft nicht Herr zu werden vermochte. So vermeinte sie, die Stimmen der Teufel zu hören, deren Ansprüche schwer zu befriedigen waren: sie beanstandeten die Farben der Röcke, die Gelegenheiten, bei denen sie getragen wurden, oder bestimmten die Kräuter, die zu der oder jener Beschwörung verbrannt werden mußten. Ächzend und stöhnend saß dann die Schuafa, in Wolken von Weihrauch und Styrax gehüllt, zwischen den mit geblümter Kretonne verhängten Wänden ihres großen Zimmers im Halbdunkel und raunte ihre Zaubersprüche.

Ich war damals vielleicht sechs Jahre alt. Mein Gedächtnis glich weichem Wachs, das den Eindruck auch der kleinsten Ereignisse in Bildern festhielt. Dieses Album verblieb mir, ein Trost meiner einsamen Tage, es beweist mir, daß ich noch am Leben bin. Schon damals, mit sechs Jahren, war ich einsam, vielleicht auch unglücklich, doch fehlte mir das Unterscheidungsvermögen, wie ich meinen Zustand benennen sollte, ob Einsamkeit oder Leid.

Daß ich ein einsames Kind war, wußte ich. Von Natur nicht menschenscheu, suchte ich mit den Knaben in der Koranschule Freundschaften anzuknüpfen, die aber nie von Dauer waren. Wir wohnten auf verschiedenen Sternen. Ich neigte zum Träumen. Die Welt erschien mir wie ein Fabelland, ein großes Feenreich, wo Zauberinnen ungestörten Verkehr mit unsichtbaren Mächten pflegten. Ich wünschte, daß das Unsichtbare mich an seinen Geheimnissen teilnehmen ließ. Meine kleinen Schulkameraden begnügten sich mit dem Sichtbaren, besonders, wenn es sich in der Gestalt von himmelblauem oder rosarotem Zuckerwerk darbot. Dann knabberten, lutschten und kauten sie. Gerne spielten sie auch Krieg und griffen einander wie Mörder an die Kehle. Oder sie schrien, um die Stimme ihrer Väter nachzuahmen, beschimpften sich, um die Nachbarn nachzuahmen, kommandierten, um den Schullehrer nachzuahmen.

Ich aber wollte nichts nachahmen, ich wollte erkennen. Abdallah, der Krämer, erzählte mir von den Heldentaten eines glänzenden Königs, der in einem Land des Lichtes, der Blumen und der Düfte lebte, das hinter dem Nebelmeer lag, noch hinter der Großen Mauer. Und ich wollte einen Pakt schließen mit den unsichtbaren Mächten, die dem Wort der Hexen gehorchten, auf daß sie mich mit sich nähmen über das Nebelmeer und hinter die Große Mauer in jenes Land des Lichtes, der Düfte und der Blumen.

Mein Vater sprach mir vom Paradies. Aber um dort neu geboren zu werden, mußte man erst sterben. Und Sichumbringen war, wie der Vater hinzufügte, eine Sünde, die den Zugang zu jenem Königreich versperrte. Also blieb nur die Möglichkeit, zu warten. Zu warten, bis man heranwächst, zu warten, bis man stirbt, um am Ufer des Flusses Salsahil neu geboren zu werden. Warten! Sein heißt warten. Gewiß schreckte mich dieser Gedanke nicht. Ich erwachte des Morgens und tat, was man mir auftrug. Des Abends ging die Sonne unter, und ich schlief ein, um am nächsten Tag neu zu beginnen. Ich wußte, daß ein Tag sich an den anderen reihte, daß aus Tagen Monate wurden, aus Monaten Jahreszeiten und aus Jahreszeiten Jahre. Ich bin sechs Jahre alt, im nächsten Jahre werden es sieben sein, dann acht, dann neun. Mit zehn Jahren ist man schon beinahe erwachsen. Mit zehn Jahren darf man allein das ganze Viertel durchstreifen, man unterhält sich mit den Händlern, man kann schreiben, zum mindesten den eigenen Namen, man kann die Schuafa nach der Zukunft fragen, Zauberformeln erlernen und Talismane zusammenbasteln.

Vorerst aber saß ich am Kreuzfeuer der mich von allen Seiten umschwirrenden Koransprüche, einsam trotz des Gewimmels von geschorenen Bubenschädeln und Rotznasen rings um mich her.

Die Schule lag am Tor von Derb Nualla. Der Fiqhi[*], lang und mager, mit schwarzem Bart und Augen, die ständig zornige Flammen sprühten, wohnte in einer Straße, die Dschiaf hieß. Ich kannte sie. Der schwarze modrige Gang führte auf eine niedere Türe zu, der tagsüber ein unablässiger Lärm von Frauenstimmen und Kinderweinen entströmte. Als ich diesen Lärm zum erstenmal gehört hatte, war ich in Tränen ausgebrochen, weil ich die Stimmen der Hölle zu erkennen glaubte, so wie sie mir mein Vater eines Abends geschildert hatte.

Die Mutter beruhigte mich: »Ich nehm' dich jetzt zum

[*] Islamischer Rechtsgelehrter.

Baden mit, du bekommst eine Orange und ein hartes Ei, du darfst sogar wie ein Esel schreien.«

Immer noch schluchzend antwortete ich: »Ich will nicht in die Hölle.»

Schweigend hob sie den Blick gen Himmel, als strecke sie vor so viel Einfalt die Waffen.

Ich glaube, daß ich seit meiner Kindheit kein maurisches Bad mehr betreten habe. Eine unbestimmte Furcht und ein Gefühl des Unbehagens hinderten mich daran. Ich mag die maurischen Bäder nicht. Das wahllose Durcheinander, verbunden mit jener lässigen Schamlosigkeit, die man in solchen Anstalten zur Schau zu tragen beliebt, halten mich davon fern. Sogar als Kind verspürte ich bei diesem Gewühl feuchter Menschenleiber in einem beängstigenden Dämmerlicht einen Hauch wie von Sünde. Es war, zumal, als ich noch so klein war, daß ich meine Mutter in das Bad begleiten durfte, ein leises unbestimmtes Gefühl, das mich aber doch erregte.

Sobald wir angekommen waren, erkletterten wir eine mit Strohmatten belegte Erhöhung. Nachdem wir der Kassiererin fünfundsiebzig Centimes entrichtet hatten, begannen wir, uns inmitten des schrillen Stimmengewirrs halbnackter Frauen zu entkleiden, die fortwährend kamen und gingen. Aus riesigen Säcken packten sie ihre Kleider aus, ihre Hemden und Hosen und ihre Ha'iks, blendendweiße Überwürfe mit seidenen Quasten.

Aus welchen Gründen sie ihre schon an sich lebhaften Unterhaltungen, die von wildem Gefuchtel der Hände begleitet waren, noch durch das Ausstoßen unverständlicher Heullaute unterstrichen, war ihr Geheimnis.

Einmal ausgekleidet, blieb ich mit verlegen über dem Bauch gekreuzten Händen bei der Mutter stehen, die sich in ein Gespräch mit einer Zufallsbekanntschaft eingelassen hatte. Die anderen Kinder, die da waren, schienen sich recht wohl zu fühlen. Vergnügt sprangen sie zwischen den feuchten Schenkeln, den hängenden Brüsten und den Kleiderpacken einher, stolz auf ihre prallen Bäuche und auf ihre grauen Hintern.

Überzeugt davon, mich in der Hölle zu befinden, fühlte ich mich verlassener denn je. Der Dampf in den Kammern, die geisterhaften Umrisse der Gestalten, die sich darin regten, und die Atemnot gaben mir den Rest. Zitternd vor Fieber und Furcht verkroch ich mich in einen Winkel. Was trieben bloß, so fragte ich mich, all die Frauen, die mit großen Holzeimern voll kochendem Wasser, das mich bespritzte, den Raum in allen Richtungen durchquerten? Waren sie nicht gekommen, um sich zu waschen? Wohl gab es etliche, die, mit langen Beinen dasitzend, gegen die ewige Unruhe Einspruch erhoben, doch blieb die große Mehrzahl, ohne darauf zu achten, bei ihren rätselhaften Umzügen mit den Holzeimern. Vom Wirbel erfaßt, tauchte meine Mutter ab und zu aus dem Wirrwarr der Glieder hervor, um mir eine Ermahnung zuzurufen. Dann verschwand sie wieder, ohne daß ich verstanden hätte, was sie von mir wollte. Vor mir lagen in einem leeren Eimer ein Hornkamm, ein schön geputzter kupferner Becher, Orangen und harte Eier. Schüchtern nahm ich eine Orange, schälte sie und saugte, trüb vor mich hinstarrend, daran. In diesem Halbdunkel empfand ich die Nacktheit meines Körpers weniger peinlich: ich beobachtete, wie er sich mit dicken Schweißtropfen bedeckte, und vergaß die vorüberhuschenden Frauen mit ihren Holzeimern. Meine Mutter stürzte auf mich los, steckte mich in einen Eimer, schmierte mir eine duftende Masse auf den Kopf und tauchte mich in das kochende Wasser. Dann zog sie mich heraus, warf mich in die Ecke wie einen Packen und verschwand wieder im Wirbel. Ich tröstete mich bald, senkte die Hand in den Vorratseimer und griff mir eins von den harten Eiern, die ich besonders gern aß. Noch war ich mit dem Dotter nicht fertig, als die Mutter wieder erschien, mich abwechselnd mit heißem und kaltem Wasser begoß, mit einem Handtuch bedeckte und halbtot auf die Estrade trug, wo die Kleiderballen lagen. Ich hörte, wie sie der Kassiererin sagte: »Paß auf meinen Sohn auf, Lalla Fatum, ich habe noch keinen Tropfen Wasser gehabt, mich zu waschen.«

Und zu mir: »Zieh dich an, du Kohlkopf. Hier hast du eine Orange.«

Ich blieb allein stehen, die Hände über dem brennenden Bauch gekreuzt, gefangener denn je inmitten all der fremden Frauen und ihrer Kleiderballen. Ich kleidete mich an. Die Mutter kam auf einen Augenblick, um mir den Kopf mit einem Handtuch fest zu umwickeln, das sie unter dem Kinn knotete, gab mir allerhand Verhaltensmaßregeln und zwängte sich durch eine enge Tür gegenüber, der mannigfachen Geräusche entquollen, in die Heißluftkammer.

Ich wartete bis zum Abend auf der Estrade. Schließlich kam meine Mutter. Sie sah abgespannt aus und klagte über Kopfschmerzen.

Glücklicherweise waren diese Badetage selten. Die Mutter belastete sich nicht gern mit mir blödem und unbeholfenem Kinde. Wenn sie fort war, gab ich mich meinen schüchternen Träumereien hin. Ich rannte barfuß durch den Derb*, wobei ich den Takt der Pferdehufe nachahmte, schlug nach allen Seiten aus und wieherte. Zuweilen leerte ich auch nur meine Wunderkiste und musterte meine Schätze. Ein ganz gewöhnlicher Porzellanknopf erregte mein helles Entzücken. Ich betrachtete ihn lange, dann fuhr ich streichelnd darüber. Ein Etwas war daran, das weder durch die Augen noch durch die Finger erfaßt werden konnte, eine geheimnisvolle, nicht zu beschreibende Schönheit. Wohl wissend, daß ich nicht imstande war, sie voll zu genießen, war ich den Tränen nahe wegen dieser seltsamen, unsichtbaren und ungreifbaren Sache da vor mir, die, obwohl ich sie nicht mit der Zunge schmecken konnte, einen Geschmack hatte, ja, eine berauschende Macht. All das lag in dem einfachen Porzellanknopf, der, dadurch beseelt, zum Talisman wurde.

Die Wunderkiste enthielt eine Menge bunter Dinge, die nur für mich einen Sinn besaßen: Glasmurmeln, kupferne Ringe, ein winziges Hängeschloß ohne Schlüssel, Nägel mit vergoldeten Köpfen, leere Tintenfässer, Knöpfe, verziert und unverziert. Manche waren aus durchsichtigem Stoff, andere aus Metall und andere aus Perlmutter. Jeder dieser Gegenstände sprach zu mir auf seine Art. Sie waren meine einzigen Freunde. Gewiß unterhielt ich außerdem noch Beziehungen zu mächtigen Fürsten und großmütigen Riesen, aber sie lagen in der Märchenwelt, sie nisteten in den verborgenen Winkeln meiner Phantasie.

---

* Nicht asphaltierter, schmaler Weg.

Dagegen waren meine Glaskugeln, meine Knöpfe und Nägel jederzeit greifbar in ihrer Schachtel, willige Trostspender in Stunden des Grams.

Am Tage nach dem Bade verfehlte die Mutter nie, dem ganzen Hause den Verlauf dieses Unternehmens bis ins kleinste zu erzählen, und zwar mit gepfefferten Anmerkungen. Sie mimte die Gebärden dieser oder jener in der Gegend bekannten Scherifa°, den Gang dieser oder jener Nachbarin, die sie nicht leiden konnte, lobte die Kassiererin oder beschimpfte die Masseusen, diese Kupplerinnen, die die Kunden betrogen und ohne einen Tropfen Wasser ließen. Natürlich wurde im Bad geklatscht und getratscht. Man war auf Neuigkeiten erpicht und lernte dort Frauen aus anderen Stadtvierteln kennen. Zuweilen gerieten die Damen sich auch in die Haare. Derartige Szenen boten willkommenen Komödienstoff. Eine ganze Woche hindurch gab dann meine Mutter vor den Frauen des Hauses und den Nachbarinnen die Rauferei mit all ihren saftigen Einzelheiten zum besten. Man hatte auf eine Einleitung Anspruch, der die Vorführung der beteiligten Personen folgte, und zwar unter individueller Berücksichtigung ihrer Leiblichkeit, ihrer Gebrechen, ihrer Sprechweise und ihrer Gebärden. Dann sah man das Drama entstehen, sah, wie es sich entwickelte, seinen Höhepunkt erreichte, um schließlich unter Tränen oder Umarmungen in nichts zu zergehen.

Damit erzielte meine Mutter bei den Nachbarinnen großartige Erfolge. Mir jedoch gefielen diese Vorstellungen weniger, da dies Übermaß der Heiterkeit für mich immer mit unangenehmen Folgen verknüpft war. Wenn meine Mutter des Morgens vor Begeisterung überschäumte, fand sie am gleichen Abend unweigerlich einen Vorwand, mich auszuschelten.

Mein Vater, der spät heimzukehren pflegte, traf uns selten bei guter Laune an. Fast immer mußte er sich von einem Vorkommnis berichten lassen, das meine Mutter in möglichst düsteren Farben schilderte. Ein ganz unwichtiger Zwischenfall konnte so das Ausmaß einer Katastrophe annehmen.

° Eine Frau, die Verehrung genießt.

So zum Beispiel, als Rahma auf den unheilvollen Gedanken verfiel, ihre Wäsche am Montag zu besorgen, denn dieser Tag war ausschließlich meiner Mutter vorbehalten. Vor Tau und Tage bemächtigte sie sich des Patio und verstellte ihn mit ihren Trögen, ihren Kanistern, ihren Spüleimern und Haufen von schmutziger Wäsche. Notdürftig mit ihrer marokkanischen Pluderhose und einem zerrissenen Leinenrock bekleidet, hantierte sie am entfachten Holzstoß, rührte die Wäsche im Kanister mit einem Stock, schimpfte über das Holz, das mehr rauchte als brannte, bezichtigte die Seifenhändler des Betruges und rief tausend Verwünschungen auf ihr Haupt herab.

Der Patio war zu klein für ihren Eifer. Sie stieg zur Terrasse hinauf, spannte Wäscheleinen, die sie mit einem Maulbeerstecken stützte, und eilte wieder herab, um im Hof Wolken von Schaum aufzurühren. An solchen Tagen schickte sie mich mit einem Hemd unter der Dschjellaba zur Schule. Das Frühstück fiel aus. Ich mußte mich mit einem Viertelbrot, bestrichen mit ranziger Butter, und mit drei Oliven begnügen. Sogar in unserem Zimmer sah es anders aus als sonst. Da lagen die Matratzen ohne Decken, die Kissen hatten keine Bezüge, und das Fenster wirkte kahl ohne seine mit rosigen Blümchen besäten Vorhänge.

Abends wurden die Bekleidungsstücke gefaltet. Meine Mutter nahm ein zerknittertes Hemd, das nach Sonne roch, breitete es auf den Knien aus und faltete es mit den Ärmeln nach innen sorgsam, fast feierlich. Manchmal war etwas auszubessern. Aber sie nähte nicht gern, und auch ich sah es lieber, wenn sie ihre Wollfäden entwirrte oder ihre Spindel drehte. Nach dem Herkommen unserer Familie galt nur das Wollespinnen für die Frau als standesgemäße Beschäftigung, während das Handhaben der Nadel fast als entwürdigend angesehen wurde. Waren wir auch durch Zufall Fassis*, so blieben wir doch den Sitten unseres bauernadligen Ursprungs in den Bergen treu.

Diesen Ursprung betonte meine Mutter immer, wenn es zu Händeln mit den Nachbarinnen kam. Sie wagte sogar Rahma gegenüber zu behaupten, wir seien Abkömmlinge des Propheten.

* Bewohner von Fez.

»Es gibt«, sagte sie, »Papiere, die das beweisen, Papiere, die vom Imam der Moschee unserer kleinen Stadt sorgfältig aufbewahrt werden. Und du, du einfache Frau eines Pflugmachers, wagst es, deine lausige Wäsche neben meiner frisch gewaschenen aufzuhängen? Ich will dir sagen, was du bist, du Bettlerin unter Bettlern, du Sklavin unter Sklaven, du barfuß laufende, dreckige Schlampe, du Tellerleckerin, die sich nie satt ißt! Und dein Mann erst! Sprich mir nur nicht von diesem mißgestalteten Kerl mit seinem von Motten zerfressenen Bart, der nach dem Stall stinkt und wie ein Esel schreit. Du willst es deinem Mann sagen? Glaubst du etwa, daß ich vor dem Angst habe? Er soll mir nur kommen! Ich werde ihm zeigen, wessen eine Frau von vornehmer Herkunft fähig ist. Laß endlich das Geschrei, nimm deine Lumpen und mach, daß du fortkommst.«

Bleich vor Angst und Aufregung verfolgte ich den Auftritt vom Fenster unseres zweiten Stockes aus. Und all die groben Ausdrücke hafteten in meinem kindlichen Gedächtnis.

Schlaftrunken hörte ich, wie der Vater abends die Treppe heraufkam. Er öffnete die Tür und ging zu seiner Matratze, die auf dem Boden lag. Die Mutter machte das Abendessen zurecht, deckte den runden Tisch und brachte das Fleischragout. Die schlechte Laune war ihr anzumerken.

Der Vater aß, ohne zu fragen. Meine Mutter schmollte noch immer. Plötzlich erhob sie die Stimme: »Dir ist es natürlich gleichgültig, wenn man uns in den Schmutz zerrt, unserer edlen Abkunft Hohn spricht, unsere Ahnen beleidigt, vor denen viele Stämme zitterten! Dir macht es nichts aus, daß Leute niederen Standes mit unflätigen Reden versuchen, unsere Familie zu besudeln, unter deren Toten so viele mutige Männer waren, so viele Stammeshäupter, Heilige und Gelehrte.«

Schweigend aß mein Vater weiter.

Die Mutter ließ nicht ab: »Ja, all das macht dir nichts. Dein Appetit leidet nicht darunter, daß deine Frau gekränkt wird, du ißt wie immer. Und an mir nagt der Kummer so, daß ich nie wieder essen werde.«

Sie verbarg das Gesicht in den Händen, schluchzte laut

auf, brach in Tränen aus, jammerte, schlug sich auf die Schenkel und sang mit eintöniger Stimme vor sich hin, was sie alles erduldet habe. Sie zählte die erlittenen Beleidigungen auf, die Schimpfworte, mit denen sie bedacht worden war, und pries immer aufs neue den Ruhm der in ihrer Person gekränkten Vorfahren.

Der Vater war gesättigt. Er trank einen Schluck Wasser, wischte sich den Mund, zog ein Kissen heran, um sich aufzustützen, und fragte: »Mit wem hast du dich wieder gezankt?«

Die Worte wirkten auf meine Mutter wie ein Zauber. Sie hörte zu weinen auf, hob den Kopf und wandte sich dem Vater wutentbrannt zu: »Natürlich mit dem Weibsbild im ersten Stock, der Frau des Pflugmachers. Die widerliche Person hat mir meine saubere Wäsche mit ihren nach Stall riechenden Lumpen verdorben. Sonst wäscht sie überhaupt nicht, sonst trägt sie ihre Kleidung drei Monate. Nur um mich zu ärgern, hat sie sich den Montag ausgesucht, meinen Waschtag, um mit ihrem Zeug herauszurücken. Du kennst meine Geduld, ich bemühe mich immer, alles beizulegen, ich lasse meine gewohnte Höflichkeit nie außer acht; das habe ich von meiner Familie, wir sind alles wohlerzogene Leute. Nie lassen wir uns aus der Ruhe bringen, immer wahren wir die Haltung. Es bedurfte dieser lausigen ...«

Rahmas Stimme durchschnitt die Nacht: »Lausig! Ich! Hört ihr es, Kinder Mohammeds? Der Tag war ihr nicht genug, jetzt, wo die Männer zu Hause sind, können sie vor Gott bezeugen, wer von uns beiden die Grenzen des Anstandes verletzt.«

Was nun folgte, läßt sich nicht mit Worten beschreiben. Jede der beiden Gegnerinnen fuchtelte, zum Fenster hinausgebeugt, im Leeren herum, spie Schimpfworte, die niemand verstand, raufte sich die Haare und verrenkte, wie vom Tanzteufel besessen, die Glieder. Alle Nachbarn stürzten hinaus und mischten ihr Geschrei mit dem der beiden Furien. Ernst mahnten die Männer zur Ruhe, aber ihre weisen Ratschläge gossen nur Öl ins Feuer. Der Lärm wurde unerträglich. Er schwoll zum Sturm an, die Erde bebte, der Weltuntergang schien nahe.

Ich ertrug es nicht länger. Meine Ohren schmerzten,

das Herz klopfte mit starken Schlägen gegen seinen Käfig. Aufschluchzend fiel ich zu den Füßen meiner Mutter hin und verlor das Bewußtsein.

Mohamed Choukri
Die Sandalen des Propheten

Überfluß an Vergnügungen und an Träumereien, Überfluß an Reichtümern und an Gelegenheiten. Ich bin müde, müde, doch unbefriedigt. Fatin kommt auf mich zu, weiß wie Schnee im blutroten Licht. Sie nimmt eines meiner Notizhefte, schaut kichernd hinein. Sie schreit: »Hier bin ich! Du mein Ein und Alles!«

Sie verschwindet zwischen denen, die herumstehen und die Zeit totschlagen. Drei Uhr früh. Die Langeweile spannt meine Nerven. Umm Kulthum* singt:

> »Der Schlaf verlängert nicht das Leben, und auch
> die längste wache Nacht verkürzt es nicht.«

Ein Gast, ein Schwarzer, kommt zu mir, weißes Tuch auf schwarzem Fleisch. Er nimmt eines meiner Bücher und liest laut: »Diese grenzenlose Freiheit hat ihre tragische, aussichtslose Seite …«

Er legt das Buch hin und fragt mich: »Wovon handelt dieses Buch?«

»Von einem schmutzigen Kerl, der diese Welt nicht versteht. Er quält sich und alle seine Freunde.«

Er schüttelt den Kopf und führt sein Glas zum Mund. »Du bist verrückt.«

Ich sehe Fatin etwas auf ein Stück Papier aus meinem Heft schreiben. Ich trinke, rauche und denke an das Geschäft mit den Sandalen. Der elektrische Strom fällt aus. Die Frauen schreien. Das rote Licht flammt wieder auf, und jetzt schreien die Frauen und die Männer. Ich gebe R'himu noch einen aus, froh, daß das Licht wieder brennt. Sie gibt mir ihren Mund. Süßigkeiten schmelzen in meinem Mund. Sie hat Schokolade geschleckt, streckt ihre braune Zunge heraus und lächelt ihr rotes Lächeln. Fatin gibt mir den blauen Zettel. Ich lese: »Raschid, kennst du die Liebe? Du sprichst mehr über die Liebe, als daß du liebst. Wer nichts weiß von der Liebe, findet mehr

---

* Berühmte ägyptische Sängerin.

Glück in ihr, als wer die Wahrheit über sie kennt. Die Liebe ist nicht im Kopf, sie ist Spüren, Spüren . . .«

Miriam Makeba, mit ihrer hellen Stimme, singt ›Malaysia‹. Ich schreibe unten auf den blauen Zettel: »Fatin, du bist mein rotes Bett, und ich bin deine schwarze Decke. So verstehe ich seit heute die Liebe.«

Ich schaue mich nach ihr um: Ein fremder Seemann saugt an der Wunde in ihrem Gesicht. Sie hängt mit einem Arm an ihm und schüttet mit der anderen Hand hinter ihrem Rücken das Glas auf den Boden. R'himu gibt mir wieder ihren Maulbeermund. Ich gebe ihr noch einen aus. Überfluß an Lust, Überfluß an Gelegenheiten und Träumen. Lied um Lied, die Stimmen vermehren sich, doch ich denke an das Geschäft mit den Sandalen. Ist das Dummheit oder Vertrauen? Schwierig für mich, manchmal, Dummheit und Vertrauen auseinanderzuhalten. Er ist es, er ist derjenige, der diese schwarze Legende erfunden hat. Er möchte . . .

Fatin kommt, schwarz, weiß, gelb. Ich gebe ihr den blauen Zettel. Sie schaut mich an, lächelt, schreit wieder: »Hier bin ich! Du mein Leben!«

Sie nimmt den Zettel. Sie sucht immer Ärger, denke ich bei mir. Ihr feiner Mund sieht jetzt aus wie einer Narbe. Er erinnert mich an die Worte des indischen Dichters Mirza Asadallah Ghalib:

»Ich bin die trockene Lippe derer, die sterben vor Durst.«

Die Lust, die sie sucht, ist von einer tiefen Traurigkeit. Was mich überrascht an ihr: daß sie nicht aufhört zu glauben, die Welt brächte die Dinge schon noch in Ordnung.

R'himu und Latifa gehen aufeinander los. Sie fauchen wie zwei Katzen. Miriam Makeba singt mit ihrer weißen Stimme, und R'himu hängt in den schwarzen Haaren Latifas. Sie reißt sie zu Boden. Sie schlägt sie ins Gesicht. Latifa schreit. Das Blut rinnt. Die Farben mischen sich in meinem Kopf. Fatin legt den blauen Zettel vor mich hin und geht, um die beiden zu trennen. Ich lese auf dem blauen Papier: »Es stimmt. Ich breite ihnen mein Fleisch aus, aber ich spüre nichts von der Vergewaltigung. Ich will sagen, ich bin ihr Leichentuch in einem Grab, aus dem es keine Auferstehung gibt.«

Vigon singt mit seiner klaren Stimme ›Outside the window‹. Ich sehe im Geist die Mandelbäume blühen, während die Zeit des Schnees noch nicht vorüber ist. Dann starre ich gebannt durchs Fenster ins Leere hinaus, wo sich gar nichts bemerkbar macht.

R'himu und Latifa kommen aus der Toilette. Sie haben sich versöhnt wie zwei Kinder. Sie umarmen sich lachend. Sie tanzen fröhlich. Ich rauche und male mir aus, wie ich ringsum in jedes Gesicht schlage, das mir nicht gefällt. Einen Tritt in dieses, einen Stüber in jenes, eine Faust in das dort drüben. Der Triumph in meiner Phantasie beruhigt meine Nerven. Morgen werde ich die Sandalen des Propheten verkaufen.

Ich fragte Fatin: »Warum haben sich Latifa und R'himu gestritten?«

»R'himu hat dem Kunden, der mit Latifa trank, erzählt, daß sie Tuberkulose hat.«

»Und hat sie Tuberkulose?«

»Ja, aber sie sagt, sie sei geheilt.«

Der alte Engländer sagte: »Das ist der köstlichste Couscous, den ich je gegessen habe.«

Ich warf einen Blick zu meiner Großmutter hinüber, sie hatte das Kinn auf der Brust. Ich sagte zu ihm: »Ja, es ist Couscous aus Mekka. Ihre Schwester schickt meiner Großmutter jeden Monat eine Menge davon.«

Er schaute mich entzückt an: »Fantastic . . . !«

Um die Heiligkeit, die meine Großmutter umgab, zu unterstreichen, fügte ich hinzu: »Alles hier in unserer Wohnung ist in Mekka besorgt worden. Sogar dieser Weihrauch hier kommt jeden Monat mit dem Couscous aus Mekka.«

Das Fleisch nach dem Couscous, sagte ich ihm, sei mit Rosinen, Gewürzen und Koriander aus Mekka gekocht.

»Wir nennen das Gericht Mruzia.«

Er murmelte: »Ah, very good!«

Meine Großmutter hielt immer noch in Demut ihr Haupt gesenkt. Der Engländer verschlang mit einem Auge das Mruzia, und mit dem anderen Auge verschlang er das Gesicht meiner Großmutter. Weißes Kleid, Weihrauch um sie aufsteigend, süße arabische Parfüme, gewichtige Stille. Auf Anhieb meistert sie die Rolle, die ich ihr beigebracht habe.

Unser kleines Dienstmädchen brachte uns Tee in einer silbernen Kanne, auch sie: weißes Kleid, scheu den Kopf gesenkt, blitzsauber, ihre Hände mit Henna gefärbt, ihr schwarzes Haar fein gekämmt und glänzend, große Ohrringe, in all ihren Bewegungen vollkommen. Sie grüßte den alten Engländer mit einem Nicken, ohne Lächeln, wie ich es ihr eingeschärft hatte. Der Ernst in ihrem Gesicht machte sie hübscher, als ich sie je zuvor gesehen hatte. Als er den Tee kostete, entfuhr ihm ein entzücktes, begeistertes Seufzen.

Ich sagte zu ihm: »Is it good, the mint-tea?«

»Oh, very good?«

Der Tee war mit Ambra parfümiert. Eine Weile herrschte Schweigen. Ich dachte, jetzt ist der ersehnte Augenblick da, an Aladins Wunderlampe zu reiben. Ich erhob mich. Ich flüsterte meiner Großmutter etwas ins Ohr. Bloße Laute, die nichts bedeuteten. Sie nickte mit dem Kopf, ohne ihn zu heben. Ich brachte das weiße Kissen herbei und entfernte das goldbestickte, grüne Seidentuch darüber. Der Alte starrte auf die verblichenen Sandalen. Seine Hand zuckte ein klein wenig in Richtung des Kissens. Er sah mich an, doch mein Blick gab ihm zu verstehen, daß er die heiligen Sandalen nicht berühren durfte.

»My God! Marvellous!«

Ich deckte die Sandalen wieder zu, ehe ich mich abwandte, um ihm Gelegenheit zu geben, sie durch das schöne durchsichtige Tuch weiter anzustarren. Ich bewegte mich behutsam und langsam, legte das Kissen wieder an seinem Ort nieder, als ob ich einen Verband auf eine Wunde legte. Ein flüchtiger Blick von ihm zu mir und ein langer Blick in die Ecke der Sandalen.

Im Café Central wiederholte er zum dritten Mal sein dringendes Ansuchen.

»Dann ist es also nicht möglich?«

»Die Angelegenheit ist sehr heikel. Es war schon sehr schwierig, meine Großmutter zu bewegen, Ihnen einen Blick auf die Sandalen zu erlauben. Sie können mir glauben, Sie sind der erste Fremde, der sie gesehen hat, und keiner außer Ihnen wird sie sehen.«

»Ich verstehe, aber vielleicht können wir doch zu einer Übereinkunft gelangen.«

»Ich verstehe auch, aber was soll ich tun? Die Sandalen sind die Seele meiner Großmutter. Wenn die Sandalen verschwinden, verliert sie den Verstand oder sie bekommt einen Herzanfall. Sehen Sie, ich liebe sie sehr, und ich achte ihre Verehrung für diese heiligsten Sandalen.«

»Ich gebe Ihnen Zeit zu überlegen. Versuchen Sie, sie zu überzeugen.«

»Sie dazu bringen, die Sandalen zu verkaufen, ist nicht dasselbe, wie sie dazu bringen, sie zu zeigen.«

»Lassen Sie sich etwas einfallen!«

»Ich will es versuchen, aber ich bin überzeugt, es ist aussichtslos.«

Nach einer Weile sagte ich zu ihm: »Hören Sie, ich habe eine Idee. Aber unter einer Voraussetzung ...«

»Die wäre?« Er fragte nochmals und fügte hinzu: »Sprechen Sie, vielleicht finden wir einen Weg!«

»Wenn Sie Tanger auf der Stelle verlassen, sobald ich Ihnen die Sandalen aushändige!«

»Wenn es nur das ist! Wunderbare Bedingung!«

»Auch ich muß Tanger verlassen, und ich werde nicht zurückkehren können, bevor meine Großmutter stirbt.«

»In Ordnung. Einverstanden mit der Bedingung.«

»Ich habe keine Chance, wenn ich hierbleibe, nachdem die Sandalen verschwunden sind.«

»Ich verstehe. Ich verstehe Ihre Sorgen bestens.«

»Sie findet ihren einzigen Halt an diesen Sandalen.«

»Ich verstehe. Wieviel verlangen Sie?«

»Eine Million Francs.«

»Auuuh! Nein! Das ist ein großer Betrag.«

»Aber sie kaufen die schönste Rarität der Geschichte, und ich werde es ein Leben lang bereuen.«

»Gewiß, kein Zweifel, aber das ist viel Geld. Ich gebe Ihnen eine halbe Million. Ich bin nicht in der Lage, mehr zu bezahlen.«

»Sie müssen mir mehr bezahlen!«

»Ich kann nicht! Ich habe nicht mehr dabei.«

»Gut. Sie werden mir Ihre Adresse dalassen. Ich werde

Ihnen schreiben, wohin Sie mir den Rest schicken können.«

Wir blickten einander gespannt an. Zu mir sprach ich lautlos: Los! Sag's! Sag's rasch, oh Mister Stewart!

»Okay. It's a good idea.«

Ah, wunderbar! Wunderbar, Mister Stewart!

»Wo treffen wir uns morgen?«

»Ich warte auf Sie in der Halle des Hotel Minzah.«

»Aber nein, vor dem Hotel. Sie müssen Ihr Ticket dabei haben, wenn ich Ihnen die Sandalen überlasse.«

»Gut, einverstanden.«

»Um welche Zeit?«

Er überlegte einen Augenblick. Ich sagte für mich: Los! Entscheid dich! Rasch!

»Um drei nachmittags.«

Ich stand auf und gab ihm die Hand.

»Wehe Ihnen, wenn Sie irgendwem etwas davon verraten!«

»Aber nein, ich weiß doch ...!«

»Die Sandalen liegen wirklich nicht nur meiner Großmutter am Herzen, sondern jedem hier, der die heiligsten Dinge achtet.«

»Gewiß, ich verstehe.«

Ich ging. Von weitem sah ich ihn aufstehen und weggehen.

Er wartete vor dem Hoteleingang. Ich täuschte Nervosität vor, als ich mich ihm näherte. Verzückt blickte er auf meine Tasche. In seiner Hand war ein Päckchen. Ich dachte: eine halbe Million. Überfluß an Vergnügungen, Überfluß an Kniffen, an Einfällen, an Farben.

Ich gab ihm einen Wink, mir zu folgen. Ein paar Schritte vom Hotel entfernt blieb ich stehen. Wir schüttelten uns die Hand. Sein Blick lag auf meiner Tasche, mein Blick auf seinem Päckchen. Ich öffnete die Tasche. Einen Augenblick ließ ich ihn die Sandalen befühlen. Er nahm sie aus der Tasche, und ich nahm das Päckchen aus seiner anderen Hand. Ich riß das Papier des Päckchens auf. Ich vergewisserte mich: »Eine halbe Million?«

Er sagte mit schriller Stimme: »Ja, eine halbe Million.«

»Und die Adresse?«

»Ach ja, ich hab's vergessen, entschuldigen Sie!«

Ich nahm meinen Stift aus der Tasche und gab ihn ihm mit dem Päckchen, damit er seine Adresse darauf schreibe. Ich wollte sichergehen.

»Und Sie verlassen jetzt Tanger?«

Er zeigte auf den Wagen, der auf dem Gehsteig vor dem Hotel geparkt war.

»Der Wagen dort wartet, um mich zum Flughafen zu bringen.«

Ich dachte: Und ich bin heute abend in der Messalina-Bar.

Ich habe mich in meine gewohnte Ecke gesetzt. Ich rauche, trinke und kaufe mir Aufmerksamkeit, ohne zu feilschen. Ich lausche dem Lied ›Honey Honey‹. Ich bin der Genüsse überdrüssig, müde, aber ich bin unbefriedigt. Die Wünsche meiner Lust gehen nicht bei einer einzigen Frau in Erfüllung.

Fatin sagt: »R'himu ist im Krankenhaus und Latifa auf dem Kommissariat. Sie war besoffen und schlug R'himu eine Bierflasche über den Kopf.«

Ich frage sie nach den beiden Mädchen, die gegenüber in der Ecke sitzen.

»Sie sind aus Casablanca.«

Sie nimmt eines meiner Hefte und entfernt sich. Ich winke der kleineren der beiden mit der Hand. Sie wechselt ein paar Worte mit ihrer Freundin. Ich trinke, rauche und warte auf den ersten Kuß eines Mädchens, das ich noch nie berührt habe.

Ihr kleines Gesicht entspannt sich. Ihr Mund ist wie eine Erdbeere. Ich gebe ihr einen aus. Sie beginnt an ihrem Glas zu nippen. Ihre Lippen glitzern. Ihr Mund öffnet sich in meinem Mund. Ich denke: eine Erdbeere, in Gin und Zitronentonic getunkt. Eva aß die Beeren der Erde, und Adam suchte sie verzweifelt. Er näherte sich ihr endlich, doch sie versuchte die letzte Beere zu essen, bevor er sie umarmte. Adam aß die Beere aus ihrem Mund. Die Beere wies ihm den Weg zum Küssen. Adam wußte die Namen aller Dinge, doch es war Eva, die ihn die Bedeutung des Kusses lehrte.

Zwei schlagen sich um ein Mädchen. Der kleinere

stürzt. Der Lange schlägt Löcher in die Luft. Von hinten packt ihn einer am Arm. Fatin legt einen blauen Zettel vor mich hin. Ich trinke, rauche und sauge an den fleischlichen Beeren in dem neuen, kleinen Mund. Ich lese auf dem blauen Zettel: »Ich bin nicht die, welche ich gestern war. Ich weiß es, aber ich kann es nicht ausdrücken. Du mußt mich verstehen.« Das neue, kleine Gesicht weist nach dem leeren Glas. Ich schaue auf ihren Mund, die Erdbeere. Der Barmann amüsiert sich damit, Vierecke auf ein kleines weißes Papier zu zeichnen. Ich sage zu ihm: »Gib ihr noch ein Glas!«

Ihre Freundin kommt herüber.

»Gib auch ihrer Freundin ein Glas!«

Überfluß an Beeren und an Menschenfleisch, Überfluß an Träumereien und an Gelegenheiten. Ich schreibe auf Fatins blauen Zettel: »Ich darf dich nicht verstehen.«

TAHAR BEN JELLOUN
Die Mädchen von Tetuan

1. Ortsbeschreibung einer Einsamkeit

Die Mädchen von Tetuan haben eine weiße und zarte Haut. Schwarze Augen. Einen stillen Blick. Besonnenheit liegt in ihren Gesten. Sie reden selten.

In Tetuan leben heißt, sich auf etwas einlassen: die Ruhe eines nahen Meeres; Ehrfurcht vor dem, was bleibt und bleiben muß; die Illusionen von Geschriebenem; die Zurückhaltung, Gemessenheit in Wort und Tat.

Das Leben durchfließt die Bewohner dieser Stadt mit dem sanften Murmeln eines Baches. Das Ereignis ist das Abwegige. Die weißen, zerbrechlichen Leiber gehen an dem Ereignis vorbei wie ein vorüberziehender Rauchschleier. Eine kleine blaue Wolke bleibt in Höhe der Bäume hängen. Das ist alles. Der Wind wird wehen. Er wird die kleine blaue Wolke davontragen. Das Geräusch löst sich an der Schwelle der Stadt auf. Es ist ausgelöscht. Prunk und Luxus sind an andere Orte verdrängt. Man hat auch verkündet, daß jede Gestalt dem Bild der Stadt fremd sei. Die Straßen sind so angelegt, daß sie die Zeichen der Gewalt vereiteln oder zumindest zu mildern vermögen. Die weißgekalkten Mauern haben sich in ihrer Leuchtkraft ein wenig von dem blauen Himmel bewahrt. Dieses Blau schiebt sich in das Weiß hinein, so wie das Murmeln der Wellen von Martil sanft in die Träume der Kinder dringt, die den Sommer herbeisehnen. Man sagt es allerorts: Die Berge halten die Fäden des Schicksals in der Hand: was geschieht, steht ihnen auf den weißen Flanken geschrieben. Die, die sie besteigen, vermögen nicht zwischen den Steinen zu lesen. Die Leidenschaft ist selten, wie die Torheit. Niemand nennt sie beim Namen. Die Leiber entziehen sich, sie gleiten zwischen der abzuwehrenden Gewalt und der verborgenen Begierde hindurch. Der Wind wird vor allem in der Nacht wehen. Die gereinigte Stadt. Die frisch getünchten Straßenzüge. Die Steine der Gebirge lauschen der Stille. Die Wolken geben ihr Blau auf und ziehen weiter, um irgendwo in der Ferne niederzugehen. Über dem Meer.

Man spricht von einer weißen Taube.

Man zeichnet die Taube, die die kleine blaue Wolke streift. Das ist das Licht. Das durchschimmernde Zeichen geflüsterter Wollust. Einige dem Himmel entfallene Blätter suchen einen Leib, ein Grab. Die nackten Hände. Die nackte Stimme. Es ist die Wanderung des sanften Wassers. Auf erdbraunen Leibern.

Als das Rauschen verstummt, kommen die Frauen heraus. Das Meer im Blick. Ihr Schritt betont die Blöße ihrer Hüften; das unerschütterliche Gestirn gleitet zu dem ausgetrockneten Flußbett hinüber. Das ist der Sturz der Biene in einen Honigleib: der Irrtum. Auf Zehenspitzen überqueren die Frauen die weiten Alleen der Einsamkeit. Die Blicke der im Café sitzenden Männer liebkosen ihr Gesäß und schätzen sie ab. Die Sonne schickt uns diese Gesichter, die lauter sind in stillen Träumen. Es heißt, diese Leiber sind aus Tonerde und aus dem Wort geformt. Sie werden wieder zu Erde. Im Augenblick singen sie und umringen das Weiß der Abwesenheit. Sie bebrüten die Ungewißheit der Verheißung und lieben die einschmeichelnde Liebkosung. Es stimmt, Liebkosung ist Flucht. Der Mensch ist fern. Die Geschäfte laufen.

Der ausgedörrte Leib. Untätig.

Die Liebe. Man muß lernen, seine Einsamkeit zu lieben. Verstehen, sich in einen die Zärtlichkeit bewahrenden Fels zurückzuziehen. Die Abhängigkeit vereiteln, damit Besitzen zur flimmernden Leinwand wird. Lieben heißt, die ständige Begegnung zweier Einsamkeiten rühmen, ihre tägliche Offenbarung feiern, ihr Erblühen feiern, das im Tod, in der Dichtung möglich wird. Sich von den Sternen und den Wogen verlassen fühlen; die Liebe, die Freundschaft in leidenschaftlicher Zärtlichkeit erleben. Die Frauen von Tetuan kennen leider nur das Nichtbesitzen. Ihr weibliches Wesen verliert sich in dem Bild, das der Mann nur allzugern für sie zurechtgemacht hat. Von ihrer Andersartigkeit weggerissen, verzehren sie sich im Vergessen. Darum ziehen sich die Frauen von Tetuan zurück, geräuschlos, ohne irgend etwas zu zerschlagen, in all ihre Einsamkeiten. Ihre Männer werden zu Stoff, der in den Cafés oder Männerklubs (den spanischen Kasinos) zerbröselt, wo man in den Keller steigt, um sich dort unbeobachtet zu betrinken. Sie reden, bis ihnen der Speichel versiegt; schwer wie nasser Sand plumpsen sie neben ihrem Hocker zu Boden. Abends legt der Bursche sie in kleine Körbe und lädt sie vor ihren Türen ab. Die Frauen schlafen. Sie sind fern, im Traum.

2. Die Schaumgeborene

Sie ist eine nymphomanische Königin. Der Mann, ihr Ehemann, hat sie in einen Käfig aus Kristall gesperrt. Nachts tritt sie aus dem Kristall heraus und eilt zu dem großen Feddan-Platz, der zu diesem Anlaß von riesigen Scheinwerfern erhellt wird. Ihr Leib liegt ausgestreckt da, wartend. Ihre Blöße wird demjenigen, ob Mann oder Tier, gehören, der ihren Liebeshunger zu stillen weiß. Die trunkenen Männer verlassen das Untergeschoß des »Casinos« und verbrennen sich, als sie sich dem Leib nähern. Sie ergreifen die Flucht, sie haben die drohende Verdammnis erkannt. Der an Liebesentzug leidende Leib ist zu einer gewaltigen Glut geworden. Die Königin wartet nicht mehr auf dem Feddan: Ein unbekanntes Ungeheuer, das sicherlich vom Rif kam, hat sie entführt. Glücklich hausen sie in einer Grotte.

Sie ist eine Schaumgeborene. Nicht ganz Sirene. Sie schläft am Ufer, das Flüstern der Gedanken hat sie in den Schlaf gewiegt. Der Mann, der vorübergeht, ist ein Rifbewohner. Seine Haut ist braun. Von der gleichen Farbe wie die Erde des Landes. Er hält inne, kniet neben dem träumenden Leib nieder. Stumm streichen seine aus dem Felsen des Berges Dersa gemeißelten Hände über die weiße, feste Brust der Frau, die langsam erwacht. Er küßt die Achselhöhlen und atmet tief den Rosenduft ihres Körpers ein. Mit einiger Hast zerreißt der Mann die weite weiße Hose der Frau, hebt seine aus tiefbrauner Wolle gewebte Dschellaba, deren Saum er zwischen den Zähnen hält, und dringt schweigend in die junge Frau ein, die kein Wort sagt. Zu glücklich, um zu sprechen, schaut sie in den Himmel.

Man hat sie gelehrt, ein Mädchen soll Jungfrau bleiben, bis der Mann, der sie heiraten wird, kommt. Man hat sie auch gelehrt, zärtlichen Blicken und süßen Worten zu mißtrauen. Man hat ihr gesagt, niemals einem Jungen in die Augen zu blicken, geschweige mit ihm zu reden. Frühzeitig hat man ihr eine Auffassung von der Welt nahegebracht: das Gute auf der einen Seite, das Böse auf der anderen. Sie muß sich auf den Boden des Guten stellen, wo sie von Laster und Schande bewahrt bleiben wird. Ihr Zuhause, ihre Familie, ihre Eltern standen von jeher auf dieser Seite.

Darum führen sie sich gut, darum werden sie von der ganzen Stadt geachtet. Auf der anderen Seite herrschen das Böse und das andere. Sex, Zigaretten, Alkohol, Vergnügen ... Das ist die Nacht. Ohne Sterne. Dort kennt man weder Gott noch Mohammed, seinen Propheten. Die Familien verlieren ihre Ehre und leben von Gott und den Menschen verdammt.

Sie setzt sich ans Fenster und blickt den vorübergehenden Männern nach. Hin und wieder überquert ein Pärchen die Straße. Sie halten sich an der Hand; manchmal geht die Frau hinterher. Müßige Burschen flanieren einzeln. Manche von ihnen schauen zum Balkon hinauf, nehmen jedoch die Frau nicht wahr. Wenn es Nacht wird, schließt sich das Mädchen im Baderaum ein. Sie entkleidet sich und betrachtet lange ihren Körper im Spiegel. Sie dreht und wendet sich, löst ihr Haar, schminkt sich und betrachtet sich. Schließt die Augen und läßt ihre Hand sanft von der Schulter bis zur Scham gleiten. Zarte, schändliche Liebkosung. Darauf Bitternis. Enttäuschung. Oder einfach Schamgefühl und Schuld. Das Mädchen schminkt sich ab, kleidet sich wieder an, legt seine Einsamkeit wieder auf die flache Hand und wirft sich aufs Bett, um die Schatten wiederzufinden.

Sie begibt sich erneut auf den Balkon und sucht sich den Mann aus, der im Spiegel seine Hand über ihren Körper gleiten läßt. Dieser Körper verbringt wartend seine Zeit und verzehrt sich in einem Spiegel, der erst zerbrechen wird, an dem Tage, da ein Mann, ein Mann aus

gutem Haus, ein Mann, der arbeitet und ein Heim gründen will, seine Verwandten schickt, damit sie um die
Hand des Mädchens bitten. Er kennt sie noch nicht, zumindest nicht wirklich; man muß ihm von ihr erzählt
haben, hat vor ihm ihre Vorzüge gerühmt. Um sie zu
sehen, hat man ihm den Raum genannt, den sie durchschreitet, das heißt den Weg, den sie täglich geht, die
Augenblicke, da sie sich allein bewegt ... Er hat sie zum
ersten Mal gesehen, als sie aus dem Lyzeum kam. Er saß
am Steuer seines Wagens und tat so, als wartete er auf
jemanden. Er hat sie nur flüchtig gesehen.

Sie ist genau das, was er sucht: ein unauffälliges Mädchen, schüchtern, das sich weder für Mode noch für Politik interessiert. Kurz, er hat seine Wahl getroffen. Sie
wird die Frau im Hause sein. Würdig und einfach. Sie
braucht keine Zeugnisse; sie wird sich dem Haushalt
widmen. Sie braucht nicht irgendwo in einem Büro zu
arbeiten, mit anderen Männern zusammenzukommen.
Die Hochzeitsreise wird man nach Spanien machen. Die
Familie des Mädchens bittet sich Bedenkzeit aus. Das
Mädchen kann ablehnen und den Wunsch, erst die Schule
zu beenden, geltend machen.

Die Verlobungszeit. Die Zeit der Liebe, der heimlichen
Küsse, der Ausfahrten mit dem Wagen und der Rückkehr
vor dem Abendessen. Eine Liebe wie in einem Bilderroman.

Die Vorbereitungen zur Hochzeit. Hochzeitsgeschenke. Ein Ring oder ein Armband. Die Hochzeit ist ein
Fest, auf dem die Mutter die Trennung beweint. Die
Tochter wird ihr genommen. Sie verläßt sie, um in ein
anderes Bett, eine andere Einsamkeit hinüberzuwechseln.

Das Mädchen verliert seine Jungfräulichkeit. Man beglückwünscht den Ehemann.

Sie werden eine Familie. Man erwartet Kinder. Die
Frau widmet sich dem Haushalt. Sie bereitet die Mahlzeiten. Ein kleines, billiges Dienstmädchen (vom Lande)
verrichtet die schweren Arbeiten, wie Wäsche und Hausputz. Der Ehemann ißt, rülpst und schläft. Abends, wenn
er von der Arbeit kommt, trifft er sich im größten Café
mit seinen Freunden (er hatte sie während der Verlobungszeit ein wenig vernachlässigt); liest die Zeitung und

läßt sich über den Sport oder über die Moral der anderen aus. Zum Abendessen kommt er nach Hause und geht oft nochmals weg, um mit anderen Freunden Karten zu spielen oder einige Glas Bier zu trinken. Wenn er in der Nacht zurückkehrt, weckt er seine Frau und läßt ihr ein paar Tropfen Sperma zwischen die Beine fließen. Die Frau träumt und bevölkert ihr Lager mit bunten Bildern.

Die Liebe. Das ist vorbei. Das ist nur etwas für die Verlobungszeit. Die Liebe, das heißt Einsamkeit.

4. Eine halbe Orange

Noch einmal sitzt sie auf dem Balkon und erwählt den Mann, der im Spiegel seine Hand über ihren Körper gleiten läßt ... Doch wird sich dieser Körper nicht mehr in der Erwartung und in der Einsamkeit verzehren; er wird einen anderen Körper berühren, freundschaftlich und ohne Spiegel, den Körper einer anderen.

Im Lyzeum gibt es kein Zusammensein von Jungen und Mädchen. Jedes Geschlecht besitzt seinen eigenen Schulhof. Sie können sich höchstens in der Bibliothek treffen, kurze Blicke tauschen, dann muß jeder wieder nach der anderen Seite verschwinden. Und die Cafés? Sie sind den Männern vorbehalten. Die wenigen Frauen, die man dort sieht, sind entweder Ausländerinnen oder Prostituierte. Selbst die Moschee ist den Männern vorbehalten. Die Frauen dürfen sie zwar aufsuchen, haben jedoch nicht das Recht, vor der Reihe der Männer zu beten (sich niederzuwerfen). Man stelle sich vor, was das für einen Skandal gäbe: eine Frau, die sich niederwürfe, würde die Begierde einer ganzen Kette von Männern im Gebet erregen! Das ist undenkbar! Und am Strand? Dorthin gehen sie mit ihrer ganzen Familie.

Sie träumt nicht mehr.

Die beiden haben sich im Hammam kennengelernt. Die an diesem Ort beherrschende Dunkelheit befreit die Körper davon, ihre Blöße bedecken zu müssen.

Sie hat ihr eine halbe Orange angeboten. Die andere hat ihr dafür ein wenig von ihrem heißen Wasser abgegeben.

Sie hat ihr vorgeschlagen, ihr mit Rassul den Rücken einzureiben. Sie nahm eine Handvoll duftende Henna und sagte: »Da nimm, es ist aus Mekka.«

Ein Schauder durchlief ihr Innerstes, als die mit Rassul bestrichenen Finger sanft über ihren Rücken glitten. Als sie fertig war, sagte die andere: »Jetzt bin ich dran; ich werde dir Henna ins Haar reiben.«

Sie hatten beide sehr schönes Haar. Die Henna lief ihr beim Haarefärben an den Hüften entlang.

Jede seifte den Körper der anderen ein: Die Hand ohne Badehandschuh hielt ein Stück Seife und glitt über die Schultern, unter die Achseln, zwischen die Brüste und zwischen die Schenkel.

Nach dem Verlassen des Hammam suchten sie den Ruheraum (auch Warteraum) auf und tranken eine eisgekühlte Limonade.

Sie schrieb für sie kleine Gedichte auf arabisch, in denen sie sagte: »Du bist meine Gazelle, mein Diamant, meine Wonne.« Diese schickte ihr heimlich am gleichen Tag einen Brief, in dem sie auf das Gedicht erwiderte: »Ich liebe Dein Haar, ich liebe Deinen Mund, ich liebe unser beglückendes Schweigen.«

Stundenlang telefonierten sie miteinander, um sich banale Dinge zu sagen, um sich zu hören.

Die Freundschaft zwischen diesen Mädchen hat die beiden Familien, die sich kaum kannten, zusammengeführt. Hin und wieder schliefen die Mädchen im selben Haus: Einmal war diese eingeladen, ein andermal die andere. Sie sahen Fernsehen, sodann schlossen sie sich in das Zimmer ein. Sie erzählten sich Geschichten, gaben sich zu raten auf, spielten Hellseherin, taten verliebt und leisteten einander Schwüre wie »niemals wird ein Mann meine Brust berühren« oder »niemals wird ein Mann mir zu nahe kommen«. Sie lernten es, die Männer zu verabscheuen, doch schafften es nicht, sie zu verachten. Sie tauschten Parfüm und Schmuck. Sich die Spitzen ihrer Brüste streichelnd, schliefen sie, von Zärtlichkeit umhüllt, ein.

Freudig erwachten sie und erzählten sich ihre Träume.

Es war kurz vor den Frühjahrsferien. Sie erhielt einen verrückten, verzweifelten Brief von einem ihrer Schulkameraden.

Es war ein Liebesbrief. Ein endloses Liebesgedicht, naiv und gefühlvoll. Gereimte Verse in klassischem Arabisch. Freie Verse im arabischen Dialekt. Höfliche Redensarten in wunderlichem Französisch aus dem »Perfekten Sekretär«. Gemalte Blumen und am Ende eine schwungvolle und selbstverständlich unleserliche Unterschrift.

Sie antwortete nicht. Eine Frage des Stolzes und des Hochmuts. Sie hatte die ganzen Ferien Zeit zum Überlegen. Als die Schule wieder begann, schrieb sie ihm ein Briefchen, in dem sie sich bereit erklärte, in seine Freundschaft einzuwilligen, mehr nicht. Sie trafen sich jeden Mittwoch in der Bibliothek der französischen Kultur- und Hochschulmission in Tetuan. Nebenbei bemerkt, ist dieses Zentrum, in dem gutmeinende Personen den Lyzeumsschülern und -schülerinnen von Tetuan die Symptome von Dekadenz in Form gebundener Bücher unter dem wohlwollenden Auge (sein Blick hat etwas Lasterhaftes) eines feisten und streberhaften Herrn näherbringen, sehr nützlich, und sei es auch nur als günstiger Treffpunkt für Verliebte. Dank der Unantastbarkeit, die man dem Buch und dem Erwerb von Kultur (und was für einer Kultur!) zuerkennt, kommen die Eltern nicht auf den Verdacht, daß ihre Töchter etwas anderes machen könnten, als in einer Bibliothek zu lesen oder sich ein Buch auszuleihen, vor allem wenn sie selber des Abends in demselben Zentrum Französischkurse besuchen. Sie trafen sich also in der Bibliothek zwischen dem Regal Philosophie und Französische Romane. Mit dem Rücken an das Gesamtwerk des Paters Teilhard de Chardin, an einige Bänder Bergson, die Essays von Renan, einige Dialoge Platons, die Essays von Lavelle, Gaston Berger, an ein ganzes Regal von Büchern über humanistisches und christliches Denken gelehnt, sprachen sie von Liebe und Freundschaft. Das Regal gegenüber war der guten französischen Literatur, der klassischen und modernen, vorbehalten: Romane von Pierre Loti, Anatole France, Maupassant, Fournier, Romains, Camus, Sartre, Guy des Cars (vor allem Guy, der allein ein Regal von zwei Metern einnahm; seine Bücher waren so gefragt, daß häufig Doppelexemplare vorhanden waren: Ach ja, was tat man nicht alles für die Kultur!). Sie sprachen ganz leise. Er flüsterte ihr seine Einsamkeit, seine Hoffnung, seine Zärtlichkeit ins Haar. Wortlos schlug sie die Augen nieder. Sie war verwirrt. Sie wurde ganz rot, als er sagte: »Ich möchte deine Brust sehen.«

In diesem Jahr begleitete er seine Eltern nicht in die Sommerferien nach Mulai Abdeslam. Allein zurückgeblieben, konnte er das Mädchen überreden, zu ihm zu kommen, damit sie gemeinsam ihre Aufgaben in Philosophie machten. Sie zog eine Dschellaba über, nahm die Bibliotheksbücher und ging zu dem Jungen. Sie begannen, indem jeder seinen Standpunkt zu dem Problem formulierte. Er nahm ihre Hand und drückte sie an seine Lippen. Sie schlossen die Augen, wie im Film. Als er sich auf sie legte, verkrampfte sie sich und versuchte ihn wegzustoßen. Sie preßte die Schenkel zusammen und schluchzte. Der Junge, dessen Samen sich schnell in seine Hose ergossen hatte, verdeckte mit der Hand den Spermafleck, der in Gürtelhöhe sichtbar wurde. Er schämte sich. Auch sie fühlte sich von einer wirren Empfindung aus Verlangen und Scham überwältigt.

Das war ihre erste Berührung mit einem Jungen. Kaum erblüht. Ein Kuß und die Verwirrung ihrer Hände.

Eine Prostituierte aus der Msalla öffnete ihm im Dunkel eines jämmerlichen Pensionszimmers für zehn Dirham die Schenkel. Sein Samen ergoß sich ziemlich schnell, und rasch lief er davon, allzusehr enttäuscht, allzusehr angeekelt, um nicht über seine Einsamkeit weinen zu müssen. Für zehn Dirham hatte sich die Frau nicht einmal ganz nackt ausgezogen. Er hoffte stets, eine jugendlich-mitfühlende Dirne zu finden, die ihn ein Viertelstündchen lang lieben würde.

Er kochte ihr einen Tee mit Minze.

Schweigend sahen sie sich an.

Sie nahm seine Hand und führte sie über ihre Brust.

Palästina

Emil Habibi
Das Mandelbaumtor

»Sagen Sie ihr doch, daß sie endlich rausgehen soll!«
schrie der israelische Polizist, der mit verschränkten Armen am Mandelbaumtor auf Posten stand. Ich hatte ihm
gerade erklärt, daß wir mit der Mutter gekommen seien,
die dort hinein wolle – ich wies auf die jordanische Seite
des Tores –, und daß sie die Erlaubnis dazu habe.

Es war in den letzten Wintertagen. Die Sonne schien
wie im Frühling. Dort, wo die Trümmer etwas Erde frei
gelassen hatten, überzog sich der Boden mit Grün.
Rechts und links lagen Trümmer. Kinder, deren Haare
lang über die Schläfen herabfielen*, tobten ausgelassen
zwischen den Trümmern und dem Grün umher. Die
Kinder, die mit uns gekommen waren, um sich von ihrer
Großmutter zu verabschieden, staunten: »Jungen, die
Locken tragen? Wie ist so was möglich?«

In der Mitte lag ein großer, staubiger asphaltierter
Platz. An der Stelle, die wir unter dem Namen Al-Masra-
ra kennen, standen zwei weißgekalkte, mit Steinen verstärkte Blechtore. Das Tor »hier« und das Tor »dort«.

Jedes Tor war groß genug, um ein Auto »hinaus«- oder
»hinein«fahren zu lassen.

Der Polizist stieß voller Haß das Wort »raus« zwischen
den Zähnen hervor. Er wollte mir damit eine Lektion
erteilen. Deshalb das »Raus«. Aus dem Paradies, wollte
er damit sagen, und das ist ein ernster Befehl. Es gibt kein
»Herein« mehr nach »hier«!

Der Zollbeamte wollte, daß wir die Warnung richtig
verstanden, deshalb sagte er, als wir mit der Mutter Ab-
schiedsküsse tauschten: »Wer hier hinausgeht, kehrt nie
zurück!«

Ich spürte, daß die Mutter in den letzten Tagen, die sie
bei uns verbracht hatte, von ähnlichen Gedanken verfolgt
worden war.

---

* Jüdische Kinder, die in einem dem Mandelbaumtor nahegelegenen Stadtviertel in Jerusalem wohnen.

Denn als sich die Familie und die Freunde am Abend vor der Reise nach Jerusalem in ihrem Haus versammelt hatten, sprach sie: »Ich habe gelebt, und nun sehe ich die, die mir ein Trost sind, noch einmal mit eigenen Augen.«

Am Morgen, als wir die abschüssige Gasse zum Auto hinabgingen, drehte ich mich zu ihr um. Sie winkte mit der Hand zurück zu den Olivenbäumen, dem vertrockneten Aprikosenbaum und der Haustürschwelle. Dabei klagte sie: »Zwanzig Jahre habe ich hier gelebt. Wie oft bin ich die Gasse hinaufgestiegen und wieder hinabgegangen!«

Als wir mit dem Auto in der Vorstadt am Friedhof vorüberfuhren, rief sie laut die Namen ihrer verstorbenen Verwandten und Bekannten und nahm Abschied von ihren Gräbern.

»Sollte es mir nicht vergönnt sein, hier begraben zu werden? Wer wird auf das Grab meiner Enkelin Blumen legen?«

Als sie 1940 nach Jerusalem »pilgerte«, prophezeite ihr ein Wahrsager, daß sie in der heiligen Stadt sterben werde. Sollte sich seine Prophezeiung am Ende erfüllen?

Sie ist nun fünfundsiebzig Jahre alt. Als sie sich dieses Gefühls im tiefsten Herzen bewußt wurde, war sie sehr erschüttert. Es war jenes Gefühl, das geistige Leere und im Herzen Beklemmung zurückläßt wie Gewissensbisse, ein Gefühl der Sehnsucht nach der Heimat, wenn sie auch nach dem Sinn dieses Wortes »Heimat« fragte. Dieses Gefühl verwirrte sie so, wie sie die Buchstaben dieses Wortes verwirrten, wenn sie ihm im Gebetbuch begegnete. War es nun das Haus, der Waschzuber, der Mörser, den sie von ihrer Mutter geerbt hatte (sie hatten über sie gelacht, als sie den alten Waschzuber mit auf die Reise nehmen wollte; den Mörser mitzunehmen, daran wagte sie nicht einmal zu denken); oder war es vielleicht der Ruf des Milchverkäufers am Morgen, das Läuten der Glocke des Petroleumverkäufers, das Husten des schwindsüchtigen Ehemannes oder die Hochzeit ihrer Kinder, die eines nach dem anderen über diese Schwelle gingen, um zu heiraten und sie allein zurückließen? Diese Schwelle?

Die Schwelle der Haustür, der sie nun einen letzten Blick zuwarf, damit sie spreche und bezeuge!

Wie oft ist sie auf ihr stehengeblieben, um sich von den

Neuvermählten zu verabschieden und für sie zu singen, während sie gegen die Tränen ankämpfte.

»Ich lehrte dich das Piepsen, Fliegen und den Nestbau. Als du groß geworden warst und deine Flügel Federn bekommen hatten, bist du weggeflogen . . .«

Selbst wenn man ihr gesagt hätte, daß all das »Heimat« bedeutet, sie hätte es nicht verstanden.

Aber jetzt schaut sie auf das »Niemandsland«. Sie wartet auf das Zeichen, einen Schritt weiter nach vorn zu gehen. Sie wendet sich zu ihrer Tochter um und ruft: »Könnte ich doch noch immer auf jener Schwelle sitzen!«

Ihr Bruder, ein Mann in mittleren Jahren, der aus seinem Dorf gekommen ist, um ihr Lebewohl zu sagen, schüttelt fortwährend den Kopf. In seinem Gesicht stehen Schmerz und Verwunderung über diese schwerverständliche »Sache«, um die seine Schwester weint, weil sie diese hinter sich lassen muß und nichts mitnehmen kann. Für ihn ist das unmöglich. Es ist zu wertvoll.

Unser Nachbar sagt zu ihm: »Aber du wirst schließlich auch die Verkaufsurkunde unterschreiben. Das Gesetz ist auf ihrer Seite.«

Der alte Mann vom Lande wendet sich an mich und sagt: »Höre, mein Lieber. Einmal bewachten wir ein Feld. Ich, mein Vater und mein jüngerer Bruder. Plötzlich flatterte ein Rebhuhn auf und ließ sich auf dem Feld nieder. Mein Bruder rannte mit der Jagdflinte los, als ob er ein Mann wäre. Mein Vater mußte lachen. Erinnerst du dich, wie dein Großvater lachen konnte, Lieber? ›Kind, die Rebhuhnjagd ist für Männer!‹ Aber unser Kleiner war hartnäckig. Nach einer Stunde kehrte er zu uns zurück und hielt in seiner Hand – was für ein Wunder – ein Rebhuhn, das noch lebte! Wir waren verblüfft. Der kleine Teufel aber tanzte und rühmte sich seines Fangs. Mein Vater rief: ›Aber wir haben keinen Schuß gehört!‹ Der kleine Jäger antwortete: ›Ich habe das Gewehr verhext, Papa.‹ Bei meinem Großvater und dem Großvater meines Großvaters ließ er mich schwören, das Geheimnis unseren Eltern nicht zu verraten, bevor er mir erzählte, daß er diesen Vogel im Maul eines großen Katers gesehen hatte. Er rannte dem Kater so lange hinterher, von Strauch zu Strauch und durch Durrahalme, bis er den Vogel befreit hatte. He, mein Lieber, erwartet man etwa von mir, daß ich die Quittung für den Verkauf dieser Erinnerungen unterzeichne? Was für eine Ohnmacht ihrer Gesetze!« . . .

Ich rate dir jedoch, komm nur in Begleitung von Kindern zum Mandelbaumtor; nicht, weil die zerstörten und leeren Häuser sie hier anlocken, um in ihnen nach der »Wunderlampe« und »Aladins Höhle« zu suchen, oder weil die mit den Schläfenlocken ihnen provozierende Reden in den Mund legen, die dich in Verlegenheit bringen, sondern weil die Straße, die zum Mandelbaumtor führt, nicht einen einzigen Augenblick frei von Autos ist, die sie mit europäischer Geschwindigkeit befahren. Die »von dort« ankommenden und die »von hier« wegfahrenden Autos sind elegante amerikanische Wagen. Sie werden von vornehmen Leuten gefahren mit Krawatten und farbigen Hemden oder in Militäruniformen, die genäht worden sind, um sie mit Whisky und nicht mit Blut zu tränken. Es sind die Autos der »Männer des Waffenstillstandes«, der »Beobachterkomitees«, der »UNO«, der Botschafter und Konsuln der westlichen Länder, ihrer Frauen und der Köche ihrer Frauen, ihrer »Damen«, ihrer Schönheiten und deren Freundinnen. Ein wenig verweilen sie an »unserem Tor«. Der Chauffeur tauscht Grüße mit »unserem Polizisten« – man hat Lebensart und ist wohlerzogen. Dann durchqueren sie das »Niemandsland« und halten einen Augenblick bei »ihrem Tor«. Auch hier tauscht ihr Fahrer Grüße mit »ihrem Polizisten«, ebenso höflich und zivilisiert. Man tauscht Zigaretten, Witze und anderes. Es ist ein israelisch-jordanischer Wettstreit oder umgekehrt.

Für diese aber gilt es nicht, das Gesetz des Todes: Wer hier hinausgeht, kehrt nimmer zurück; auch nicht das Gesetz des Paradieses: Wer hier einkehrt, muß für immer bleiben.

Der Herr Beobachter kann das Mittagessen im »Philadelphia« in Amman einnehmen und den Abend im »Eden« in Jerusalem verbringen, und sein artiges Lächeln wird ihn weder bei der Hinfahrt noch bei der Rückfahrt verlassen.

Als meine Schwester den Soldaten, der an »unserem

Tor« auf Posten stand, anflehte, er möchte ihr erlauben, die Mutter bis zum jordanischen Tor zu begleiten, schrie er: »Verboten, meine Dame!«

»Aber, beim Allmächtigen, ich sehe doch diese Ausländer ein- und ausfahren, als ob sie zu Hause wären!«

»Jeder kann durch diese beiden Tore hinaus- und hineingehen, außer den Einwohnern dieses Landes, verehrte Dame!«

»Geben Sie den Weg frei!« schrie der Polizist. »Das ist eine vielbefahrene öffentliche Straße!«

Er brach das Gespräch mit uns ab, um die Insassen eines ankommenden Autos zu begrüßen. Vielleicht war es ein Wagen, der vor kurzem hinaus- oder hineingefahren war? Sie lachten miteinander. Wir dagegen verstanden den Witz nicht.

Der Zollbeamte sagte: »Alles hat ein Ende, auch die Stunde des Abschieds.«

Eine alte Frau verließ auf ihren Stock gestützt »unser Tor« in Richtung auf »deren Tor«. Sie begann das »Niemandsland« zu durchqueren. Sie drehte sich kurz um, winkte und ging weiter.

Warum erinnert sie sich in diesem Augenblick, gerade jetzt, an ihren Sohn, der vor dreißig Jahren starb, als er direkt vor ihr von einem Schrank stürzte? Warum fühlt sie jetzt, gerade in diesem Augenblick, Gewissensqualen? Warum fühlt sie jetzt, gerade jetzt, den Schicksalsschlag?

Auf der gegenüberliegenden Seite erschien zwischen den Trümmern ein hochgewachsener Soldat, der auf dem Kopf eine Kufiya trug, die von einem Ring aus Kamelwolle gehalten wurde. Er ging der alten »eintretenden« Frau entgegen und blieb stehen, um mit ihr zu reden. Beide schauten zu uns herüber.

Wir waren hier mit unseren Kindern und winkten. Vor uns blieb ein hochgewachsener, barhäuptiger Soldat stehen und unterhielt sich mit uns, während wir immer dort hinüber blickten. Er sagte uns, daß es unmöglich sei, weiter nach vorn zu gehen. Warum aber sagte er zu uns: »Als ob sie das Tal des Todes durchquerte, aus dem es keine Rückkehr gibt. Das ist die Wirklichkeit des Krieges, der Grenzen und des Mandelbaumtores. Machen Sie Platz, damit das UNO-Auto durchfahren kann!«

Plötzlich löste sich ein kleiner, quicklebendiger Körper von uns wie ein Ball, den der Fuß eines geschickten Spielers auf das Tor der anderen Mannschaft stößt. Dieses kleine Ding rannte nach vorn und durchbrach die Grenze zum »Niemandsland«. Wir sahen stumm vor Staunen, daß mein kleines Mädchen zu ihrer Großmutter lief. Sie rief: »Ummi, Ummi!« Da durchquerte sie auch schon das »Niemandsland« und war bei der Großmutter! Die Großmutter schloß sie in die Arme!

Von weitem sahen wir, wie der Soldat mit der Kufiya zu Boden blickte. Meine Augen waren scharf. Ich sah, wie er mit dem Fuß im Sand scharrte.

Auch der barhäuptige Soldat, der bei uns stand, blickte zu Boden und scharrte im Sand!

Der Polizist, der mit verschränkten Armen an der Tür seines Büros gestanden hatte, war hineingegangen.

Der Zollbeamte war damit beschäftigt, seine Taschen nach etwas zu durchsuchen, das er plötzlich verloren zu haben schien.

Was für ein Wunder war geschehen?

Ein kleines Mädchen, das »das Tal des Todes, aus dem es keine Rückkehr gibt«, durchquert hatte, kehrte aus ihm zurück und widerlegte »die Wirklichkeit des Krieges, der Grenzen und des Mandelbaumtores«.

Sie war ein kleines, unwissendes Mädchen, das den Unterschied zwischen dem Soldaten mit der Kufiya und dem barhäuptigen nicht begriff. Sie war ein naives Kind, das nicht einmal daran dachte, es könnte in ein anderes Land gegangen sein. Es wähnte sich noch immer in seinem Land. Warum sollte es sich in seinem Land nicht nach Belieben bewegen? Das Mädchen wußte, daß auf der einen Seite ihr Vater und auf der anderen ihre Großmutter stand. Warum sollte sie nicht von einem zum anderen laufen, wie sie es jeden Tag getan hatte? Noch dazu, wo sie Autos im »Niemandsland« hin- und herfahren sah, genau so, wie es die Autos auf der nahe ihrem Haus gelegenen Straße taten?

Spricht man hier hebräisch und dort arabisch? Sie spricht auch zwei Sprachen: mit Nina und mit Susa.

Offensichtlich befand sich der Zollbeamte bei seiner Suche nach etwas Verlorenem in einer unglücklichen Lage (alles hat ein Ende, sogar eine schwierige Situation). So plötzlich, wie er begonnen hatte, hielt er inne. Dann räusperte er sich und sagte zu dem Soldaten, als wollte er ihn trösten: »Ein unwissendes Kind.«

»Ich wünsche, daß sie den Weg freigeben, bevor eines ihrer Kinder unter die Räder der Autos gerät, die hier sehr schnell durchfahren, wie sie ja wohl sehen!«

Hast du nun verstanden, warum ich dir den Rat gab, nur in Begleitung von Kindern zum Mandelbaumtor zu kommen? Ihre Logik ist einfach und unkompliziert.

Ich gebe sie nicht auf, die Heimat!

Samira Azzam
Der Palästinenser

»Gib mir deinen Ausweis«, sagt er zögernd – die Worte machen seine ausgetrocknete Kehle wund –, »gib ihn mir... nur einen Augenblick, und du kriegst ihn zurück.«

Da der Nachbar offenbar nicht verstanden hat, wiederholt er, leicht gereizt die Hand ausstreckend: »Deinen Ausweis, gib schon her...« Angesichts der schroffen Geste zieht der andere eine abgenutzte Brieftasche, nimmt den Ausweis heraus und hält ihn dem Mann hin, der ihn ergreift und sofort zur Tür geht. Er hat noch nicht die Schwelle überschritten, als ihn von hinten eine Frage durchbohrt: »Und was willst du mit meinem Ausweis, Palästinenser?«

Wenn der Fluch, den er vor sich hin brummt, dem zu Ohren käme, der das eben ausgesprochen hat, würde ihm das Dokument unverzüglich entrissen, todsicher. Aber er hat seinen Kramladen schon wieder erreicht, und dort, über einen von Flecken marmorierten Tisch gebeugt, schlägt er es auf und zieht aus der Tasche seinen eigenen Ausweis – grün, nagelneu mit seiner Zeder und ihren gesunden Ästen, die noch kein bißchen zerknittert sind. Er besitzt ihn erst seit zwei Wochen. Hier ist sein Foto, am linken Rand; auf jeder der drei ersten Spalten der runde Stempel des Standesamtes; auf der Rückseite, auf der letzten Spalte, ein vierter Stempel. Vier Kreise mit klaren Konturen, makellos. Zwei Namenszüge – die des Distriktchefs und des Standesbeamten –, gleichsam ineinander verschlungen, verschwommene, rätselhafte, unleserliche Schlangenlinien, so wie die Unterschriften derjenigen sind, die die Fäden in der Hand halten...

Der andere, der Ausweis des Nachbarn, unterscheidet sich in nichts von dem seinen, bis auf das Foto – veraltet und vergilbt –, den Namen, Geburtsdatum und Geburtsort, Ausstellungstag; und bis auf diese Knitter, diese Risse, all diese Spuren, von schmutzigen, unbekümmerten Fingern hinterlassen, die wenig einfühlsam sind gegenüber dem, was selbstverständlich, von Natur aus da ist, gegenüber dem, was seinen Besitzer weder Anstrengung noch Angst noch Zweifel noch finanzielle Opfer gekostet hat! Ein Ausweis, der nicht durch die Plackereien und die Bitterkeit des Mannes empfangen wurde, der seit mehr als zehn Jahren in einem Viertel lebt, der einen Laden eröffnet hat, wo die gesamte Nachbarschaft kauft, bezahlt, anschreiben läßt – oder stiebitzt –, und der es nicht geschafft hat, dort einen Namen einzubürgern. Dort, wo sich dieser Laden befindet, der den meisten anderen ähnelt, ist er nichts weiter als »der Palästinenser«. Er ist »der Palästinenser«, den man kennt, den man so anredet, den man beschimpft, wenn es nötig ist. Sein Schicksal ist das des armenischen Schusters aus seiner Jugend, der dreißig Jahre seines elenden Lebens damit zugebracht hatte, das Schuhwerk der Leute aus seinem Viertel immer wieder zusammenzuflicken, ohne daß jemand versuchte – oder auch nur das Bedürfnis verspürte –, zu erfahren, ob er Hagob war, wie die Armenier heißen können, oder Sarkis oder Wartan. »Der Armenier«, Punkt, aus. So hatte er gelebt, und so war er gestorben. Sein ganzes Leben lang und bis ins Grab hinein war er vom Rest der Menschheit abgesondert gewesen. Vielleicht hatte dieser Spitzname ihn in eine tiefe Verwirrung gestürzt, denn im Arabischen war seine Zunge schwer geblieben, und sein Interesse für das, was ihn umgab, schien sich kaum über eine Schuhsohle hinaus zu erheben.

Da liegen die beiden Ausweise, vor seinen Augen, sein Finger gleitet von einem zum anderen, die Einzelheiten tanzen vor ihm. Den eintretenden Kunden schickt er mit einer Handbewegung weg, ohne ihn auch nur anzusehen. Der macht sich murrend davon ... Warum diese Weigerung, zu verkaufen? Die Zeitung gleitet hinab, er hebt sie auf, und wieder packt ihn die Angst, als sein Blick auf die Schlagzeile fällt, die in roten Buchstaben über dem Foto der Bande steht. Es ist unnötig, die Nachricht zum fünften oder zum hundertsten Male zu lesen. Er weiß genug darüber. Dieses Foto spricht für sich ... Schmales Gesicht, halb verdeckt von einer Brille, kahle Stirn, die jedoch nicht sonderlich viel Geist ausstrahlt. Von den anderen kennt er nur einen, dessen Züge zu nichtssagend sind, um eine wirkliche Persönlichkeit erkennen zu lassen. Er hat ihm das Treffen mit dem ersten vermittelt ...

Genau. An dem Tag, als er kam, trug er einen himmelblauen Anzug. Er hatte eine Schachtel Streichhölzer verlangt, fünf Piaster bezahlt, dann hatte er ein Päckchen Zigaretten herausgezogen, hatte eine Zigarette entnommen, ihm eine angeboten, die er, sich entschuldigend, abgelehnt hatte. Er hatte, auf der Schwelle stehend, den Blick zur Straße gewandt, seine Zigarette zur Hälfte geraucht, dann war er in den Laden zurückgekehrt, zögernd, als wollte er ihn in eine Unterhaltung hineinziehen, in irgendeine. Schließlich hatte er ohne Umschweife das Thema angeschnitten. Er hatte erfahren – wie, nun, das könne er nicht sagen –, daß man die libanesische Staatsbürgerschaft anzunehmen wünsche. Richtig? Dann gäbe es einen Weg, einen einzigen. Ob das etwas kostete? Ja, natürlich. Zweitausend Pfund. Ein etwas höherer Preis als gewöhnlich, aber die Behörden waren strenger geworden. Die Palästinenser hatten die Wurzeln aller Familien wieder ausgegraben. Es gab keinen Stammbaum mehr, der nicht irgendeinen Ast über Palästina hinaus streckte. So sehr, daß die Rechtsanwälte, diese Herren, denen der Einbürgerungshandel die Geldtaschen aufgebläht hatte, begannen, ernsthaft verlegen zu sein um eine Eingebung in punkto Vorfahren.

Was für ein Preis? Einige Jahre zuvor hatte er den Gedanken von sich geschoben, ein Viertel davon zu zahlen, um sich in einem angesehenen libanesischen Dorf einen Ahnen zu suchen oder um seinen Großvater Abu Saleh – seines Wissens in ar-Rama geboren und ebenfalls seines Wissens in ar-Rama verstorben – mit einer neuen Biographie auszustaffieren. Nicht daß er ihn hätte dreimal verleugnen wollen, bevor der Hahn dreimal krähte ... Es hätte von ihm lediglich die Fähigkeit verlangt, einen geographischen Zufall zu verwenden, um diesen Beinamen »Palästinenser« auszulöschen, der ihn einer in die Anonymität gepferchten Herde zugesellte und bald voll Mitleid ausgesprochen wurde, das er ablehnte, bald in einem aufgebrachten Ton, den nichts rechtfertigte, wenn er nicht der Einschüchterung diente im Munde der kleinen Krämer, seiner Konkurrenten, die auf diese Weise entweder ihren Groll ausspuckten oder ihn zum Leitmotiv von Geschichten benutzten, die sie unter die Leute brachten und nach ihrem Gutdünken auslegten, wodurch sie ihn mit hauchdünnen, aber immer dichter werdenden Fäden umspannen. Gefangener einer nebelhaften Unruhe – was war er, mit diesem Kramladen, seinen vier Kindern und seiner Frau, wenn nicht ein Gegenstand der Unterhaltung? Die einzige Gewähr gegen den Aufbruch ins Ungewisse, gegen das Exil in vielerlei Ländern war also der Erwerb einer Nationalität. Diese Notwendigkeit erschien ihm weniger dringlich, wenn sich um ihn herum das Gewebe böswilliger Reden lockerte – seine Befürchtungen verwischten sich dann im alltäglichen Trott. Dagegen wuchsen sie wieder, sobald ein unvorhergesehenes Ereignis seine zerbrechliche Existenz erschütterte; so als sein Sohn, der die Schule abgeschlossen hatte, nicht länger als zwei Wochen eine Stelle behalten konnte. Das Gesetz ist unerbittlich. Nur den Söhnen des Landes steht der Weg zu den Unternehmen oder Dienststellen des Staates offen. Der junge Mann war also gezwungen gewesen, davonzuziehen in eine dieser Wüsten, die Brüderlichkeit im Elend schaffen und wo niemand wegen seiner Nationalität schikaniert wird ... Schließlich erreichte die Notwendigkeit, eine nationale Identität zu besitzen, ihren Höhepunkt, wenn er aus diesem oder jenem Grund zu diesem oder jenem hier oder dort wohnenden Verwandten reisen wollte und sich eine Woche lang endlosen Wartereien vor den Türen des Büros unterziehen mußte, das ermächtigt war, die Reisepapiere auszustellen. Als er die Mitteilung vom Tode seines Vaters erhalten hatte, der bei seinem Bruder in Amman wohnte, hatte er telegrafiert: »Laßt ihn eine Woche warten, andernfalls begrabt ihn.« Der Postangestellte hatte laut aufgelacht – noch nie hatte er einen so makabren Witz aufgenommen ...

Zweitausend, was für ein Preis!

Der Unterhändler runzelte leicht die Stirn. Mit einer zweiten Zigarette klopfte er auf sein Päckchen. »Diesen Ausweis wirst du zu keinem besseren Preis bekommen. Übrigens, du mußt das ja wissen ... Du hast es versucht, nicht?«

Natürlich hatte er es versucht! Seine Akte war drei Jahre lang zwischen einem Vorwand und einer Entschuldigung seines Rechtsanwalts umhergeirrt, der schließlich die Finger von dieser ganzen Angelegenheit gelassen hatte ... jedoch nicht von der Hälfte der auf Abschlag verlangten Honorare.

»Gibt es eine Kaution?«

»Du wirst keinen Piaster bezahlen, bevor du ihn nicht in deinen eigenen Händen hältst. Nichts ... Keinerlei Vorschuß ...« Die Züge des Unterhändlers hatten sich entspannt, er hatte ein flüchtiges Lächeln gezeigt und sich zurückgezogen, aber das Echo seiner Stimme blieb, es hallte leise von den Wänden des Ladens wider ... fast ein Murmeln ... klebrig: »Denk darüber nach ... Denk darüber nach! ... Ich komme in einigen Tagen wieder vorbei.« Er hatte nicht allein nachgedacht, er hatte versucht, seine Frau zum Nachdenken zu bewegen. »Zweitausend, Mann?« hatte sie erschrocken geschrien. »Das ist ja ein Ausweis für Minister! Manche haben ihn für dreihundert, höchstens sechshundert bekommen, andere sogar kostenlos.« – »Zweitausend«, hatte er zurückgeschrien, nicht sosehr aus eigener Überzeugung, sondern weil er die Gelegenheit nicht im Keime ersticken wollte, »zweitausend, weil wir damals bei dreihundert einen Rückzieher gemacht haben. Es kann passieren, daß man eines Tages sechstausend dafür verlangt. Du willst wohl, daß dein Sohn sein ganzes Leben in einer Hölle verbringt, in der im Sommer die Temperaturen fünfzig Grad erreichen? In einem Land, das nicht weiß, was Winter ist?« Er hatte einen wunden Punkt berührt. »Mach, was du willst«, hatte sie gesagt. »Vergiß nicht, daß zweitausend zweitausend sind. Gott möge sie verfluchen, diese Leute. Vorausgesetzt, daß du das Geld auftreibst.«

»Ich werde es auftreiben. Es genügt, daß ich die Hälfte meines Schaufensters leer mache. Anstelle der Waren werde ich diesen Ausweis aufhängen, damit die Leute wissen, daß wir einen Namen haben.«

Der Betrug achtet gewöhnlich streng auf seine Ehrlichkeit. Drei, vier Wochen, und alles war geregelt. Rasch und mühelos. Derjenige, der sich mit dem Rang eines »Professors« brüstete, hatte nur eine einzige Unterredung benötigt. Er hatte sich alle notwendigen Angaben aufgeschrieben – Namen, das heißt seinen, die seiner Frau und seiner Kinder, Geburtsorte und Alter – und hatte erklärt, daß er sich um den Rest selbst kümmern werde, Bescheinigungen, Zeugnisse und so weiter, daß er nichts wolle außer den Fotos ... und den zweitausend natürlich. Nicht ausschließlich für sich selbst. Gestiegene Kosten ... beachtliche Zahl von Partnern ...

Beachtlich? Und ob! Fünf Fotos in dieser Zeitung. Fünf Urkundenfälscher, eine perfekte Gangsterbande, die alle durch ihr Statut erforderlichen Bedingungen vereinigt: einen »Professor« als Chef, umgeben von nicht weniger hochgelehrten Individuen, die – so versichert die Zeitung – über eine komplette Fälscherausrüstung verfügen. Und nach Aussagen des einen hatten sie Dutzende falscher Dokumente ausgestellt. Er ist also nicht der einzige Geprellte. Man braucht nun mal viele Dummköpfe, damit die Justiz etwas hat, womit sie sich beschäftigen kann. Ah ... du hast mich im Stich gelassen. Großvater Abu Saleh. Was nun? Du hast es nicht zu würdigen gewußt, vielleicht zweimal zu leben. Du hast keine Lust gehabt, zuerst den Olivenbaum in ar-Rama zu pflanzen und dann Rebenpfähle in die Weinberge an den Hängen der libanesischen Berge zu schlagen ...

Drück deinen Finger in das Auge dieses Professors, der dich durch seine schwarzen Brillengläser beobachtet, zerreiß diese Zeitung! Bah ... Was soll's? Du wirst deshalb die Tatsache des Betrugs nicht aus der Welt schaffen. Du wirst die Zahlung von zweitausend Pfund für dieses Stück Pappe nicht ungeschehen machen. Du hast mit Fälschern unter einer Decke gesteckt. Es kann sein, daß ...

Wieso hat er daran nicht gleich gedacht? Er fühlt, wie es heiß in ihm aufsteigt ... Warum sollten diese Leute nicht diejenigen denunzieren, mit denen sie verhandelt haben? Was für eine Dummheit! Kann er noch annehmen, daß die Untersuchung damit beendet ist? Vielleicht sind die Behörden schon dabei, die falschen Ausweise einzusammeln?

Opfer oder Komplize?

Zweitausend Pfund zahlen, die die Hälfte einer Schaufensterauslage verschlingen, das heißt wahrlich auf den Leim kriechen. Warten, daß die Wahrheit aus den Untersuchungsberichten hervorspringt, das bedeutet auf jeden Fall die Aussicht, gründlich gerupft zu werden und dem Klatsch der Nachbarn Nahrung zu liefern.

Zerreiße diesen Ausweis, zerreiß ihn! Er verbrennt schon deine Haut. Warum hast du ihn wieder in die Tasche gesteckt? Trotz seiner zweitausend Pfund ist er nicht mehr wert als diese Zeitung, die dich fünfundzwanzig Piaster gekostet hat. Zerreiß ihn! Dein leeres Schaufenster wird eines Tages wieder gefüllt sein. Du aber, du wirst so lange ohne Substanz bleiben, wie du dich von Täuschung nährst und dich mit Fälschern einläßt.

Zerreiß ihn! Brauchst du noch andere Beweise? Treiben die Zeitungen nicht manchmal Handel mit Lügen? Sicherlich, aber sie schmücken ihre Auslassungen dann nicht mit den Fotos von fünf Individuen, von denen dir zwei nicht unbekannt sind, und die anderen... du wirst Gelegenheit haben, sie bei der Gegenüberstellung kennenzulernen.

Bist du so feige, daß du zögerst, ihn zu zerreißen, obwohl du ihn hier zwischen deinem Daumen und deinem Zeigefinger hältst? Zerreiß ihn, er ist nicht mehr wert als sein Gewicht an Papier... Und abermals nein, trotz allem! Steck ihn in deine Tasche, steck ihn ein... ach, laß es gut sein. Du magst ihn getrost zerreißen, du wirst doch nichts verbergen, du wirst nichts vertuschen.

Er setzt sich, steht auf; setzt sich wieder, steht wieder auf, dreht sich wie ein blinder Stier um sich selbst in seinem engen Kramladen, bleibt stehen, mit dem Gesicht zur Straße, versucht, seine Unruhe in dem Anblick von Existenzen zu ersticken, die aus der Ordnung, der Eintönigkeit, dem Mangel an Träumen ihre Befriedigung ziehen. Die Pumpe ergießt ihr Benzin in die Eingeweide blitzblanker Wagen; der Obsthändler befreit seine Äpfel von der Erde des Obstgartens und putzt sie eifrig; der Fleischer schneidet mit seinem Messer in die Fleischhälften, die an den Haken seines Ladens hängen; der Friseur bewegt sich um einen gefügigen Kopf, einen Kopf, der weit davon entfernt ist, Angst zu schwitzen.

Er geht fort von der Tür, kehrt zu den verstreuten Überresten der Zeitung zurück, bückt sich, hebt sie auf, formt eine Kugel daraus, wirft sie weg. Als seine Blicke wieder die Straße auf und ab wandern, bemerkt er den ewigen Korb, der am Ende einer Leine schaukelt, genau über seinem Laden. Der jetzt ungeduldig geschüttelt wird. Und er hört die Stimme, die vom Balkon herunterkommt und etwas verlangt. Sie verlangt immer etwas, die Frau aus dem zweiten. An ihre Wünsche erinnert sie sich nur schubweise. Diesmal wird er sie nicht hören. Soll sie sehen, wie sie zurechtkommt. Er wird heute niemandem etwas verkaufen.

Aber die Stimme verzweifelt nicht, der Korb ebensowenig. Jetzt schlägt die Frau in trägem, schleppendem Ton eine Stimmbrücke über die Straße bis zu dem jungen Arbeiter aus der Garage gegenüber. »He, Söhnchen... geh doch mal und sag dem Palästinenser, er soll mir eine Flasche Coca in den Korb legen.«

Schwankend hinter seinem Tisch, fühlt der Palästinenser, wie die Stimme den Stoff seines Jacketts durchdringt, wie sie seine Tasche erreicht, und der Ausweis zerreißt, zerfetzt mit ergebenem Knistern...

Gewichtig stieg der Mann die Treppen zu seiner Wohnung hinauf, öffnete die Tür, legte seine Lederbörse auf die Kommode, küßte seine Frau, warf einen Blick auf sein in blaubezogenem Bettzeug schlafendes Kind, lockerte die Krawatte am Hals, ließ sich vom Diener die Schuhe ausziehen, von der Frau den Mantel am Haken aufhängen und rieb sich, die ihn umgebende Wärme genießend, die Hände.

»Möchtest du gleich zu Abend essen?«

»O ja, ich bin sehr hungrig.«

Seine Frau verließ das Zimmer. Dem Kleinen ging es gut unter seiner blauen Seidendecke, beruhigend drang Tellergeklapper durch die Tür des Eßzimmers.

»Habt ihr ihn wieder eingefangen?«

»Wen?«

»Den Jungen, der während der Untersuchung aus dem Fenster gesprungen ist.«

»Noch nicht, aber wohin soll er schon entwischen? Ein Stündchen oder mehr, und er wird wieder bei uns sein.«

»Was hatte er eigentlich getan?«

»Woher soll ich das wissen? Er hatte lediglich verlangt, mir vorgeführt zu werden, und dann ist er geflohen.«

Er stand aus dem weichen Sessel mit den fellbezogenen Lehnen auf, ging ins Eßzimmer, setzte sich auf seinen Lieblingsplatz, neigte den Kopf über den Suppenteller und zog genüßlich den aufsteigenden Dampf ein.

»Die Suppe ist aber sehr heiß, ich werde mir die Zunge verbrennen.«

»Dann mußt du eben ein wenig warten.«

»Gerade heute habe ich es schrecklich eilig.«

Er lehnte sich auf dem Stuhl zurück und spürte, wie ihm die Lider schwer wurden. Seine Frau hatte wieder einmal vergessen, das Badfenster zu schließen – der Wind spielte leise damit. Ihn überkam das drängende

Bedürfnis, zu schlafen. Wie war dieser Lump nur aus dem Fenster gesprungen, ohne sich zu verletzen? Alles verfluchte Teufel . . .

»Ich werde Ihnen jetzt eine Rede halten.«

Er hatte den Satz ganz deutlich gehört und bemühte sich, den Kopf zu heben. Aber Wärme und Schläfrigkeit waren zu schön. Kannst du sehen, wer das ist? fragte er sich selbst.

»Der Junge, der aus dem Fenster floh. Er ist durch das Fenster zurückgekehrt, mein Herr.«

Sosehr er sich über diese Worte entsetzte, gelang es ihm doch nicht, aufzusehen. Noch immer stieg Dampf aus der Suppenterrine und verbreitete feuchtwarm seinen appetitlichen Geruch. Bestimmt haben sie diesen Jungen gegriffen, sagte er sich. Ich muß nur deshalb an ihn denken, weil mein sechster Sinn ein wenig müde ist. Ich bin mir da ganz sicher.

»Sie werden mich jetzt nicht unterbrechen, nicht wahr, mein Herr? Ich möchte nämlich reden.«

Nein, ich unterbreche dich nicht.

Er wußte, daß er noch nicht schlief, konnte aber trotzdem die Augen nicht öffnen. Das sind die wenigen, verschwimmenden Sekunden, die dem Schlaf unmittelbar vorausgehen, dachte er. Er kannte diesen Zustand gut und kostete ihn gern, wenn auch nur halbbewußt, bis zur Neige aus.

»Gestatten Sie mir, mein Herr, daß ich zittere, solange die Suppe abkühlt? Sie können mich daran nicht hindern, nicht wahr? Wenigstens dieses eine Recht ist mir noch verblieben. Traurig, aber es ist die Wahrheit. Selbst Ihre Männer könnten mich jetzt daran nicht hindern, obwohl sie es gerne täten. Davon bin ich ziemlich überzeugt. Denn – ist das Zittern nicht auch eine Bewegung? Aber was könnte man ihnen da befehlen? Einen Mantel zu bringen? Wie denn, warum denn? Gibt man einem Schwein einen Mantel?«

In dem hartnäckigen Bemühen, diese scharfe, erbitterte Stimme abzuschütteln, warf er den Kopf hin und her. Aber die Worte setzten sich wie Blutegel an seinen Schläfen fest.

»Nein, mein Herr, versuchen Sie nicht, Ihren Sekretär

kommen zu lassen, damit er Ihnen die Akte bringt, die alle meine wichtigen und unwichtigen Lebensdaten enthält. Wollen Sie etwas über mich wissen? Interessiert Sie das? Dann zählen Sie an Ihren Fingern mit: meine Mutter starb unter den Trümmern des Hauses, das mein Vater ihr in Safd gebaut hatte. Mein Vater lebt in einem anderen Land, so daß ich ihn weder erreichen noch sehen noch besuchen kann. Ich habe einen Bruder, mein Herr, der in einer der für uns eingerichteten Schulen Erniedrigung und Demütigung lernt. Ich habe eine Schwester, die wieder in einem anderen Land verheiratet ist und weder mich noch meinen Vater besuchen kann.

Dann habe ich irgendwo noch einen Bruder, mein Herr, den zu finden mir nicht möglich war.

Möchten Sie nun mein Verbrechen wissen? Sind Sie wirklich interessiert, es kennenzulernen, oder sind Sie nur einfach neugierig? Ohne mir dessen bewußt zu sein, habe ich alles, was in einer Milchkanne war, einem Beamten auf den Kopf gegossen und ihm gesagt, daß ich nicht mein Vaterland verkaufe. Ob das nun in einem Augenblick des Wahnsinns oder der Vernunft geschah, ich weiß es nicht. Man hat mich in eine dunkle, tiefe Zelle geworfen, damit ich vernünftig werde und eingestehe, daß es Wahnsinn war. Aber in dieser Zelle wurde ich dann dessen gewiß, daß es überhaupt der einzige Augenblick der Vernunft in meinem ganzen bisherigen Leben gewesen ist.

Das sind meine Zähne, die so klappern, mein Herr. Haben Sie keine Angst, ich habe keine Waffe bei mir, falls Sie nicht meinen, daß vielleicht meine Zähne doch eine sind.

Meine Schenkel sind nackt und zerschürft, das kommt, weil ich aus Ihrem Fenster gesprungen bin. Mitten im Laufen, als ich nur eines wollte, nämlich weg aus Ihrem Zimmer und von Ihrer Wache, ist mir etwas aufgefallen. Ich sah mein Blut und entdeckte, daß das meine allerersten Wunden überhaupt waren, und erstaunlicherweise ist das nicht einmal an einer Landesgrenze geschehen. Ich will nichts vor Ihnen verbergen, mein Herr, es hat so etwas wie Scham in mir erweckt, eine Scham, die etwas Trauriges, Unglückliches an sich hat, so daß mir fast die

Tränen gekommen wären. Vielleicht war es das, was mich dazu trieb, noch einmal zu Ihnen zu kommen. Vielleicht waren es aber auch nur die letzten Worte, die ich gerade noch vernahm, als ich aus dem Fenster sprang. Das, was ich da als letztes von Ihnen hörte, frißt sich immer noch wie ein Bohrer tiefer und tiefer in meinen Kopf hinein. Es war ein hartes Wort, das mich da traf: ›Das Schwein! Packt ihn!‹

Ich bin also, mein Herr, ein elendes Schwein. Erlauben Sie mir, wenigstens das zu sein? Eigentlich kam ich mir bisher nicht so vor, wenn Sie die Wahrheit wissen wollen. Aber wenn ich das gesagt hätte, laut und deutlich, dann hätte man mich wieder ins Gefängnis gesteckt. Und wenn der Riegel dann erst mal zugeschoben worden wäre, wer hätte ihn dann noch öffnen können? Sie etwa? Das hätte nicht einmal jemand tun können, der einen noch höheren und angeseheneren Rang einnimmt als Sie. Und wissen Sie warum? Sie hätten sich doch auch gefragt, wenn Sie davon gehört hätten: ›Was habe ich davon, wenn ich ihn freilasse?‹ Und die Antwort wäre gewesen: ›Nichts!‹ Denn ich bin weder eine Wählerstimme noch überhaupt ein Mitbürger. Ich gehöre ja auch nicht zu irgendeinem Staatswesen, das sich wenigstens von Zeit zu Zeit nach seinen Untertanen erkundigt. Das Recht auf Protest ist mir untersagt. Was wäre schon, wenn ich schreien dürfte? Nichts. Und was schadet es, wenn ich hinter Schloß und Riegel bleibe? Auch nichts. Warum also lange darüber nachdenken? ›Nimm die Papiere, mein Junge, und belästige mich mit so etwas nicht noch einmal‹ – sehen Sie, so einfach ist das Problem.

Ich habe viel nachgedacht in der letzten Zeit. Das kennen Sie doch bestimmt, mein Herr, daß man ab und zu einfach nicht aufhören kann nachzudenken. Ich ging eine Straße entlang, und plötzlich brach ein Gedanke über mich herein, wie eine große Glasscheibe, die gleich zerspringen muß. Es war, als spürte ich, wie die Splitterchen sich in meinem Körper verteilten. Wie also weiter? fragte ich mich. Sehen Sie, das ist so eine kurze, kleine Frage, die sich der Mensch ab und zu stellt, und wäre es vielleicht auch nur einmal in fünfzehn Jahren. Aber das eigenartige war dieses Mal, daß die Frage hartnäckig und zäh, ja fast könnte ich sagen, endgültig haftenblieb. Denn nun tat sich mir ein langer, dunkler, endloser Graben auf. Anfangs sagte ich mir: Zumindest gibt es mich immer noch, trotz allem. Hat man auch versucht, mich wie ein Stückchen Zucker in einer heißen Teetasse aufzulösen und sich dafür, Gott ist mein Zeuge, eine Menge Mühe gegeben, so bin ich trotzdem noch da. Aber die Frage blieb und rumorte: Wie also weiter? Diese Art von Fragen, mein Herr, ist äußerst merkwürdig. Sie ist wie schlimmster Durst, der erst verschwindet, wenn er richtig gestillt wird.

Ja, wie also weiter? Allmählich kam ich darauf, mir ganz leise einzugestehen, daß es für mich offensichtlich gar kein ›weiter‹ geben wird. Bis dahin, bis zu dieser Erkenntnis, war ich also schon gekommen. Man hatte gesagt, daß ich ein hoffnungsloser, flüchtiger Feigling wäre. Man hatte sogar behauptet, ich wäre ein Verräter. Nun kann ich die Antwort darauf nicht länger unterdrücken, aber die Wahrheit, mein Herr, ist erschreckend. Man hatte so viel Dreck über mich ausgeschüttet, daß ich an jenem Tag erkannte: endlich mußte alles hervorbrechen, was sich in mir angestaut hatte.

Es gibt überhaupt kein ›wie weiter‹ als Möglichkeit. Mein Leben, wie unser aller Leben, erscheint mir wie eine gerade Linie, ruhig, aber erniedrigend. Daneben aber verläuft die andere, die mit meinen wirklichen Problemen. Das heißt also, beide verlaufen völlig parallel, niemals werden sie sich treffen.

Mein Herr! Hätte ich doch nur einmal in der ganzen schweren Zeit so viel Mut gefaßt wie jetzt, mir diese Wahrheit einzugestehen! Aber darin habe ich mir nicht viel Ehre verdient. Alles, was ich mir als Ehre anrechnen kann, ist, daß ich wenigstens jetzt spreche. Dafür kommt euch die Ehre zu, uns auf solche Gedanken zu bringen. Oder haben Sie nicht bemerkt, daß ihr es seid, die mit jeder Stunde, mit jedem Tag, mit jedem Jahr mich so weit gebracht haben?

Ihr habt versucht, mich auszulöschen. Unermüdlich, unverdrossen habt ihr euch darum bemüht. Täusche ich mich, wenn ich sage, daß ihr dabei nicht gerade viel Glück gehabt habt? Ganz sicher nicht. Aber dafür ist euch etwas anderes in phantastischer Weise gelungen, oder haben Sie noch nicht bemerkt, daß ihr mich mit aller Macht dahin gebracht habt, daß ich aus einem Menschen zu einem fortdauernden Zustand geworden bin? Ja, ich bin ein Zustand, nie war ich mehr, und nie werde ich weniger sein, denn ich bin ein Zustand. Wir sind ein Zustand, werden ihm in verblüffender Weise immer noch ähnlicher. Eine großartige Arbeit, mein Herr, wirklich wunderbar, wenn sie auch ihre Zeit brauchte. Aber wissen Sie, eine Million Menschen gemeinsam aufzulösen, aus ihnen eine einzige, vereinte Sache zu machen, das ist wirklich keine leichte Arbeit. Ich bin überzeugt, daß man sich auch dank Ihrer gütigen Erlaubnis so viel Zeit genommen hat. Nun aber habt ihr es geschafft, daß jeder einzelne dieser Million Menschen seine eigenen, ihm eigentümlichen Eigenschaften verloren hat. Da müßt ihr also nicht mehr unterscheiden und sortieren. Ihr steht jetzt einem Zustand gegenüber: wollt ihr ihn als Diebstahl bezeichnen, nun, dann sind eben alle Diebe. Verrat vielleicht? Dann sind alle Verräter. Wozu noch all die Mühe und Last und die verwickelten ›menschlichen‹ Betrachtungen von ehedem?

Sie müssen mich nicht gleich verstehen, mein Herr, lassen Sie sich Zeit. Man kann das von verschiedenen Seiten sehen. Wir sind zum Beispiel auch ein ›Geschäftszustand‹. Sie alle, diese Million, haben ja auch einen touristischen Wert. Jeder Besucher muß sich die Zeltlager ansehen. Die Flüchtlinge haben in einer Reihe zu stehen und auf ihre Gesichter den Ausdruck größten Leids zu legen, jedenfalls mehr, als ihnen sowieso eigen ist. Der Tourist zieht also an ihnen vorbei, macht Fotos und wird ein wenig traurig. Kehrt er dann nach Hause zurück, sagt er: ›Besucht die Lager der Palästinenser, bevor sie aussterben!‹ Zweitens haben sie einen propagandistischen Wert, sind sie doch eine wichtige Sache für vaterländische Reden, gut für humanistische Losungen und volkstümliche Versteigerungen. Sie sind zu einem üblichen Unternehmen des politischen Lebens geworden, das nach rechts und nach links reichlich Gewinn abwirft.

Daß es kein ›weiter‹ gibt, mein Herr, ist eine erschreckende, aber zutreffende Wahrheit, durch die auch meine

Rolle im Leben entscheidend geändert worden ist. Als einzelner bin ich bloß ein Schwein, in der Gruppe aber habe auch ich meinen geschäftlichen, touristischen und propagandistischen Wert. Ich habe sehr lange nachdenken müssen, bevor mir das richtig klargeworden ist. Ich weiß, daß es von den Rednerpulten tönen wird: ›Das ist ein feiger, schlapper Verräter!‹ Diese Schande wird mir auch nichts mehr ausmachen. Dafür seid ihr dann wahrscheinlich in fünfzehn Jahren zu wahren Vorbildern an Treue und Tapferkeit, zu heldenhaften Kämpfern geworden, die nie die Hoffnung aufgegeben haben und nie geflüchtet sind.

Überdies, mein Herr, bietet unser Unternehmen auch noch andere günstige Dienste an. Wir sind beispielsweise hervorragend dafür geeignet, anderen eine Lektion zu erteilen. Schwierige, verwickelte politische Probleme? Na, dann geh gegen die Lager vor, sperr ein paar Flüchtlinge ein, am besten alle, wenn du kannst. So kannst du deinen Untertanen Zucht und Ordnung beibringen, ohne ihnen Schaden zuzufügen. Warum willst du ihnen schaden, wenn du eine besondere Gruppe hast, die ihnen zur Erfahrung dienen kann?

Ich möchte Ihre geschätzte Aufmerksamkeit auch noch auf etwas anderes lenken. Sie können sich die Treue Ihrer Untertanen immer mit der Behauptung sichern, daß lediglich ein paar Palästinenser die Meckerer, die ewig Unzufriedenen sind. Und läuft einer Ihrer Pläne nicht so richtig, dann sagen Sie ruhig, daß wieder die Palästinenser die Ursache dafür sind. Wie das zu machen ist? Da braucht man nicht lange nachzudenken. Sagen Sie beispielsweise einfach, daß von irgendwoher wieder welche dazugekommen wären... oder auch, daß sie gefordert hätten, beteiligt zu werden. Niemand wird da auftreten und von dir Rechenschaft fordern. Warum auch? Wer wird denn später, vielleicht nach fünfzehn Jahren, noch den Mut haben, zu etwas zu stehen, was gegenstandslos geworden ist?

Wir sind also, wie Sie sehen, bisweilen eine Gnade. Sie können einen von uns erhängen und damit hunderttausend züchtigen, ohne daß Sie Angst oder Gewissensbisse bekommen müßten. Dafür sind wir aber bisweilen auch ein richtig schweres Unglück, denn wir sind doch Diebe, Verräter, wir haben unser Land dem Feind verkauft, wir sind habgierig, wir wollen hier alles – selbst den Staub – verschlingen. Das ist die uns vorgezeichnete Rolle, die wir, ob wir wollen oder nicht, übernehmen müssen.

Aber da ist ein kleines Problem, mein Herr, das mich nicht schlafen läßt und über das ich unbedingt noch reden muß. Es geht dem Menschen doch oft so, daß er, wenn er sich in die Ecke gedrängt fühlt, zu fragen beginnt: ›Wie nun weiter?‹ Entdeckt er dann, daß er gar kein Recht auf die Frage nach dem ›weiter‹ hat, geschieht manchmal etwas sehr Häßliches – so etwas wie Wahnsinn befällt ihn. Da sagt er sich dann ganz leise: ›Was ist das für ein Leben! Lieber den Tod!‹

Nach wenigen Tagen aber fängt er an zu schreien: ›Was für ein Leben! Lieber den Tod!‹

Schreien, mein Herr, ist ansteckend. Und so rufen alle wie aus einem Munde: ›Was für ein Leben! Lieber den Tod!‹ Da nun aber die Menschen den Tod nicht so sehr lieben, kommen sie bestimmt auf etwas anderes.

Ich fürchte, mein Herr, Ihre Suppe ist kalt geworden. Gestatten Sie also, daß ich mich davonmache.«

Saudi-Arabien

Abd al-Aziz Al-Maschri
Geschichten von Abu Salim

In den Versammlungen im Dorf wurde von allen Bewohnern bestätigt, daß Abu Salim keinen Gehirnschaden hatte, und einer der Bewohner erklärte, daß er mit seinen scharfen Augen – sie sollten erblinden, wenn er löge – die Kopfhaut von Abu Salim gesehen habe, als er bei ihm gewesen war, um seinen Kopf mit Wasser und Seife zu waschen, damit er ihn glattrasieren konnte. Der Kopf hatte keinen Schaden, und ihm war kein Unglück geschehen. Was war es, das aus ihm einen solchen Dummkopf gemacht hatte? War es die Naivität?

1. Der Hund

Abu Salim hatte einen Hund, den er so sehr liebte wie jemand, der ein Kind aufzieht. Er gab ihm von seinem Essen und bereitete ihm eine warme Schlafstätte in den kalten Winternächten. Er hielt von ihm jegliches Leiden fern und achtete darauf, daß ihm kein Schaden zugefügt wurde.

Aber es gab Grenzen bei der Art, wie man einen Hund behandelte, für sein Bellen, wie er wohnte, und für das Heraushängen der Zunge, auch wenn er außer Atem war. Es gab nichts Besseres als einen Stein, wenn der Hund, der als Welpe gelernt hatte, was der Besitzer ihm beibrachte, nicht gehorchte.

Er überließ es dem Hund, die Schafe und den Hof des Hauses zu bewachen. Der Hund war treu wie ein Wächter, der bei jeder Überraschung wachsam blieb. Abu Salim schätzte ihn sehr.

Die Tage vergingen, wie das Wasser in den Bäumen hochsteigt. Die Herde vermehrte sich und ihr Anblick erfüllte die Augen, und mit ihr ging der treue Wächter.

Dann wurde der Hund krank. Abu Salim gab ihm nur noch das Beste zu essen und zu trinken. Aber er wurde nicht mehr gesund. Zwischen einem Öffnen und Schließen der Augen starb der Hund. Die Trauer erwachte im Herz seines Besitzers. Abu Salim dachte, die Belohnung für eine gute Tat wäre nun eine noch bessere Tat. Er nahm seinen Spaten, suchte einen niedrig gelegenen Platz in der Nähe des Hauses und schaufelte für ihn ein Grab. Dann brachte er den Hund, der mit einem alten, weißen Kopftuch umwickelt war, dorthin und verrichtete für ihn ein Totengebet.

Ein Zeuge aus dem Dorf focht das Zeugnis von Abu Salim an, weil er ein Totengebet für einen Hund verrichtet hatte. Wer akzeptierte denn schon das Zeugnis von jemandem, der ein Totengebet für einen Hund verrichtete?

Der Scheich des Dorfes war empört und zornig. Sein Mund schäumte, und seine Stimmbänder zitterten. Er sprach das »Bismillah« und das »Hankallah« aus und verfluchte die Länge seiner Ohren und seiner Nase. Er meinte, der Täter verdiene nur eine Strafe: den Tod.

Die Angst und die Trauer über den verlorenen Hund floß durch den Puls von Abu Salim und erreichte seinen Bart, der bis auf seine Brust herabhing. Er dachte nach und sagte zu dem Scheich:

»Oh, mein Herr, ja, ich habe es getan. Aber auf seinem Sterbebett sagte der Hund in seinem letzten Willen, daß ich dir zehn Stück von meiner Herde schenken solle.«

Der Scheich schaute nach rechts und nach links und sah um sich herum die vielen Menschen, die auf sein gerechtes Urteil gespannt warteten. Er beugte sich zu Abu Salim herab und flüsterte ihm in seine Ohren, die wie kleine Trichter aussahen:

»Was hast du gesagt? Wieviel hat der Verstorbene mir versprochen?«

2. Die Heuschrecken

Abu Salim – er wurde so genannt, obwohl er keinen Sohn hatte, der Salim hieß – betrat das Haus durch die Tür. Das Scheppern der Tür hallte in den Ohren seiner alten Mutter. Sie saß, geschwächt vom Alter, in der Ecke des Hauses. Sie umgab sich mit Decken und Stoff, denn ihr war immer kalt, auch im heißesten Sommer. Sie fragte ihn nach dem Unheil, das unerwartet das Dorf überfallen hatte. Es war wie ein Sturm gekommen. Abu Salim ging auf das Gewehr zu, das an der Wand hing, und sagte:

»Die Heuschrecken sind über die Felder hergefallen. Sie greifen die Stengel der Maiskolben an und verwandeln die Kolben in Zweige ohne Körner. Alles, was einmal grün gewesen ist, nimmt ihre rotbraune Farbe an.«

Die Bauern beeilten sich, ihre Kinder auf die Felder zu schicken, damit sie die Heuschrecken vertrieben; sie fingen sie und steckten sie in Säcke. Die Säcke waren bis oben hin gefüllt, und die Heuschrecken krochen überall wieder heraus. Der Himmel war blitzblank, und die Sonne schien erbarmungslos.

Abu Salim hockte sich auf Zehenspitzen in seinem Feld nieder, nahm sein Jagdgewehr und zielte vorsichtig, als ob er auf einen Vogel, der auf einem entfernten Zweig saß, anlegen wollte. Er zielte mit seinem einläufigen Gewehr auf die Maiskolben. Er traf sie und damit auch ein paar Heuschrecken. Er schoß und schoß, bis ihm alle Patronen ausgegangen waren. Seine Schulter tat ihm weh. Beinahe wäre sie gebrochen. Er war erschöpft, denn er führte einen Krieg gegen riesige Armeen.

Dann erinnerte er sich daran, daß ein Krieger in der Regel aufgab, wenn sein Gewehr nicht mehr mitmachte. Er warf sein Gewehr auf den Boden; das Rohr war heiß geworden, denn er hatte die gesamte Munition verbraucht.

Sudan

TAYYEB SALIH
Eine Handvoll Datteln

Ich muß damals noch sehr klein gewesen sein. Ich erinnere mich nicht mehr genau, wie alt ich war, aber ich erinnere mich daran, daß die Leute, wenn sie mich mit meinem Großvater sahen, mir über den Kopf streichelten und mich zärtlich in die Wange kniffen – etwas, was sie mit meinem Großvater nicht machten. Merkwürdig daran war, daß ich nie mit meinem Vater ausging, es war vielmehr mein Großvater, der mich überall mitnahm, wohin er auch ging, außer morgens, wenn ich zur Moschee ging, um den Koran zu lernen. Die Moschee, der Fluß und das Feld waren Meilensteine in unserem Leben. Während die meisten Kinder in meinem Alter darüber murrten, daß sie in die Moschee gehen mußten, um den Koran zu lernen, ging ich gerne in die Moschee. Der Grund dafür war zweifellos, daß ich leicht auswendig lernen konnte, und der Scheich bat mich darum, aufzustehen und die ›Sure des Allbarmherzigen‹ vorzutragen, immer wenn wir Besuch bekamen. Die Besucher streichelten mir über den Kopf und die Wange, genauso wie es die Leute taten, wenn sie mich mit meinem Großvater sahen.

Ja, ich liebte die Moschee. Ich liebte auch den Fluß. Sobald wir am Vormittag den Koranunterricht beendet hatten, warf ich meine hölzerne Tafel hin und rannte schnell wie der Teufel zu meiner Mutter, schlang eilig mein Frühstück hinunter und lief schnell zum Fluß, um dort zu schwimmen. Wenn ich genug vom Schwimmen hatte, setzte ich mich ans Ufer und betrachtete das Wasser, das ostwärts lief und hinter dem dichten Gebüsch von Akazien verschwand. Ich liebte es. Ich ließ meiner Phantasie freien Lauf und stellte mir vor, daß eine Sippe von Riesen hinter dem Gebüsch lebte, Leute, die groß und stark waren, mit weißen Bärten und spitzen Nasen wie die von meinem Großvater. Auch die Nase meines Großvaters war groß und spitz. Immer wenn mein Großvater meine zahlreichen Fragen beantwortete, rieb er sich vorher mit seinem Zeigefinger über die Nase. Der Bart meines Großvaters war weich und üppig und so weiß wie Baumwolle. Nie in meinem Leben habe ich etwas von strahlenderer Weiße und größerer Schönheit gesehen.

Mein Großvater muß außerordentlich groß gewesen sein, denn ich habe nie jemanden im ganzen Dorf gesehen, der nicht zu ihm aufgeschaut hätte, wenn er ihn ansprach, noch habe ich jemals gesehen, daß er ein Haus betrat, ohne sich dabei so sehr zu beugen, daß es mich an die Biegung des Flusses hinter dem Gebüsch der Akazien erinnerte. Mein Großvater war groß und schlank, und ich liebte ihn. Ich stellte mir vor, wenn ich eines Tages ein Mann wäre, ginge ich wie er mit großen Schritten. Ich glaube, er mochte mich lieber als alle anderen Enkel. Das war kein Wunder, denn meine Cousins waren dumm, und ich, so erzählten sie mir, war ein intelligentes Kind. Ich wußte immer genau, wann mein Großvater wollte, daß ich lachte und wann ich schweigen sollte. Ich kannte auch die Zeiten seiner Gebete genau, brachte ihm seinen Gebetsteppich und füllte ihm den Wasserkrug, bevor er mich darum bat. In seinen freien Stunden genoß er es, mir zuzuhören, wie ich melodisch den Koran rezitierte, und ich konnte seinem Gesicht ansehen, daß er innerlich bewegt war.

Eines Tages fragte ich ihn nach unserem Nachbarn Mas'ud. Ich sagte zu meinem Großvater:

»Ich glaube, du magst unseren Nachbarn Mas'ud nicht?«

Er rieb seine Nase und antwortete:

»Weil er ein fauler Mann ist, solche Männer mag ich nicht.«

Ich sagte zu ihm:

»Was ist das, ein fauler Mann?«

Er dachte eine Weile nach und sagte mir:

»Sieh mal, dieses weite Feld. Siehst du, wie es sich von der Wüste bis zum Nilufer hinstreckt? Hundert Fiddan sind das. Siehst du alle diese Dattelpalmen? Und auch diese Bäume? Nilakazien und Sayalbäume. All dies war in Mas'uds Besitz. Er hatte ihn von seinem Vater geerbt.«

Ich nützte die Gelegenheit, als mein Großvater schwieg, und schaute über das riesige Gebiet, das er mit seinen Worten beschrieben hatte. Ich sagte mir: Mir ist es egal, wer diese Dattelpalmen besitzt. Diese Bäume dort oder diese schwarze, vor Trockenheit aufgerissene Erde; alles, was ich weiß, ist, daß das die Bühne meiner Träume und mein Spielplatz ist.«

Dann fuhr mein Großvater fort: »Mein Junge, vor vierzig Jahren gehörte dies alles Mas'ud allein. Zwei Drittel davon gehören heute mir.«

Das war eine aufregende Neuigkeit für mich. Denn ich hatte geglaubt, daß das Land, seit Gott die Welt erschaffen hatte, meinem Großvater gehörte.

»Ich besaß keinen einzigen Fedan, als ich einst meinen Fuß in dieses Dorf setzte. Mas'ud war der Besitzer aller dieser Reichtümer. Jetzt haben wir jedoch die Rollen getauscht, und ich glaube, daß ich, bevor ich sterbe, auch noch das letzte Drittel kaufen werde.«

Ich weiß nicht, warum ich bei den Worten meines Großvaters Angst empfand: ich spürte ein Gefühl des Mitleids für den Nachbarn Mas'ud. Wie sehr wünschte ich, daß mein Großvater es nicht tun würde! Ich erinnerte mich an Massouds Gesang, an seine wunderbare Stimme und an sein lautes Lachen, das dem Gurgeln von Wasser glich. Mein Großvater lachte nie.

Ich fragte meinen Großvater, warum Mas'ud sein Land verkauft hatte.

»Frauen«, und aufgrund der Art und Weise, wie mein Großvater das Wort aussprach, hatte ich das Gefühl, daß »Frauen« etwas Schreckliches sein mußten.

»Mas'ud, mein Junge, war ein Mann, der oft geheiratet hat. Jedesmal, wenn er heiratete, verkaufte er mir einen oder zwei Fedan.

Schnell rechnete ich im Kopf aus, daß Mas'ud dann so um die neunzig Frauen geheiratet haben mußte. Dann erinnerte ich mich an seine drei Frauen, sein heruntergekommenes Aussehen, seinen lahmenden Esel und seinen schäbigen Sattel ebenso wie an seine Dschallabiyya mit den zerrissenen Ärmeln. Ich hätte mich von dieser Erinnerung, die sich in meinem Kopf drängte, befreien können, wenn ich nicht ausgerechnet diesen Mann gesehen hätte, der auf uns zukam, und mein Großvater und ich schauten uns gegenseitig an.

»Heute ernten wir die Datteln«, sagte Mas'ud, »willst du nicht dabeisein?«

Trotzdem hatte ich das Gefühl, daß er meinen Großvater eigentlich nicht dabeihaben wollte. Aber mein Großvater sprang auf, und ich sah, daß seine Augen einen Moment lang funkelten. Er zog mich an der Hand, und wir gingen fort zu Mas'uds Dattelernte. Jemand brachte meinem Großvater einen Stuhl, der mit Ochsenfell bezogen war; mein Großvater setzte sich darauf, während ich stehen blieb. Es waren viele Leute da. Ich kannte sie alle. Aus irgendeinem Grund begann ich, Mas'ud zu beobachten. Mas'ud stand weit entfernt von der Menge, als ob es nicht seine Angelegenheit sei, obwohl die Datteln, die geerntet wurden, ihm gehörten. Manchmal horchte er auf bei dem Geräusch eines riesigen Dattelklumpens, der von oben herunterkrachte. Einmal schrie er dem Jungen, der auf der Spitze der Palme hockte und der damit begonnen hatte, einen Klumpen mit seiner langen, scharfen Sichel abzuhacken, zu: »Sei vorsichtig, daß du nicht das Herz der Palme triffst.« Niemand schenkte dem, was er sagte, Beachtung, und der Junge, der auf der Spitze der Palme saß, fuhr damit fort, schnell und energisch die Zweige mit seiner Sichel abzuschneiden, bis der Dattelklumpen herunterzufallen begann wie etwas, das vom Himmel fiel. Aber ich begann über das, was Mas'ud gesagt hatte, nachzudenken: Das Herz der Palme. Ich stellte mir die Palme als ein Wesen vor, das fühlte und ein Herz besaß, das klopfte. Ich erinnerte mich an eine Bemerkung von Mas'ud, die er mir gegenüber geäußert hatte, als er mich einmal mit einem Palmenzweig spielen sah:

»Palmen, mein Junge, empfinden wie menschliche Wesen Freude und Leid.«

Unbegründet schämte ich mich. Und als ich nochmals über das Gelände blickte, das sich vor mir erstreckte, sah ich meine Spielgefährten wie Ameisen unter den Palmenzweigen herumwimmeln, Datteln aufsammeln, und einige von ihnen aßen davon. Die Datteln wurden in großen Haufen gesammelt. Ich sah Leute daherkommen, die sie in Meßeimern wogen und sie in Säcke schütteten. Ich zählte dreißig Säcke. Die Leute brachen auf, außer Husein, dem Händler, Musa, dem Besitzer des Feldes, das im Osten an unseres angrenzte, und zwei Männern, die ich noch nie vorher gesehen hatte. Ich hörte ein leises Pfeifen und bemerkte, daß mein Großvater eingeschlafen war. Dann beobachtete ich, daß Mas'ud seine Haltung nicht verändert hatte, nur hatte er jetzt ein Bambusstöckchen im Mund und kaute darauf herum wie jemand, der gerade satt vom Essen war und noch einen Bissen in den Mund nahm und nicht wußte, was er damit machen sollte. Plötzlich wachte mein Großvater auf, sprang auf und ging auf die Dattelsäcke zu. Es folgten ihm Husein, der Händler, Musa, der Besitzer des Feldes, das an unseres angrenzte, und die zwei fremden Männer. Auch ich folgte meinem Großvater, blickte zu Mas'ud und sah, wie er sehr langsam auf uns zuging, wie ein Mann, der umkehren wollte, aber dessen Füße darauf bestanden, vorwärts zu gehen. Die Leute bildeten einen Kreis um die Dattelsäcke und begannen damit, sie zu untersuchen, wobei einige von ihnen eine oder zwei Datteln herausnahmen und sie aßen. Mein Großvater gab mir eine Handvoll, und ich begann, auf ihnen herumzukauen. Ich sah, wie Mas'ud beide Hände voll Datteln nahm, an ihnen roch und sie dann zurücklegte. Ich sah, wie sie die Säcke unter sich aufteilten. Husein, der Händler, nahm zehn, jeder von den Fremden nahm fünf. Musa, der Besitzer des Feldes, das im Osten an unseres angrenzte, nahm fünf, und auch mein Großvater nahm fünf. Ich hatte nichts verstanden. Ich schaute Mas'ud an und sah, wie seine Augen hin- und herwanderten wie zwei Mäuse, die ihren Weg nach Hause verloren hatten.

»Du schuldest mir noch fünfzig Pfund«, sagte mein Großvater zu Mas'ud.

»Wir werden darüber später sprechen.«

Husein rief seine Helfer. Sie brachten die Esel herbei. Die zwei fremden Männer holten ihre fünf Kamele, und alle luden die Dattelsäcke auf die Esel und auf die Kamele. Einer der Esel schrie, und eines der Kamele schäumte vor dem Maul und brüllte. Plötzlich fand ich mich in Mas'uds Nähe wieder; meine Hand streckte sich nach ihm aus, als ob ich den Saum seines Gewandes berühren wollte. Ich hörte, wie er in seiner Kehle ein Geräusch machte, das sich anhörte wie das Schnaufen eines Lammes, das geschlachtet wird. Aus einem unbekannten Grund spürte ich einen heftigen Schmerz in meiner Brust.

Ich lief davon. In diesem Moment fühlte ich, daß ich meinen Großvater haßte. Ich lief schneller, als ob ich ein Geheimnis hätte, das ich loswerden wollte. Ich erreichte das Ufer in der Nähe der Biegung hinter dem Akaziengebüsch. Ohne zu wissen warum, steckte ich mir einen Finger in den Hals und erbrach die Datteln, die ich gerade gegessen hatte.

Syrien

»Herr Richter! Ich bin eine arme Frau. Ich habe nichts mehr außer Gottes und Ihrer Hilfe. Gott erhalte Ihre Kraft.« Vergeblich bemühte sie sich, die Tränen zurückzuhalten.

Aufmerksam betrachtete der Richter die vor ihm Stehende. Er sah eine hochgewachsene, ausgemergelte alte Frau. Bei aller Greisenhaftigkeit zeichnete sich unter dem schwarzen Gewand ein kräftiger Körper ab. In das blasse Gesicht hatte das Elend scharfe Furchen eingezeichnet. Die Augen lagen in tiefen Höhlen, fast hatte man dadurch von weitem den Eindruck, sie sei blind.

Mit betont freundlicher, warmherziger Stimme sagte der Richter: »Beruhigen Sie sich doch, Tantchen. Was haben Sie denn für ein Problem?«

Aufgeregt begann sie: »Man hat mir mein Geld gestohlen, Herr Richter, Gott strafe die Diebe. Und wissen Sie, woher sie es gestohlen haben? Aus dem Bauch meines Sohnes, aus seinen Eingeweiden. Glauben Sie nicht, das sei unmöglich, mein Herr. Bei Gott, ich belüge Sie nicht.«

Bestürzt rief der Richter: »Aus seinen Eingeweiden?«

Die Menge im Gerichtssaal war ebenso überrascht, einige lachten laut, es entstand ein ziemlicher Lärm. Selbst der Richter mußte das Lachen unterdrücken, um die Würde seines Amtes zu wahren. Er schaute forschend die Alte an, als wollte er prüfen, ob sie wahnsinnig sei. Sie aber sah sich um, nahm bestürzt die Gesichter der Menge wahr, und ihr Blick schien zu fragen: Was gibt's denn da zu lachen? Sie konnte nicht glauben, daß ihr schweres Schicksal anderen ein Anlaß zum Lachen sein könnte.

Wieder feierlich ernst, sagte der Richter: »Erzählen Sie, liebe Frau, sagen Sie mir alles.«

»Beim Alter der ehrwürdigen Kaaba, Herr Richter, nicht ein Wörtchen werde ich Ihnen verschweigen. Wir sind arme Leute, arbeiten schwer, um zu leben. Bis zu der Zeit, als die elektrischen Waschmaschinen aufkamen, habe ich als Wäscherin gearbeitet. Gott möge dem den Lebensunterhalt versagen, der diese Maschinen ins Land gebracht hat. Mein Sohn – o Kummer meines Herzens! – arbeitete als Lastträger. Seine Frau ist eine dumme Person, jedenfalls ist sie ihm keine Hilfe. Wie sollte sie ihm auch beistehen, ist sie doch, seit sie unser Haus betreten hat, entweder schwanger oder liegt gerade im Wochenbett. Gott aber, Herr Richter, sagt jedes Jahr zu den Reichen: Nimm diesen Geldbeutel. Und der ist entweder voll Gold oder voll Silber. Zu den Armen aber sagt er: Nimm diesen kleinen Teufel, und der wird ein Maul haben, das nicht zu stopfen ist. Von diesen Teufeln hatte mein Sohn sechs, die nie satt wurden. Ihr Vater – oh, wie mein Herz brennt! – arbeitete nur für sie und ihre Mutter, vom frühen Morgen bis zum späten Abend. Was ein Maulesel nicht mehr tragen konnte, das schleppte er. Eines Tages verhob er sich an einer schweren Eisenkiste. Er ging zum Arzt, um sich Medizin zu holen. Der aber sagte: ›Du darfst nichts mehr tragen, such dir eine andere Arbeit.‹ Verzweifelt kam mein Sohn heim und wußte nicht, was er nun machen sollte. Wir waren ja, mein Herr, neun Personen, die ihm am Hals hingen, und hatten keinen anderen Verdiener. Das ist nicht wenig. Ich sah ihn vor Kummer weinen. Und wenn Männer weinen, dann zerreißt es einem das Herz. Damals also fühlte ich, daß ich meinem Sohn mein Geheimnis offenbaren mußte. Ich hatte noch ein kleines Stück Land in meinem alten Dorf, oben im Norden. Ich hatte es von meinem Vater geerbt und es bisher meinem Sohn verschwiegen, weil ich Angst hatte, daß er es verkaufen und das Geld sinnlos vergeuden würde. Das Dokument trug ich eingewickelt an meinem Hals. Ich wollte es dort lassen, bis ein schlimmer Tag käme. Und der war nun da. Mein Sohn war überglücklich, als ich ihm davon erzählte. Er fühlte sich von all seinem Kummer erlöst und konnte vor Aufregung nicht schlafen. Ständig fragte er nach dem Stück Land, nach dem Wert, den Ausmaßen und was darauf angebaut wurde. Kaum war es Morgen geworden, da machten wir beide uns auch schon auf den Weg, um es zu verkaufen. Mein Dorf ist weit, mein Herr. Vom Morgen bis in die halbe Nacht saßen wir im Wagen.

Ich will Sie nicht langweilen, jedenfalls verkauften wir das Land zum niedrigsten Preis, für zwanzig Goldlira. Obwohl es, bei Gott, wenigstens fünfzig wert war. So hatte nämlich meine Schwester ihren Anteil verkauft. Aber der Käufer nutzte eben unsere Not aus – verweigere Gott ihm den Segen! Ich steckte die Goldstücke in einen Beutel und barg ihn an meiner Brust. Den ganzen Weg über erzählte mir mein Sohn, was er mit dem Geld machen würde ... Fünf Lira, um die Schulden zu begleichen. Eine Lira für Kleidung für die Frau und die Kinder. Dann vier für die Miete eines Ladens, zehn für die Ware. Obst und Gemüse und was man sonst für die Einrichtung braucht.

Er sagte: ›Wenn ich dann morgens auf den Markt gehe, um frische Ware zu holen, sitzt du im Laden. Wir werden gut verdienen. Unser Nachbar hat sich ja auch von seinem kleinen Gemüseladen ein Haus gebaut. Wir werden endlich die Kinder satt kriegen. Abends bringe ich euch dann Obst und Gemüse aus dem Laden mit.‹

Der Weg wurde uns furchtbar lang. Dreimal blieb der Wagen stecken. Außerdem goß es wahre Ströme vom Himmel, und wir starben fast vor Kälte.

Da hörte ich auf einmal einen der Fahrgäste zu seinem Nachbarn sagen: ›Jetzt kommen wir an die gefährliche Stelle. Möge uns Gott vor ihnen bewahren!‹

Ich fragte: ›Wen meinst du, Bruder?‹

Er antwortete: ›Diebe, Wegelagerer. Sie verstecken sich hier im Tal, das wir gerade durchqueren, halten die Wagen an und rauben den Reisenden alles, was sie haben.‹

Bei Gott, wie bebte mein Herz bei diesen Worten! Er war wie die Eule, die Unheil überbringt. Und wirklich! Kaum hatte er zu Ende gesprochen, da hörten wir schon Gewehrschüsse. Der Wagen blieb plötzlich stehen. Zwei Männer kamen heran, zerrten den Fahrer heraus und stießen ihn zu Boden. Da zweifelten wir nicht mehr, daß es wirklich Räuber waren. Mein Sohn rückte dicht an mich heran und flüsterte: ›Gib mir rasch die Goldstücke, ohne daß es jemand merkt. Wir verschlucken sie beide. Das ist das einzige Mittel, sie zu retten.‹ Sonst hätten wir alles verloren, mein Herr, und Geld ist so kostbar wie die Seele.

Ich hatte einen Krug voll Wasser bei mir. Ich gab meinem Sohn ein Lirastück und versuchte auch selbst, eins hinunterzuschlucken. Aber ich schaffte es nicht, ich würgte und wäre beinahe erstickt.

Mein Sohn sagte zu mir: ›Laß sein, Mutter, ich schaffe es auch allein.‹

So gab ich ihm Lira für Lira, und er schluckte, bis zehn weg waren. Aber gerade als der Geldbeutel fast leer war, dachte ich, ich müßte verrückt werden. Denn plötzlich merkte ich, daß ich mich geirrt hatte. Ich hatte doch noch einen anderen Beutel mit zehn Franken bei mir, das war alles, was ich an Geld außer den zwanzig Goldstücken besessen hatte.«

Die Menge im Saal lachte, einer rief laut: »Gott wird dich für deinen Irrtum nicht auch noch belohnen!«

Die Alte erhob sich und antwortete: »Was konnte ich denn dafür? Ich hatte solche furchtbare Angst, und es war stockfinster. Mir war gar nicht klar, was ich da gemacht hatte. Ich konnte auch nicht den Unterschied zwischen Frank und Lira fühlen. Jedenfalls sagte ich zu meinem Sohn, ich hätte mich geirrt. Er fluchte – Gott möge es ihm verzeihen und nachsichtig sein. Wo er doch, bei Gott, immer gebetet und gefastet hatte, sonst nie fluchte und mich nie beschimpfte. Nachdem er sich endlich etwas beruhigt hatte, sagte er: ›Na los, beeil dich. Gib die Goldstücke her!‹

So gab ich ihm Lira für Lira, und er verschlang sie in fürchterlicher Hast. Bis schließlich alle zwanzig verschwunden waren. Ich schwöre Ihnen, Herr Richter, daß mein Sohn also außer den zehn Franken die zwanzig Lira verschluckt hatte, daß also nicht ein einziges Stück übrig war.

Als er gerade fertig war, kehrte der Fahrer zurück. Mit ihm kamen zwei Männer, die einen Verwundeten trugen. Wir erfuhren, daß die beiden weder Räuber noch Wegelagerer waren. Sie hatten Angst gehabt, daß der Fahrer nicht so lange warten würde, bis sie ihren verwundeten Kameraden herangebracht hätten. Deshalb hatten sie ihn also gezwungen anzuhalten.

Mein Sohn sagte zu mir: ›Laß nur, Mutter. Das ist eben unser Schicksal. Morgen kommen die Lira ja wieder heraus, und die Franken dazu. Du kriegst alles wieder, das heißt, natürlich nur die Franken.‹ Er lachte.

Wir langten zu Hause an. Ein Tag verging, zwei und drei Tage vergingen. Die Lira zeigten sich nicht, auch nicht die Franken. Er bekam solche Schmerzen, daß er dachte, die Därme würden ihm zerreißen. Drückte er sich rechts auf den Bauch, konnte man etwas klappern hören. Der Arme wurde zum Gespött seiner Kinder. Das eine kam, das andere ging: Alle wollten mal rechts draufdrücken. Und wie sie dann lachten! Kinder verstehen eben noch nichts.«

Im Saal wurde wieder Lachen laut, aber die Alte ließ sich nicht stören. »Und so, Herr Richter, traute sich mein Sohn bald nicht mehr aus dem Haus, vor allem nicht nachts. Das ganze Viertel kannte ja die Geschichte. Wie leicht hätte ihm einer dieser Hurensöhne mit dem Gedanken folgen können, ihm den Bauch aufzuschlitzen und die Goldstücke herauszuholen. Hurensöhne gibt's genug, mein Herr, und Armut macht ungläubig. Mein Sohn sah schließlich keine andere Möglichkeit, als ins Krankenhaus zu gehen und sich den Ärzten vorzustellen.

Die sagten sofort, daß operiert werden müßte, sonst bestände Lebensgefahr. Ich gehorchte ihnen, und so ging er – Wärme meines Herzens – auf seinen zwei Beinen in den Operationssaal. Ging hinein wie ein Pferd, gesund, kräftig, groß. Und schon nach zwei Stunden brachten sie ihn mir: tot!

Mein Kopf war leer, alles Denken war weg. Ich bin eine Mutter, mein Herr! Da sah ich also meinen Einzigen als Leichnam. Ich vergaß, nach den Goldstücken zu fragen. Erst drei Tage später, als ich die Kinder vor Hunger weinen sah, stand ich auf und ging noch einmal in das Krankenhaus. Ich verlangte dort mein Geld. Sie gaben es mir. Aber es waren zwanzig Franken und nur zehn Lira. Sie sagten zu mir: ›Das ist alles, was wir im Bauch deines Sohnes gefunden haben.‹

Aber ich schwöre Ihnen, Herr Richter, es waren zehn Franken und zwanzig Goldstücke gewesen. Mein Sohn hatte beide Seiten jeder Münze geprüft, ehe er sie mir eine nach der anderen gab und ich sie in den Beutel steckte. Als wir dann im Wagen saßen, hat er sie wirklich alle verschluckt.

Nun frage ich Sie also, Herr Richter: Wie können sich im Bauch meines Sohnes Goldstücke in Silberstücke verwandeln? Ich bin dumm, Herr Richter, und kann es mir nicht erklären. Obendrein arm, außer den Waisen habe ich nichts mehr.

Und noch eins muß ich Ihnen sagen: »Mein Sohn war gerade eine Woche tot, da legte sich seine Frau nieder. Sie bekam Zwillinge. Jetzt sind wir zehn.«

Meine Zukunft ist vernichtet. Die Frösche haben sie vernichtet.

Es ist nicht einfach, dir zu erklären, wie jene kleinen, armseligen Geschöpfe dies zustande gebracht haben. Die Schwierigkeit besteht darin, daß ich von Leuten abstamme, die gewohnt sind, daß seltsame Geister in ihr Schicksal eingreifen. Einige meiner Vorväter kamen durch das Bündnis mit einem Dschinn zu Glück und Erfolg, andere fanden im Kampf mit ihnen den Tod. Bei einigen von ihnen aber ging es so weit, daß sie Rahmaniyyat, das sind die weiblichen gläubigen Dschinn, heirateten. Es liegt also nicht fern, daß in meinen Adern Tropfen dämonischen Blutes sind. Das rechtfertigt auch die Beinamen, die meine liebreiche Mutter mir zu geben pflegte, wenn sie über mich erzürnt war. Einer meiner Vorfahren, Mulham as-Sayib mit Namen, angesehenster Mann des Dorfes und, durch die Güte eines jener Geister, reichster Mann seiner Sippe, erwachte eines Morgens, nachdem er eine Nacht im Bett einer Frau verbracht hatte, von der er glaubte, daß sie sein Eheweib sei; doch siehe, es war ein Dschinnen-Mädchen! Sein Enkel Iyas – das war mein Großvater – verlor den Verstand bei einem anderen Vorfall, als er nämlich die Nacht im Bett einer Frau verbrachte, von der er glaubte, sie sei eine Dschinnen-Braut. Als es aber Morgen wurde, fand er, daß es sein Eheweib war! Diese meine Großmutter lebte lange; ich habe sie noch gekannt. Deshalb beklagte ich meinen armen Großvater und verstand, warum er verrückt geworden war.

So ist es also nicht verwunderlich, daß seltsame Geister auch meinen Weg kreuzten und den Lauf meines Lebens in andere Bahnen lenkten. Habe ich doch bei meinen Vorfahren Beispiele genug. Aber das Merkwürdige ist, daß sich mir der elendeste und niedrigste dieser Geister in den Weg stellte. Die Verachtung, die mein Ansehen in der Sippe schmälerte, bildete sich, als der Begabteste in ihr erkannte, daß ich, enttäuscht vom Leben, meine Pläne

aufgeben mußte, weil die Frösche mir den Weg versperr-
ten! Meine Freunde hatten ein Mittel gefunden, mich davon zu heilen. Sie hatten begonnen, sich über mich lustig
zu machen und mir zu erklären, daß die Geister sich an
mir gerächt hätten, weil ich über ihre Geistergeschichten
gespottet und ihren ererbten Glauben an die Geister erschüttert hatte. Gedanken sind ansteckend wie Krankheiten. Nach meinem großen Scheitern in der Wissenschaft,
oder dem großen Scheitern der Wissenschaft an mir, bemerkte ich, wie ich mich Stück für Stück ihren Gedanken
zuneigte, und ich wartete in meiner Abgeschlossenheit
auf den Tag, da mich einer der Engel des Barmherzigen
oder einer der Dämonen Salomons besuchen würde.

Ich will meine Geschichte erzählen, so wie sie sich zu-
getragen hat, was auch immer an Merkwürdigem in ihr
sein mag. Nachdem ich meine vorbereitenden Studien
abgeschlossen hatte, entschied ich mich, Medizin zu studieren; nicht, um der Menschheit zu dienen oder um die
Schmerzen der menschlichen Gesellschaft zu lindern, wie
ein Idealist meinen würde, sondern allein deshalb, weil
ich dadurch so lange wie möglich meinem kleinen Dorf
und seinem eintönigen Leben fernbleiben könnte. Meine
Familie, die aus mir einen Beamten hatte machen wollen,
billigte meinen Entschluß. Aber sie verbreitete unter den
Leuten, daß ich weit weggehen werde, um mit dem Rang
eines »Tahsildar«, das ist Steuererheber, zurückzukehren.
Denn für unsere Bauern besaß der Steuereinnehmer höheren Rang und mehr Macht, den Leuten zu schaden, als
der Doktor, dessen Macht nicht darüber hinausgeht, die
Kranken mit dem Eisen zu brennen und sie mit Salz und
Öl einzureiben. Besser als beides wäre es ihrer Meinung
nach, wenn ich Gendarm würde, so daß ich die Leute am
Schnurrbart zupfen und dafür noch eine Gebühr kassie-
ren könnte. So kam ich in die Medizinische Fakultät und
lernte den Weg zum zoologischen Präpariersaal kennen.

Du weißt vielleicht nicht, daß der Mediziner sich im
Töten von Tieren üben muß, ehe er seine Kunst an Men-
schenkinder erprobt? Wenn du das noch nicht gewußt
hast, so nimm hiermit Kenntnis davon! Diese Übung findet in der Medizinischen Fakultät, in die ich eintrat, in
einem dunklen Saal statt, den man zoologischen Präpa-

riersaal nennt. Als ich ihn zum allererstenmal betrat, befiel mich Scheu. Denn er glich nur zu sehr einem Raum, in dem man Geister herbeibeschwört: er war geräumig, langgestreckt, in der Mitte ein ebensolcher Tisch. An seinen Wänden befanden sich verkleinerte Knochenskelette prähistorischer Tiere, gläserne Gefäße mit einbalsamierten Schlangen und bunte Bilder einzelner Teile des Tierkörpers. Der Saal war finster, es erleuchtete ihn eine Lampe, die kaum etwas von seiner Dunkelheit vertrieben hätte, wenn ihr Licht nicht von der leuchtenden Glatze des Professor Safar reflektiert worden wäre, und so sich Licht gegen Licht vermehrt hätte. Der Professor Safar bewegte seine Hand wie ein Hypnotiseur und artikulierte das Arabisch so, als ob er syrische* Wörter spräche, und die Studenten glitten vom Licht des Tages in die Dunkelheit des Saales, als wären sie die herbeibeschworenen Geistergestalten. An der Tür sah ich ein Skelett, von dem ich glaubte, es sei das Modell irgendeines ausgestorbenen oder sagenhaften Tieres. Ich berührte es mit der Hand, und siehe, es schüttelte sich und behauptete, es sei der Famulus des Präpariersaales und ein Mensch aus Fleisch und Blut.

Es war tatsächlich der Famulus des Präpariersaals; er hieß Abu Yasin, eine lange, abgezehrte Gestalt. Er beugte sich beim Gehen nach vorn, indem er die Arme herabhängen ließ, als ob er die Gewohnheit, auf allen vieren zu laufen, noch nicht vergessen hätte. Er hatte boshafte Augen, ein teuflisches Lächeln und einen dünnen Schnurrbart, der wie die beiden Hörner des Teufels über seine untere Gesichtshälfte herunterhing. Er streckte seine Hand nach seinem Behälter aus, genau gesagt, seine Zange in die Kiste, und nahm allerlei Arten von Tieren heraus. Der Professor Safar verlangte von uns, daß wir ihm aus diesen Tieren herausholten, was der Kurde in den Geschichten von Tausendundeiner Nacht aus seinem Sack hervorbringt. So wollte er, daß wir in einem Skorpion acht Testikel-Paare fänden, daß wir nach den Därmen eines kaum fingerlangen Fisches suchten oder daß wir das Nervensystem kleiner Süßwasserkrebse entdeck-

* d.h. die alt-syrische Kirchensprache.

ten, gleichsam als hoffe er, daß wir das Gehirn Newtons im Kopf dieses unglücklichen Tieres fänden. Wir gehorchten seinem Befehl, fielen über diese Tiere her, schlugen und stachen mit Seziermesser und Nadel, als wären es Schwert und Spieß, metzelten und verstümmelten, als hätten sie den Vater eines von uns getötet oder uns die Freitagsruhe geraubt; oder als hätten sie gewagt, dem Professor Safar ins Gesicht zu niesen. Denn im Angesicht des Dr. Safar, unseres Professors, zu niesen, das, mein Freund, war ein gräßliches Verbrechen, dessen Strafe ein scharfer Tadel war, verbunden mit einer ausführlichen Darlegung der neuesten wissenschaftlichen Theorien über die Ausbreitung der Bazillen durch das Niesen und die Geschwindigkeit, mit der sie die Professoren und Studenten der Medizin befallen. Wie beobachteten den Kollegen, der sich zum Niesen anschickte, mit einer Aufmerksamkeit, mit der man ein Bombe beobachtet, die im Begriff steht zu explodieren. Wir verstopften ihm seine Öffnungen und brachten ihn weit weg. Um das Gemüt des Professors zu beruhigen, waren wir bisweilen gezwungen, unseren Kommilitonen in einen Eimer Wasser zu tauchen oder ihn in einem Berg Sand zu vergraben. Dies war für Dr. Safar ein Anlaß zu Vorträgen und Belehrungen, für die Studenten war es ein Grund zur Belustigung und eine Quelle für Erzählungen, für die Verkäufer von Niespulver und dergleichen aber ein Born des Segens und Gewinns.

Ich muß nun den zoologischen Präpariersaal mit seinem Famulus und seinem Professor lassen, um dir die Geschichte von Anfang an zu erzählen. Im Anfang war ein Festessen oder eine Einladung bei meiner Zimmerwirtin, bei der ich nach Art der Studenten wohnte. Meine Wirtin hatte mir versprochen, mir bei dieser Einladung eine Art von Essen vorzusetzen, das ich vorher nie gekostet hätte, ich, der ich aus fernem Land gekommen war, sehr fern für die Begriffe meiner Hausherrin mit ihrem schwerfälligen Leib und Verstand. Es fand also statt, und ich verschlang jenes Gericht so gierig, daß keine Spur mehr auf dem Teller blieb, mehr, weil ich meine gastfreundliche Wirtin zufriedenstellen wollte, als weil das Gericht mir mundete. Es sah aber normal aus und schmeckte angenehm; ich dachte, es wäre Fleisch von fetten Vögelchen, deren zarte Schlegel eine feine gelbe Fettschicht einhüllte und deren weiche Knochen sich zwischen den Zähnen lautlos und ohne daß man ein Knacken hörte, zermahlen ließen. Ach, hätte doch die freigebige Wirtin als versiegeltes Geheimnis behalten, welche Bewandtnis es mit dieser Einladung hatte! Denn viele unangenehme Wahrheiten besitzen Zauber und Reiz, solange Dunkelheit sie umgibt. Ziehst du aber den Schleier von ihrem Gesicht, dann siehst du, wie gräßlich sie sind. So war es auch mit jenem Gericht. Als ich es pries und meiner Wirtin meinen Gefallen daran zeigte, wollte sie – Gott verzeihe ihr oder tue mit ihr, was er will – mein Erschrecken erregen und mein Staunen mehren. Sie erklärte mir in aller Ruhe: »Was du gegessen hast, war nicht Fisch und auch kein Vogelschlegel, sondern Froschschenkel!«

Hast du schon einmal von einem Fluß namens Balikh gehört? Natürlich nicht... Wenn der Lauf diese Flusses im Sommer sich verlangsamt und seine Wasser abnehmen, so daß sie nicht mehr zu seiner Mündung in den großen Strom gelangen können, hinterläßt dieser Fluß, ich meine den Balich, in den Windungen seines Laufes fauligen Schlamm, und zu seinen Seiten bleiben Lachen von stagnierendem Wasser von einem trüben Blau oder Grün. Auf der Oberfläche treiben schmutzige Blasen, mittenheraus ragen Klumpen Morast, vermengt mit dem Bodensatz des Flusses, von der Strömung angeschwemmte Überbleibsel der Nomaden, die ihn überquerten oder an seinen Ufern Rast machten. Von diesen Lachen erheben sich nachts Schwärme von Moskitos, die sich in der stagnierenden Luft bewegen, begleitet von dem Quaken dieser verhaßten Geschöpfe, der Frösche. Die Frösche bildeten für mich das häßlichste aller Sedimente, die sich seit der Kindheit in meiner Seele abgelagert haben, angefangen von den gefleckten Schlangen, die sich in der roten Mittagshitze zusammenrollten, um sich in den Spalten an den Ufern des Balikh zu verstecken, bis zu den Lachen brackigen Wassers mit seinem ganzen Dreck. Ich komme plötzlich zu mir! Mein Bauch ist gefüllt mit dem Fleisch jener widerlichen Tiere! Es war also nur natürlich, daß mein Inneres ausspie, womit es angefüllt war, und daß ich den Rest des Tages im Bett verbrachte. So oft ich mir in Erinnerung rief, daß meine Leute mich dringend gewarnt hatten, einen Frosch anzurühren, weil dies die häßlichen Warzen an den Fingerspitzen und Handrücken wachsen läßt – so oft ich mich dessen erinnerte, brauste mein Inneres auf, tobte mein Magen, und über die Frösche und ihresgleichen unter den Tieren ergoß sich der Strom von Schmähungen, die mit den Resten des Essens aus meinem Munde brachen.

So kam ich am Morgen des folgenden Tages in den zoologischen Präpariersaal, an meinem Gaumen noch der widerliche Geschmack der Froschschenkel, auf meiner Zunge Verwünschungen. Ich setzte mich auf meinen erhöhten Sitz vor dem Seziergestell und betrachtete in einfältiger Ruhe das gläserne Bassin mit dem Korkboden, das vor mir stand. Vor allen meinen Kameraden stand ein solches Bassin, dafür bestimmt, den Blutegel, den Fisch oder die Schnecke aufzunehmen, über die das unglückliche Geschick verhängt war, an jenem Morgen zerstückelt zu werden, damit die Wissenschaft um neue bedeutende Männer reicher würde. Dann hob ich meinen Kopf und schaute zu den langhalsigen Flaschen hin, die einbalsamierte Schlangen und Skorpione enthielten, und auf die Bilder des Dinosaurus und des Mammut, die an den Wänden aufgehängt waren, in der Erwartung der Zange des Abu Yasin und dessen, was sie trug. Während ich zerstreut meinen Blick zwischen der Glatze des Professor Safar und dem versteinerten Ei eines ausgestorbenen Tieres wandern ließ, indem ich beide verglich, bemerkte ich den Geruch des Abu Yasin. Dies war ein besonderer Geruch, gemischt aus Formol, Spiritus und Stoffen, die die Laboratorien der Chemie unmöglich herzustellen vermochten, sondern den Poren der Haut Abu Yasins entströmten. Ich wandte mich ihm zu, indem ich fragte, was er mir heute zum Präparieren zugedacht hätte. Da deutete er mit seiner Zange auf mein Glasbassin, indem er sagte: »Ich hab ihn vor dich hingesetzt, schau!« Da schaute ich hin, und siehe, vor mir lag auf dem Rücken, Schenkel und Füße in die Höhe, ein Frosch, ein fetter Frosch!

Der Bauch des Frosches war mir zugewandt; er war blendend weiß. Die Weiße erstreckte sich bis zur Innenseite seiner Schenkel und bis zum Ansatz seines pyramidenförmigen Kopfes. Sein Maul war geöffnet in einer Mischung von Bösartigkeit und Dummheit, als ob er die Flüche erwidere, die ich seit dem Mittag des vorhergehenden Tages bis zu dieser Minute gegen das Geschlecht der Frösche gerichtet hatte. Während ich auf jene tote weiße Farbe schaute, bemächtigte sich meiner ein Widerwille und ein Ekel, so daß ich meinen Magen in meinen Mund kommen fühlte. Ich streckte langsam meine Hand aus, weil ich Furcht empfand, daß sich meine Finger mit Warzen bedecken würden, sobald sie die gefleckte Froschhaut berührten. Ich spürte, daß ich in tiefster Seele wünschte, fliehen zu können. Aber ein Blick um mich her auf meine Kameraden, die alle eifrig mit ihrem Frosch beschäftigt waren, fesselte meine Füße an den Boden, aus Furcht, sie würden mich verspotten und auslachen. Sollte ich vor einem Frosch fliehen? Schließlich wagte ich es, und mit einer schnellen Bewegung packte ich den dünnen Unterschenkel des Frosches mit Zeigefinger und Daumen, so, als fasse ich glühende Kohle an. Was danach geschah, war merkwürdig. Zunächst glaubte ich, es sei bloß Einbildung, eine Ausdehnung des Ekelgefühls, das ich verspürt hatte, bevor ich den Frosch mit meinen Fingern berührte. Aber meine Augen sahen, und meine Finger fühlten, und die nachfolgenden Ereignisse bezeugten, daß der Vorfall tatsächlich geschehen und keine Einbildung war. Ich spürte, nein, ich sah mit meinen Augen, daß die beiden Finger, mit denen ich die Seite des Frosches betastet hatte, anschwollen, schnell anschwollen, als ob sie in einem Augenblick zu zwei große Warzen geworden wären, und ich fühlte, daß die Haut um sie herum nahe daran war zu bersten. Ich schloß meine Augen, um diese Einbildung zu vertreiben, die sich meiner bemächtigt hatte, und als ich sie öffnete, fand ich, daß sich die Geschwulst bereits über alle Finger und schon über die Handfläche ausgedehnt hatte. Ich hob meinen Kopf von dem Glasteller und spürte, daß er, nämlich mein Kopf, sich schnell drehte, und auch die Dinge um ihn herum sich drehten. Es kam mir vor, als wären die einbalsamierten Schlangen aus ihren Flaschen gesprungen und würden an den Wänden herumkriechen, als hätte sich in die Bilder an der Wand Leben eingeschlichen, als kämpften nun Dinosaurus und Mammut miteinander auf dem Tisch, der sich in einen dichten Dschungel verwandelt hatte. Ich schaute zu den Fröschen, die auf den Tellern meiner Kameraden lagen, und sah, auch sie lebten und begannen, auf dem Geistertisch um die Wette zu hüpfen. Der Kopf des Dr. Safar schien mir zu wachsen und immer heller zu leuchten. Die Bazillen, die er fürchtete, waren auch gewachsen und zu Reptilien geworden, die auf seiner Glatze, die sich wie der Gipfel eines kahlen Berges erhob, umherkrochen. Da packte mich ein Lachen. Ich lachte, lachte und lachte ... Mein Lachen wurde erst unterbrochen durch die Schreie meiner Kameraden um mich und das Poltern der Hocker, das mir erschien wie das Rollen des Donners. Dann verlor ich das Bewußtsein.

Als ich wieder zu mir kam, befand ich mich in der Universitätsklinik, und um mein Bett standen einige meiner Kameraden und ein paar Medizinprofessoren. Ich versuchte zu reden, aber sie winkten mir, zu schweigen. Das erste, worüber ich Gewißheit haben wollte, als mir sämtliche Gedanken und die Erinnerung zurückkamen, waren meine Finger. War es Einbildung oder Wirklichkeit, daß sie einen Augenblick angeschwollen waren? Ich hob meine Hände und brachte sie nahe an meine Augen, denn ich verspürte Mühe, meine Augenlider zu heben und meinen Blick in die Ferne zu richten. Ich sah, meine Handflächen waren ganz mit einer bläulichen Farbe überzogen und ziemlich angeschwollen, als wäre ich über Nacht dick geworden. Eine Art Kruste oder Schuppen bedeckte ihre blau gewordene Haut. So war es auch an allen Gliedern, und ich fragte mich, ob ich träume. Ob das Liegen in diesem Bett, die Schwellung der ganzen Glieder meines Körpers, meine Besinnungslosigkeit, ob wohl all dies durch die Berührung mit dem Frosch kam? Ich bewegte meine Zunge, um die Reptilien, ihre Nachkommen, Vorfahren und die ganze Gattung zu verfluchen. Aber ich spürte, wie Angst, wie richtige Angst sich in meine Seele schlich und meine Zunge lähmte, so daß sie nichts davon artikulieren konnte. Ich aber zog mich in meine Haut zurück aus Furcht vor den Fröschen!

Als ich das Krankenhaus verlassen durfte, zehn Tage nach dem Tag des Frosches, war mein Leib gesund, doch meine Seele hatte einen Knacks. Sie war wie eine Vase aus kostbarem Porzellan, die einen feinen Riß bekommen hatte, der ihre Form nicht verändert, aber ihren Widerstand schwächt, so daß sie beim ersten Zusammenstoß zerbricht. Mit zunehmender Unruhe erfüllte mich das Bewußtsein, daß im zoologischen Präpariersaal ständig ein Frosch auf mich wartete. Weil nämlich Dr. Safar auf mich lauerte, um von mir das versprochene Pfund Fleisch, ich meine den sezierten Frosch, in Empfang zu nehmen. Er würde mich nicht zur Jahresabschlußprüfung zulassen, wenn ich nicht diese Sirat-Brücke* passierte. Es war ein denkwürdiger Tag, als ich in den zoologischen Präpariersaal zurückkehrte. Für die Kameraden, die Studenten, war ich der lange, breite Dorfbursche, den ein Frosch in Furcht versetzt und besinnungslos zu Boden wirft. Für die Professoren war ich ein Versuchstier, ein Meerschweinchen. Um mich entstand ein Streit zwischen einem jungen Professor, den die europäischen Institute kürzlich ausgespuckt hatten, und den alten erfahrenen Medizinern. Sie betrachteten den Fall als eine klare Sache, bei der sich Ekel und Furcht vor etwas Ungewohntem verbanden. Für sie stand fest, daß das Geschehnis nicht wiederkehren werde und daß Ruhe und Gewöhnung an den Anblick eines Frosches eine Wiederholung dieses Vorfalls nicht zuließen. Der junge Arzt, der aus dem Okzident kam, mit stolzer Nase und aufgeblähter Arroganz, pflegte fremde lateinische Bezeichnungen zu gebrauchen und sie mit noch fremdartigeren arabischen Wörtern zu übersetzen. Er bezeichnete es mit Irritabilität, Hypersensibilität und anderen noch seltsameren, ausgefalleneren Ausdrücken. Das Feld schien ihm zu gefallen. Er begann zu philosophieren in dieser Arena, in der niemand mit ihm konkurrieren konnte. Er verglich meinen Fall mit

---

* Nach dem islamischen Volksglauben gelangen die Seelen nur über die haardünne, messerscharfe Sirât-Brücke ins Paradies. Die Seelen der Bösen stürzen von ihr ab in die Hölle.

dem Fall Artus und den Versuchen Richets, und er zitierte seinen Kollegen die Theorien einer Person namens Hoffmann und anderer, die ich nicht kenne und die mich nicht kennen. Seine Ansicht stand im Gegensatz zu der Meinung seiner älteren Kollegen: Mein Körper sei infolge jenes Essens, das mein Inneres ausgespien hatte, gegenüber der Materie Froschkörper empfindlich geworden. Alles werde sich in derselben Art wieder äußern, sobald meine Haut mit einem Frosch oder einem Reptil der gleichen Gattung in Berührung komme, oder noch schlimmer. So hatten sich nun die Professoren an jenem Morgen im zoologischen Präpariersaal um mich versammelt, um dieses seltsame Phänomen an dem neuen Versuchstier zu studieren. Merkwürdig daran war, daß niemand mich um meine Meinung nach dem Geschehenen fragte. Wäre ich gefragt worden, dann hätte ich nicht den Mut gehabt, auszusprechen, wovon ich im tiefsten Innern überzeugt war. Ich hatte das dunkle Gefühl, es sei eine persönliche Angelegenheit zwischen mir und den Fröschen, die sich an mir rächen wollten, alles, was mir zugestoßen war, sei von ihnen gewollt, weder ein Zufall, wie die Alten sagten, noch Irritabilität, wie der junge Professor behauptete, wenn ich auch wie dieser letztere überzeugt war, daß die Frösche es mir nicht erlauben würden, sie anzurühren oder ihre Haut mit einem Skalpell zu verletzen, und daß das Geschehene sich wiederholen würde, wenn ich dies versuchte.

So geschah es. Es war ein Zusammenstoß, der fast mein Leben vernichtet hätte, wenn mir nicht sofort ärztliche Hilfe zuteil geworden wäre. Der junge Arzt reckte seinen Kopf in die Höhe, stolz, daß er es gewußt hatte, und wurde noch selbstsicherer. Ich aber war davon überzeugt, als ich aus meiner Bewußtlosigkeit erwachte und seine komplizierten Kommentare und die Bemerkungen des Dr. Safar darüber hörte, daß das Tor des zoologischen Präpariersaals endgültig für mich verschlossen war. Die Frösche – Dr. Safar hinter ihnen – hatten mir aufgelauert, während der junge Professor, der einen neuen Ruhm auf Kosten meines Unglücks aufbaute, dabei half. Er versicherte, daß die Eiweißmoleküle meines Körpers ihrer Zusammensetzung nach unmöglich mit den Eiweißmolekülen des Froschkörpers harmonieren könnten, und daß die bloße Berührung zwischen diesem und jenem zu einer Ablagerung in den Körpersäften führte, zu einer Erschütterung in den Kolloiden des Blutes, zu einer Verdickung in der Zellmaterie und so fort. Dies alles hatte einen klaren Sinn: Ich werde von nun an keinen Frosch mehr berühren können, und Dr. Safar hatte eine goldene Gelegenheit gefunden, sich an mir zu rächen für die Niesanfälle, die ich ihm verursacht hatte, als ich ihm Niespulver zwischen die Blätter seines Notizbuches streute, aus dem er seine Vorlesungen vorzutragen pflegte, und für die Überfälle der Bettler, die ich gegen ihn aufhetzte, seine Hände zu küssen, um Millionen von Bazillen zu verbreiten, Millionen von Bazillen, die ihm im Traum erschienen, so daß er schlaflos wurde. Denn er wird mir nicht erlauben, in den zoologischen Präpariersaal zurückzukehren, solange ich keinen Frosch anfassen kann. Dadurch werde ich das erste Jahr der Medizin nicht absolvieren können. Ich hatte keine Möglichkeit mehr, diese Wissenschaft zu studieren, für die ich mich vorbereitet und auf die ich meine Zukunft gebaut hatte. Meine Zukunft war zerbrochen und vernichtet.

So kehrte ich in mein Dorf zurück und hörte mir die Geschichten meiner Vorväter an, die die Geister glücklich oder unglücklich gemacht hatten. In jeder Lage aber, als Freunde oder Feinde, hatten sie als Partner Könige der Dschinn oder deren Söhne. Aber ich konnte, wie meine Freunde im Dorf und meine Vettern sagten, nicht einmal dem schwächsten der Geister trotzen. Bei den einzelnen Mitgliedern der Sippe gereichte es mir zur Schande und Verachtung, daß meine Zukunft von Fröschen vernichtet worden war.

Es war einmal vor langer Zeit eine kleine Stadt, erbaut inmitten weiter, grüner Felder, die ein Fluß üppig mit Wasser versorgte. Ihre Einwohner trugen alle ein dickes Stück Papier in der Tasche, auf dem ein Name geschrieben stand.

Die Bevölkerung bestand aus Reichen und Armen. Die Reichen waren wohlerzogen und liebenswürdig. Sie hatten maskenhafte Gesichter und glänzende Schuhe, verstanden sich aufs Tanzen und auf gepflegte Unterhaltung und beherrschten es, sich elegant zu verbeugen und Damenhände zu küssen. Die Kinder riefen die Mütter überaus zärtlich: »Mama!«

Die Armen lachten laut und derb, wenn sie sich über etwas freuten, sie spuckten oft auf den Boden und glaubten, gern gesehene Gäste zu sein. Sie riefen ihre Mütter mit grober, gedehnter Stimme: »Mutter!«

Reiche und Arme bezeugten den Toten tiefe Ehrerbietung. Zog ein Leichenzug vorbei, so hielten die Passanten im Gehen inne. Trauer und Furcht lagen in ihren Augen, und einige von ihnen beteiligten sich daran, die Bahre des unbekannten Toten ein rechtes Stück Weg zu tragen.

Im Augenblick, da sie den Mund aufmachten, um den ersten Bissen zu verzehren, sprachen alle ein demütiges: »Im Namen Gottes, des barmherzigen Erbarmers.« Gegen Ende des Essens murmelten sie: »Gott, der Herr der Welten, sei gelobt!«

Wenn irgendein Mädchen in der Stadt einen Fehltritt begangen hatte, wurde ihr ohne Zögern mit einem langen Messer der Hals durchgeschnitten.

Die Arbeiter arbeiteten acht Stunden am Tag. Die Verliebten trafen sich heimlich im Dunkeln der Kinos, und dort umfaßten sich ihre Hände leidenschaftlich.

Ehrfurchtgebietende Ärzte erteilten unermüdlich Ratschläge: »Kaut das Essen gut ... geht früh schlafen ... meidet Zigaretten und alkoholische Getränke!«

Die älteren Männer schüttelten bekümmert und traurig

den Kopf und murmelten dabei: »Die Unmoral hat sich ausgebreitet ... die Frau zieht Hosen an ... der Sohn respektiert den Vater nicht mehr ... das sind die Vorboten für das Ende der Welt.«

Freunde sagten: »Guten Morgen«, wenn sie sich zu Beginn des Tages trafen.

Obwohl sie klein war, schien auf jene Stadt eine Sonne, die zu einer bestimmten Zeit auf- und ebenso zu einer bestimmten Zeit unterging. Ihre Nächte waren mit Sternen in großer Zahl verziert, die verblaßten, sobald der weiße Mond aufging.

Es gab einen Mann irgendeines Namens, der in dieser Stadt lebte. Sein Gesicht bestand aus einem knochigen Schädel, an dem bleiche, trockene Haut klebte. Er wünschte sich nichts sehnlicher als eine Blume, ein Sperling oder eine reiselustige Wolke zu sein. Obwohl er wußte, daß er nie eine Blume, ein Sperling oder eine reiselustige Wolke sein würde, konnte der Kummer ihn nicht besiegen. Aber er war es leid, allein in einem stillen, öden Haus zu leben. So entschloß er sich in einem aschgrauen Augenblick, eine Frau zu kaufen, eine Frau, die ihm Gesellschaft leisten und mit ihrer Stimme den Rost tilgen sollte, der seinen Tagen anhaftete. Der Mann begab sich zum Sklavinnenmarkt und wählte eine Frau mit großen Augen aus, in deren Tiefe Trauer und ein geheimnisvoller Zauber schluchzten. Der Mann bezahlte, was für sie verlangt wurde, und dachte dabei: Vielleicht kann sie den weinenden Igel in meinem Blut töten.

Er sprach kein Wort zu der Frau, während sie die Straße entlang gingen, aber als sie zu Hause ankamen, fragte er sie: »Wie heißt du?«

Die Frau antwortete leise, ihre zarte Stimme zitterte ein wenig: »Ich heiße Nada.«

Der Mann saß jetzt nahe bei der Frau, auf seinen Knien die derben Hände, die zitterten und in deren Adern wild das Blut brauste. Er wünschte sich, die Frau läge in diesem Augenblick nackt an einem Sandstrand, einem blauen Meer zugewandt, das ihre Brüste mit seinem warmen, salzigen Wasser benetzte. »Aus welchem Land kommst du?« fragte er unruhig.

»Aus keinem Land.«

Er betrachtete sie eine Zeitlang, dann sagte er: »Du bist schön.«

Ihr Mund war ein kleines, geheimnisvolles, scharlachrotes Tier. In den Augen des Mannes erschien er als der einzige Mund. Seine Finger verkrampften sich. Ein heftiges Beben durchfuhr sie, während er langsam sagte: »Auch dein Name ist schön.«

»Mein wirklicher Name ist Scheherezade«, erwiderte sie mit einem geheimnisvollen Lächeln.

»Du bist Scheherezade?« rief der Mann verwundert.

»Ich bin Scheherezade«, sagte sie. »Nicht mich hat der Tod hingerafft, Schahriyar starb.«

»Schahrijar ist nicht gestorben«, antwortete der Mann, »er lebt noch.«

»Ach, mein Gebieter.«

»Mein Königreich wurde zerstört, Scheherezade.«

»Wir wurden voneinander getrennt.«

»Wir irrten über die weite Erde.«

»Ich habe überall nach dir gesucht.«

»Der Hunger ließ mich weinen.«

»Ich wurde in ein Zimmer mit verschlossenen Türen gesperrt.«

»Ich wurde ein Bettler.«

»Ich ging durch die Straßen, in ein schwarzes Tuch gehüllt.«

»Ich habe mit den Fingernägeln in der Erde gegraben.«

»Ich habe als Frau allein in Städten gelebt, die nur von Männern bewohnt waren.«

»Man hat mir ins Gesicht gespuckt.«

»Männer, die Gold besaßen, haben mich gekauft.«

»Ich bin ein armer Mann. Warum hast du mich verlassen, o mein Gott?«

»Ach, wie haben wir gelitten.«

»Ja, wie haben wir gelitten.«

Sie umarmten sich stürmisch und weinten lange. »Ich liebe dich«, flüsterte er mit bebender Stimme, »ich liebe dich.«

Sie blickte ihn mit tränennassen Augen an, aus deren Tiefe ein Verlangen schrie. Klauen, denen er nicht entrinnen konnte, streckten sich nach seinem Fleisch aus. Er umarmte gierig ihren Körper, doch kaum hatte sein

Mund den ihren berührt, als von der Straße Geschrei an sein Ohr drang: »Der Feind hat angegriffen ... tötet sie ... tötet sie ... auf in den Krieg.«

Trommelschlag erklang in würdevollem, zornigem Rhythmus, dem der Mann sich nicht zu entziehen vermochte. Schroff stieß er ihren Körper von sich. »Verlaß mich nicht ... geh nicht in den Kampf«, flehte sie, »bleib bei mir!«

»Schweig!« antwortete er, »die Straßen der Stadt ... meine Mutter ruft mich.«

Er griff nach seinem Schwert, das an der Wand hing, und ging hinab auf die Straße, wo die Männer im Abenddunkel miteinander kämpften.

Der Mann stürzte sich ins Schlachtgetümmel und richtete sein Schwert auf jede Brust, die ihm entgegentrat. Er freute sich jedesmal, wenn die lange, stählerne Klinge hineinglitt und das weiche Fleisch bösartig und wild durchbohrte.

Als die Schlacht zu Ende war, hielt der Mann inne. Sein Körper war in Schweiß und Blut gebadet. Ein furchtbares Entsetzen befiel ihn, als ihm klar wurde, daß er der einzige Überlebende war. Die anderen Männer lagen tot auf der asphaltierten Straße verstreut, Haufen von zerfetztem Fleisch. Er warf sich auf den blutigen Boden und fing bitterlich an zu weinen, während die Flammen die Häuser der Stadt und die Gefallenen verzehrten.

Als die Flammen näherkamen, hörte der Mann auf zu weinen und flüchtete hinaus auf die weiten Felder. Dort sah er, daß die Stadt sich bereits in einen gewaltigen, leuchtend roten Feuerball verwandelt hatte, inmitten der schwarzen Nacht. Erschöpft sank er ins Gras und fiel in tiefen Schlaf. Erst als die Sonne eines neuen Tages aufging, erwachte er wieder.

Im ganzen Umkreis herrschte Stille, die Stadt war ein großer schwarzer Trümmerhaufen, von dem Rauch aufstieg.

Der Mann vernahm leises Weinen. Er ließ forschend den Blick über seine Umgebung wandern, bis dieser auf einem blühenden jungen Mädchen haften blieb, das im Gras lag. Er kam näher und fragte: »Warum weinst du?«

»Die Stadt ist niedergebrannt. Alle sind tot.«

»Es hat wirklich niemand überlebt?«

Das Mädchen antwortete nicht, sondern fing wieder an zu weinen. Er fragte sie ein zweites Mal: »Warum weinst du?«

»Ich bin hungrig«, sagte sie, während sie ihr Gesicht in den Händen verbarg. Der Mann ließ sie allein und ging, etwas Eßbares zu suchen. Er freute sich, als er einen Apfelbaum fand, dessen Zweige voll reifer Früchte hingen. Er pflückte einige davon, brachte sie ihr und betrachtete sie zärtlich, während sie heißhungrig die Äpfel verzehrte.

Wieder überkam ihn die Sehnsucht, eine Blume, ein Sperling oder eine reiselustige Wolke zu sein.

Er fragte sich, ob sie wohl Scheherezade heiße. Das Mädchen wischte sich das Gesicht mit dem Zipfel des Kleides ab und schaute den Mann in tiefer Dankbarkeit an.

Sie hatte ein sanftes Gesicht. Der Mann erinnerte sich an die Tage seiner Kindheit und sagte traurig: »Also ist außer uns niemand am Leben geblieben?«

Sie blieb stumm, doch ihre Lippen öffneten sich leicht. Der Mann sah eine rote Rose, pflückte sie und überreichte sie dem Mädchen; er war verlegen. Sie nahm sie mit einem schüchternen Lächeln, das ihn mit neuer Freude erfüllte, deren schönste Melodien in seinen Adern widerhallten.

Der Mann half dem Mädchen aufzustehen. Gemeinsam gingen sie mit langsamen Schritten auf die tote, schwarze Stadt zu.

Plötzlich hörten sie einen Sperling zwitschern. Sie blieben stehen, und ihre Augen begegneten sich in einem langen Blick. Der Mann glaubte das Geschrei von Kindern zu hören, das sich mit einem fernen Klagen vermischte.

Sie setzten ihren Weg fort, ihre Hände hatten sich in Liebe und Zuneigung umfaßt.

Und vor ihr stand die Sonne, jung und strahlend.

»Und Mohammed Mresched, was ist aus dem geworden?«

»Der ist in der Hauptstadt.«

»Und Suweleh Abu Suweleh?«

»In der Hauptstadt.«

»In der Hauptstadt, in der Hauptstadt! Sind denn alle in der Hauptstadt? Was machen sie da?«

»Im Staatsapparat.«

»Und Darwisch Zuhair? Ist er auch in der Hauptstadt?«

»Nein. Der ist in Tartus, im Hafen.«

»Na prima! Wenigstens einer! Als was arbeitet er?«

»Im Staatsapparat. Komisch, daß du dich darüber wunderst. Als ob du nicht Bescheid wüßtest.«

Aus der staubigen Gasse bricht eine Horde Kinder unterschiedlichen Alters hervor und rennt in Richtung Hauptstraße. Sie laufen, ohne ein Wort dabei zu reden. In den Händen halten sie belaubte Zweige und solche ohne Blätter. Buntes Papier ist darum gewickelt. An den Enden sind weiße, grüne und rote Flaggen befestigt. Sie schreien, aber ohne Worte, und wirbeln den Straßenstaub auf. Danach sind sie verschwunden.

»Wie spät ist es jetzt?«

»Sieben nach sechs.«

»Bleiben noch fünfunddreißig Minuten. Dann kommt sie.«

»Leeres Gerede. Prinzen und Prinzessinnen scheren sich nicht um Termine.«

»Nein, sie ist von einer anderen Sorte, die kennst du nicht.«

»Sie mögen verschieden sein, aber sie unterscheiden sich nicht.«

»Und ob. In der Hauptstadt hat sie Hunderten von Leuten Termine gegeben. Jeder, der pünktlich zu seiner bestimmten Zeit kam, kriegte etwas. Wer sich verspätete, hatte eben Pech.«

Der Kellner kommt und stellt die beiden Kaffeetassen auf sein Tablett. Er kassiert und geht wieder. Sie stehen auf. Der eine, ein Mann an die Vierzig mit hartem Gesichtsausdruck, greift nach einer Krücke auf dem Nachbarstuhl und klemmt sie unter die Achsel. Er schiebt sich hinter dem Tisch vor und stemmt sich, auf die Krücke neben dem Beinstumpf gestützt, in die Höhe.

Sie gehen am Straßenrand entlang, der als Bürgersteig gedacht ist. Der Einbeinige ärgert sich flüchtig, als er die Löcher, Erdhaufen und Abfallberge sieht. Bei der nächsten Gasse, auf die er stößt, biegt er nach oben ab. Sein Gefährte folgt ihm.

Auch in dieser Gasse breiten sich Löcher, Viehmist, Erdhaufen und Abfallberge vor ihnen aus. Aber hier betrachten sie einzig und allein die Häuser und die Bäume. Eine widersprüchliche Mischung aus Lehm und Holz, Stein und Zement und Lumpenhaufen ist das. Häuser für Menschen, Wanzen, Tiere. Andere wieder für Menschen, Springbrunnen und Jasmin. Wacklige oder noch unfertige Läden. Lehm- und Strohhügel, die einmal Häuser gewesen sind.

Hier und da springen Kinder jeden Alters aus den Häusern heraus. Sie stürzen, rennen, stürmen vorwärts. Aber ohne Worte. Einer stolpert, er hatte seine Schuhe nicht richtig angezogen, bevor er herausgerannt kam. Ein anderer schreit nur: »Nicht so schnell! Warte auf mich!«

»Diese Ruine, siehst du sie? Hier ist Saadi geboren, beziehungsweise die Prinzessin, wie sie jetzt genannt wird.«

»Saadi? Sie heißt doch Su'ad!«

»Su'ad hieß sie. Sie war das elfte Kind einer alten Mutter und eines ständig betrunkenen Vaters. Die Mutter war fix und fertig. Elf Kinder, und dreimal soviel chronische Krankheiten. An erster Stelle Magersucht infolge von Hunger. Hunger, wie du ihn nicht kennst. So schlimm, daß man gezwungen ist, Melonenschalen, das Weiße und das Grüne, aufzulesen. Natürlich gab es im Dorf keine Mülltonnen. Leider, denn sonst hätten sie eine sichere Quelle für eßbare Abfälle gehabt. Als Saadi im zweiten Lebensjahr war, heiratete ihr Vater noch einmal. Aber dann, nur immer her mit den Kindern! Die zweite Frau war gesund, stark, fruchtbar. Als Saadi zehn wurde, waren es zwanzig Kinder an der Zahl. Drei Schwangerschaften brachten Zwillinge. Deshalb reichten die Melonenschalen auch nicht mehr aus. Nachts schwärmten sie aus, in die Kaffeehäuser, in Gärten mit Obstbäumen, in Plantagen mit Weizen und Hülsenfrüchten. Später brachen sie in die Wohnungen ein, nahmen sich Lebensmittel und Vorräte, Kleidung und Schuhe, Hühner, Eier, Öl, Butterschmalz, Oliven, und sogar Viehfutter. So blieben sie am Leben.«

»Und die Einwohner? Was haben die gemacht?«

»Es betraf ja nicht alle Einwohner. Nur einige. Sieh dir die Straße doch mal an. Dieses Gebäude würde seine hunderttausend Lira kosten. Die Villa dort kostet auch hunderttausend. Zwischen den beiden siehst du Häuser und Läden stehen, aber die Häuser sind allesamt Lehmhütten. Und dann diese Ruine. Welches von den Häusern möchtest du denn am liebsten über seinen Bewohnern zusammenkrachen sehen, wenn du Hunger hast? Es ist doch immer dasselbe. Damals genauso wie heute. Sie stahlen in den Steinhäusern. Nicht etwa, weil sie mit irgend jemandem solidarisch gewesen wären. Außer vielleicht mit denen, die wie sie auf der untersten Stufe gelandet waren. Sie waren jedermanns Feinde. Sie brachen deshalb in Häuser ein, weil sie dort alles vorfanden, was sie brauchten. Auf jeden Fall wurden sämtliche Einwohner nach einem Jahr oder einem Jahr und zwei, drei Monaten zu ihren Feinden. Du kennst ja die Leute in den Dörfern. Das moralische Gesetz, das ihnen im Kopf herumspukt, lautet: Es kommt nicht darauf an, wen du beklaust, wichtig ist, daß du geklaut hast. Deshalb wandten sich alle gegen sie. Die Einstellung wandelt sich vom heimlichen, genüßlichen Klatsch darüber, was sie wieder einmal angestellt hatten, zu einer allgemeinen Verurteilung. Dann begann die Vertreibung. Diese Dinge geschahen einige Zeit vor deiner Geburt. Jetzt hörst du dir das an, aber den eigentlichen Sinn begreifst du nicht. Im Laufe von zwei Jahren wurde die Doppelfamilie verjagt. Von den Kindern der zweiten Ehefrau starb natürlich die Hälfte. Ein großzügiger Gnadenakt der Natur war das, der Tod. Kein Hund in der Weltgeschichte hat gehungert, wie sie hungerten. Das Kleine wurde einfach abgelegt, auf die Erde, auf eine Decke, einen Teppich, auf irgend etwas. Tagelang blieb es dort liegen, sein Fleisch schrumpfte, die Augen sanken ein, seine Zunge vertrocknete in der Kehle, seine Haut verfärbte sich wie Gelbholz, und es starb. Die anderen mußten weiter. Wenn sie nicht davongelaufen wären, hätten die Aghas sie getötet. Dazu hatten sie ihre Fellachen.«

»Wohin sind sie gegangen?«

»Fortgegangen sind sie. Keiner weiß, wohin. Sie versteckten sich, verschwanden für Jahre. Aber dann tauchten sie alle irgendwo wieder auf. Einige standen mit beiden Beinen fest auf der Erde, andere hatten sich mit gesuchten Verbrechern und Zuchthäuslern zusammengetan, und wieder andere hatten es zu Reichtum gebracht. Jedenfalls tauchten alle wieder auf, außer Saadi, der Prinzessin. Sie blieb verschwunden.«

Am Ende der Straße, wo der gewundene Weg zwischen die Hügel führt, bleiben sie stehen. Der Einbeinige nimmt die Krücke unter der Achsel weg und setzt sich auf einen Felsvorsprung. Sein Begleiter beobachtet ihn, schweigend, besorgt, die Hände bereit, ihm zu helfen. Da steigt plötzlich tosendes Geschrei auf. Ein Lastwagen knattert dröhnend, eine Staubwolke hinter sich zurücklassend, über den staubigen Weg. Sie entdecken fünf fette Hammel darauf und zehn Männer, die lange, starke Messer tragen. Die Männer lachen und zeigen dabei ihre weißen, schadhaften Zähne. Ehe sich noch der Staub verflüchtigt hat, stellen sich junge Burschen und Kinder ein, die dem Lastwagen nachrennen. Sie keuchen bei ihrem schnellen Lauf. Vor lauter Anstrengung sind sie stumm. Der Einbeinige will etwas sagen. Dann läßt er es sein. Die beiden Männer sehen ein zweites Auto kommen, es folgt dem ersten. Hinter einem Eisengitter bemerken sie Flattern und Aufruhr. Sie hören gerade noch die kurzen Angstschreie von Hähnen, da ist das Auto auch schon in der Staubwolke verschwunden.

»Das ist für die Prinzessin! Zwei Autos, erst eins, dann noch eins!«

»Für die Prinzessin? Tausend Hähne für die Prinzessin?«

»Und fünf Hammel dazu. Das wird alles vor ihr geschlachtet, sobald sie das Auto verläßt und in eine Sänfte umsteigt.«

»In eine Sänfte?!«

»In eine Sänfte. Nach Brauch und Sitte unserer herrlichen arabischen Frauen.«

»Sie verläßt das Auto, um in eine Sänfte umzusteigen?!«

»Du redest daher, als wärst du ein Orientalist. Das Auto ist zu schwer, sie können es nicht hochheben. Eine Sänfte ist leicht, den tragen sie und jubeln noch dabei.«

»Wer ist das, sie? Einwohner vom Dorf?«

»Von Dörfern. Da ist keiner, der nicht seine tausend Lira und darüber kassiert hätte.«

»Tausend und darüber! Wie viele sind denn das?«

»Wie viele? Zweitausend, dreitausend. Vielleicht noch mehr. Es heißt, daß sie drei Millionen verteilt hat. Natürlich gibt es Leute, von denen ein einziger Fünfzig- oder Hunderttausend ergattert hat, mal abgesehen von ihren eigenen Verwandten.«

»Drei Millionen! Und du?«

»Ich? Wäre ich dabei gewesen, hätte ich auch etwas abbekommen.«

»Drei Millionen!«

Er greift nach seiner Krücke und steht auf. Er klemmt sie unter die Achsel und geht den Weg entlang, den die beiden Autos genommen haben. Sein Begleiter folgt ihm zögernd. Dann holt er ihn ein.

»Wo war denn die Prinzessin untergetaucht?«

»Wir hielten uns zusammen in Beirut versteckt. Wir waren da zu dritt. Ihr Vater hatte sie nach Beirut mitgenommen. Und ich war über die Situation hier verzweifelt. Nur Armut und Terror. Ich machte mich also auf und ging nach Beirut. Sie war damals zwölf Jahre alt. In Aleppo hat man sie verkauft, und sie war geflohen. In einem Büro für Stellenvermittlung sind wir uns wieder begegnet. Ihr Vater wollte für sich eine Arbeit, irgendeine Arbeit, und für Saadi suchte er eine Familie, die sie als Dienerin nehmen würde. Ja, ich vergaß dir zu sagen, daß sie zwölf war. Saadi hatte schon ein gutes Stück auf dem Weg ihrer Verwandlung zur Frau zurückgelegt. Sie war schön, ganz erstaunlich schön. Es war die Art von Schönheit, die keine Qual und Begierde hervorruft, sondern durch ihre große Unschuld und Reinheit nur Freude und Glück bereitet.«

»Sie ist immer noch schön. Die Leute freuen sich im Grunde mehr über ihre Schönheit als über ihr Geld. Sie sind froh, daß eine Prinzessin, die so wahnsinnig schön ist, ihnen das Geld schenkt. Wäre sie häßlich, würden sie ihr Geld nehmen und sie dabei auslachen. Aber so lachen sie ihr zu, und das von ganzem Herzen, denn sie freuen sich auch über ihre gute Seele, und daß sie Millionen an sie verteilt, trotz allem, was sie ihren Verwandten, und beinahe ihr selbst, angetan haben. Da ist niemand, der behaupten könnte: Die Prinzessin hat mir nichts gegeben. Aber lassen wir das jetzt. Was geschah dann in Beirut?«

»In Beirut. Du weißt, wie es mit Mädchen wie Saadi zugeht. Der Verstand noch kindlich, schon reif der Körper. Alles steht dort bereit, so eine Mine auszubeuten. Und der Vater, also ihr Vater, der hatte sie eigentlich zu diesem Zweck mitgenommen. Sein Problem war nur, er wollte nicht, daß sie dabei ihre Unschuld einbüßte. Das war eine fixe Idee von ihm. Warum, das weiß ich auch nicht genau. Vielleicht hatte er sich in seinem tiefsten Herzen ein kleines Plätzchen bewahrt, wo er die Niedertracht nicht hineinließ. Vielleicht sah er in ihrer Jungfräulichkeit, und die war beglaubigt, so etwas wie einen Rest Ehre für seine eigene Person. Kann auch sein, er wollte sie verheiraten. Oder, na du weißt schon.«

»Was weiß ich?«

»Ich meine, verheiraten auf eine bestimmte Art und Weise.«

»Ich verstehe nicht. Prostitution? Jungfräulichkeit? Das geht aber nicht zusammen.«

»Nein, nein. Ich habe es dir doch gesagt. Prostitution mit der Jungfräulichkeit. Diese Etappe begann zwei Monate, nachdem ihr Name im Büro für Stellenvermittlung registriert worden war. Aber es gibt auch noch Büros von einer anderen Sorte, Büros für Zwischenhändler. Du bist es, der komisch ist. Du benimmst dich wie ein Orientalist. Ist es denn noch nie vorgekommen, daß ein hübsches

Mädchen aus einem Dorf verschwand, und an ihrer Stelle Reichtum auftauchte?«

Ein Trommelschlag ertönt, und noch einer. Dann werden es mehr, allgemeines Trommeln setzt ein. Klänge von Zigeunerschalmeien steigen auf und mischen sich unter das Dröhnen der Trommeln in einem Rhythmus, der ins Blut geht, der es pulsieren läßt. In wenigen Augenblicken wird die Musik aufreizend und betäubend zugleich. Die kräftigen, knallenden Schläge und das Winseln der Schalmeien erwecken bei den Zuhörern ein brennendes Verlangen, einfach loszutanzen und hemmungslos zu sein, aus sich herauszugehen, sich auszuleben. Die monotone Gleichförmigkeit dringt wie Opium in Geist und Gefühl ein und steigert die Erregung zu einer Art Schwindel.

Mit der Musik steigt gekräuselter Rauch auf und verdichtet sich zu einer schwarzen Wolke. Sie verschwindet wieder und wird von Feuerfunken abgelöst, die aus der Glut aufstieben und durch die Luft schwirren. Sie verglühen, und neue folgen. Die beiden Männer schauen auf den Platz an der Westseite des Dorfs. Sie betrachten das lodernde Feuer, die Musikanten und zweitausend Menschen.

»An wen hat er sie verkauft?«

»Das hat keiner erfahren. Heute weiß ich es. Aber damals war meine Beziehung zu den beiden gespannt. Eigentlich mehr zu ihrem Vater. In vier Jahren war Saadi eine richtige, vollkommene Frau geworden. Und sie war abgerichtet worden in diesen vier Jahren. Ich habe versucht, sie zu befreien. Ihretwegen kam ich ins Gefängnis. Ihr Vater bastelte eine falsche Anklage gegen mich zusammen, und ich wurde von der Polizei verhaftet. Ich war gescheitert. Was hätte ich auch ausrichten können? Netze, die Städte und Staat bedecken, bekämpft man nicht, dagegen kann man nichts ausrichten. Sie flüchtete zu mir, um sich in meinen Armen auszuweinen. Später kam sie und weinte nicht mehr. Sie lachte. Sie setzte sich auf einen Stuhl, und wir saßen beieinander. Sie blieb ein, zwei Stunden da sitzen, als wollte sie einen verlorenen Duft jenseits des Zimmers einatmen oder einen imaginären Vorhang, der die Wände abschirmte, fühlen. Einmal trug ich ihr die Heirat an. Da war sie ungefähr sechzehn

Jahre alt. Aber sie war schon eine ganz andere geworden.«

»Was hat sie darauf gesagt?«

»Sie war nicht mehr fähig, Liebe mit Liebe zu erwidern. Sie öffnete ihre Handtasche und holte alles heraus, was darin war. Dreihundert, vierhundert, ich weiß nicht, wieviel, und bot mir das Geld an. Und damit war Schluß.«

»Was hast du dann gemacht?«

»Meine Reaktion war heftig. Heftiger als sonst bei meinem ohnehin aufbrausenden Charakter. Danach sind wir uns nicht mehr begegnet. Ich habe es bereut. Ich wußte nicht, daß es das Leben war, das ihre Liebesfähigkeit hatte erstarren lassen. Ich glaubte, Mitleid könnte ein zusätzliches starkes Band zum Band der Liebe sein. Aber das ist jetzt alles vorbei. Zwei Monate später verschwand sie und blieb für fünfzehn Jahre verschwunden. Ich sah sie nie wieder, hörte nichts von ihr. Auch ihren Vater habe ich nicht mehr gesehen. Anscheinend hat er eine große Summe eingestrichen. Nicht einmal das Dorf suchte ich auf, damit ich nichts über sie erfahren mußte. Nun komme ich gestern nacht hier an, und da höre ich, daß sie heute eintreffen wird. Nach fünfzehn Jahren!«

»Und du, wie ist es dir ergangen?«

»Du meinst, nachdem sie verschwunden war? Oder wie ich mein Bein verloren habe?

»Beides.«

»Ah so. Tatsächlich hängt alles miteinander zusammen. Man war ja dort der Ansicht, daß die Dinge ein für allemal feststünden, daß alles immer so weitergehen würde. Deshalb achtete auch keiner, der oben war, auf das, was unten vor sich ging. Das Geschäft lief doch großartig, schneller als sie gedacht hatten. Sie kamen kaum nach mit ihren finanziellen, touristischen, kommerziellen und sonstigen Investitionen. Aber am Ende mußte es platzen. Ich arbeitete zu der Zeit im Hafen. Drei Jahre war ich da, und wir wußten, daß es bald krachen würde. Erinnerst du dich an die Hotelschießerei? Das war eine Schlacht! Wir haben mitgekämpft. Und an die Kämpfe bei Tell Zaatar? Beim Angriff auf die feindliche Nachhut wurde mir der Unterschenkel weggerissen. Viel Blut ist damals geflossen. Zusammengeflossen. Wie ein dunkelroter Teppich breitete es sich unter der Sonne aus.«

Die Rhythmen der Musik auf dem westlichen Platz überschlagen sich. Es hört sich wie Wiehern und Schüsse an. Das Feuer auf dem flachen Rund des Platzes lodert auf. Lauter tönen die Schalmeien. Am Rand des Platzes hält ein weißes Automobil an. Die vier Türen öffnen sich. Die Prinzessin steigt heraus. Ein Chaos bricht aus. Die Leute stürmen vorwärts. Burschen und Jungen rennen um die Wette. Eine prächtige Sänfte, von acht Schultern getragen, bahnt sich ihren Weg. Mitten auf dem Platz wird sie abgesetzt. Auch die fünf Hammel bahnen sich ihren Weg. Man zerrt sie bis vor die Prinzessin. Geschlachtete Hähne, die noch nicht ganz tot sind, flattern in die Luft, fallen herunter und erschrecken die Leute, die dort stehen. Sie stoßen die Hähne fort, und der Trubel wird noch größer. Lachen und Schreie sind zu hören. Das Feuer brennt heller. Kreise schließen sich zum Tanz. Die Trommeln dröhnen. Die Schalmeien kreischen. Herzen und Zungen fließen über vor Freude. Die Prinzessin lächelt zufrieden, huldvoll, glücklich.

Der erste Hammel wird zu Boden geworfen. Vier starke Männer halten ihn fest. Ein fünfter schneidet ihm die Kehle durch. Genauso wird der zweite geschlachtet, der dritte, der vierte und der fünfte. Das Blut strömt heraus und vermischt sich. Wie ein dunkelroter Teppich breitet es sich vor der Prinzessin aus. Die zunehmende Dunkelheit verstärkt den Eindruck noch.

Vier Mädchen treten zu der Prinzessin. Sie nehmen die Schleppe ihres Kleides auf. Die Prinzessin schreitet vorwärts. Nun erschallen die Freudentriller, Hochrufe, Debkagesänge, Gewehrschüsse. Das Feuer lodert heller, die Musik spielt lauter.

Schließlich erreicht sie die Sänfte. Die Frauen heben sie hinein, und die Männer nehmen ihn auf die Schultern. Der Umzug beginnt. Einer nach dem anderen schließen sich die Leute an. Jeder zieht sich einen brennenden Ast aus dem Feuer, reckt ihn in die Höhe und erhellt damit die hereinbrechende Dunkelheit. Sie gehen weiter, und es ist, als ob sich der Sternenhimmel auf die Erde niedergesenkt hätte.

Vor den beiden Männern hält der Zug an. Lärm und Gemurmel kommen auf. Will die Prinzessin wissen, wer die beiden sind, die nicht an ihrem Umzug teilnehmen? Sind sie vielleicht verärgert? Ob sie kein Geld abbekommen haben? Der Anführer des Umzugs tritt zu ihnen. Der Tumult verebbt. Aller Augen blicken voll Erwartung. Es herrscht Schweigen.

»Die Prinzessin bittet Sie, ihr die Ehre zu erweisen und sich anzuschließen.«

»Wir haben mit Ihrem Umzug nichts zu tun. Viele andere sind auch nicht gekommen. Richten Sie der Prinzessin aus, sie möge sich nicht weiter bemühen.«

»Ja aber, es ist doch die Prinzessin! Sie hat Sie dazu aufgefordert!«

»Bestellen Sie ihr, daß sie als Prinzessin zehn, zwanzig richtigen Menschen begegnen kann. Mehr aber auch nicht. Wir dagegen brauchen uns bloß bei unsereins umzusehen, da finden wir tausend Prinzen und Prinzessinnen.«

Das Gespräch stockt. Der Anführer des Zugs kehrt um. Man flüstert der Prinzessin etwas zu. Sie steigt herab. Mit der einen Hand hebt sie die Schleppe, in der anderen hält sie die Handtasche. Auf ihrem Weg zu den beiden Männern läßt sie die Schleppe los und verstreut die Tausende aus ihrer Tasche, bis sie leer ist. Danach nimmt sie die Schleppe wieder auf.

In dem Moment, als sie ihn erkennt, bleibt sie stehen. Ihr Lächeln versiegt für ein Weilchen, dann kehrt es zurück, aber mit einem veränderten Ausdruck. Ihre ausgestreckte Hand mit dem Geld erstarrt, als ihr Blick auf den Beinstumpf fällt.

GHADA SAMMAN
Deine Augen sind mein Schicksal

Wie törichte große Augen, die starr in das Menschenge-
wühl in den Straßen blicken, wirkten die hohen Fenster
der Bürogebäude. Und hinter einem dieser Fenster saß
Tal'at, steif, ernst und sachlich, wie sie sich stets zu geben
pflegte. Sie vergrub ihr Gesicht in den Akten, daß man
glauben konnte, sie verberge sich vor ihrer Umwelt. Wovor aber verbarg sie sich? Wovor lief sie davon?

Mein Leben ist von Arbeit erfüllt, von nichts als Arbeit,
sagte sie sich immer wieder. Ich bin glücklich, und mir
fehlt nichts. Ich verfüge über meine Freiheit und über
mein Schicksal, ebenso wie jeder Mann in diesem Büro.
Frei bin ich und glücklich.

Glücklich? Weshalb beteuerte sie das so oft? Imad hatte
zu ihr gesagt: »Wenn wir wirklich glücklich sind, bedür-
fen wir keiner Bestätigung. Das Glück mischt sich in
unser Wesen und wird ein Teil von uns. Dann überlegst
du dir nicht, warum deine Stirn denkt. Wenn wir nach
etwas suchen, dann sind wir ungewiß, ob es das überhaupt gibt.«

Imad! Warum erinnerte sie sich seiner Worte? Warum
erinnerte sie sich überhaupt an ihn? Er bedeutete ihr doch
nichts. Oder? Nein, er bedeutete ihr nichts. Von Liebe
gar konnte nicht die Rede sein. Sie flirtete mit ihm, wenn
sie ihn traf, so wie ihr Vater mit der schönen Nachbarin
flirtete, sooft er ihr im Treppenhaus begegnete. Sie verbrachte mit Imad einige Stunden, um sich die Langeweile
zu vertreiben, so wie ein Mann die Gesellschaft eines
Mädchens sucht, das ihm zwar gefällt, jedoch nicht gut
genug gefällt, um sein Leben mit ihm zu teilen. Nein, sie
hatte die Herrschaft über sich behalten, hatte mit Ent-
schlossenheit erreicht, daß sie die Siegerin blieb.

Oder war der Kampf noch nicht entschieden? War es
nicht so, als wollte sie die Sonne zwingen, sich gen Osten
zu neigen, als wollte sie die Wellen des Meeres verstummen lassen und die Nacht aus der Stadt verbannen? Immer wieder quälte sie diese Frage und lenkte sie von ihren

Akten ab. Wenn von einem Sieg die Rede sein konnte – wie bitter war dieser Sieg! Hätten sie ihren Vater doch nicht gehindert, seinem Zorn zu folgen, als er erfuhr, ihm sei eine fünfte Tochter geboren. Hätten sie ihn doch nicht gehindert, sich auf ihren winzigen Körper zu stürzen.

Er wollte endlich einen Sohn nach den vier Töchtern haben, einen Sohn, der seinen Dukkan, seine lustige Abendgesellschaft vor dem Haus und seine Argile* übernehmen sollte. Vor allem ging es ihm um die Argile, deren Holzkohlenglut nach seinem Tode nicht verglimmen durfte.

Tal'at hatte der Sohn heißen sollen, und Tal'at wurde nun sie genannt. Nur war sie kein Junge. Bei einem Jungen hätte der Vater keine Angst gehabt, wenn dieser gelegentlich allein über die Straße ging. Nachdem sie begriffen hatte, daß sie den Namen eines Mannes trug, wurde sie sich ihres Kismet bewußt. Seit ihrer Jugend kämpfte sie gegen die Sonne, wollte sie dazu bewegen, im Westen auf- und im Osten unterzugehen. Sie bestand darauf, zu studieren, und ihre Hartnäckigkeit erfüllte den Vater mit Stolz und Freude. Er brauchte sich nicht zu sorgen, wenn sie allein ausging, denn sie hatte einen männlichen, ja fast einen soldatischen Schritt, und ihr fehlte aller frauliche Charme. Auf ihr Äußeres, ihre Kleidung gab sie nicht weiter acht, und die Männer ließen sie gleichgültig. Ja, sie bildete sich sogar ein, sie zu hassen. Nur mit Imad war es anders. Aber auch er war ihr im Grunde gleichgültig. Jedenfalls glaubte sie das. Ihre Welt, das war die Umwelt ihres Vaters. Mit ihm wetteiferte sie voller Ehrgeiz und ohne Haß. Sie wollte ihm beweisen, daß sie ihm ebenbürtig war, und er sollte sie lieben, weil er sie achtete, und nicht, weil sie ihm leid tat, so wie sie ihrer Mutter und ihren Schwestern leid tat. Niemals wollte sie vernachlässigt oder gar mißhandelt werden wie ihre Mutter. Mit jeder erfolgreich abgeschlossenen Klasse, mit jedem guten Zeugnis rächte sie sich an ihrem Vater auch für ihre Mutter. Als sie das Abgangszeugnis der Universität erhielt, schleuderte sie es ihrem Vater hin. Und als sie ihn in jenen Tagen einmal mit der schönen Nachbarin ertappte,

* Wasserpfeife

326

sah sie nicht zur Seite, wie sie es sonst zu tun pflegte, sondern blickte die beiden herausfordernd an.

Sie war glücklich, weil ihr Vater Respekt vor ihr hatte und weil sie ihn dann und wann demütigen konnte. In einem Monat würde sie genug Geld gespart habe, um sich einen kleinen Wagen kaufen zu können, der ihr den Weg zu den drei Arbeitsstätten verkürzen sollte: am Vormittag das Büro des Amtes, am Nachmittag das Büro der Firma, am Abend der Englischunterricht. Kam sie dann erschöpft nach Hause, fuhr sie ihre Mutter an, weil das Abendessen noch nicht fertig war. Und war es fertig, mäkelte sie an den Speisen herum. Hielt es nicht jeder Mann in ihrem Alter so? Nach dem Essen sprach sie mit ihrem Vater über Politik und Wirtschaft und rauchte dabei seine Argile, zur Belustigung des Vaters, zum Entsetzen der Mutter.

Sie blickte von ihren Akten auf und verspürte plötzlich die Anwandlung, ihren Kopf an die Brust der Mutter zu legen und ihr zu gestehen, wie wenig die Wasserpfeife ihr schmeckte und wie enttäuscht sie war. Und von Imad wollte sie ihr erzählen: Wie gern sie mit ihm streiten und in den Winternächten mit ihm vor dem Feuer sitzen würde, den Kaffee aus seiner Tasse kosten und dabei dem zarten Klopfen der Regentropfen auf seinem Fensterbrett lauschen.

Unfug! Einfältige Gedanken, Gedankenspiele zwischen einer Akte und der nächsten. Sie sah auf die Uhr: Sie hatte noch Zeit, die Unterlagen für die morgige Sitzung vorzubereiten. Mit schleppendem Schritt ging sie auf den Rollschrank zu und öffnete ihn, ohne auf das »kalte Gequietsche« zu achten. Sie zog einen der Ordner hervor und kehrte zu ihrem Platz zurück. Dabei erblickte sie ihr Spiegelbild im Fensterglas. Sie wußte, daß sie schön war, und stellte mit um so größerer Zufriedenheit fest, daß sie alles dazu getan hatte, unauffällig zu erscheinen. Eine dunkle Brille verbarg die lebhafte, die weibliche Sprache ihrer Augen. Wie anders würde ihr Kopf wirken, wenn sie das hochgesteckte Haar frei ließ. Das grobe weite Kleid mit dem männlichen Kragen lud Neugierige nicht dazu ein, ihren geschmeidigen Wuchs zu entdecken.

Und wieder dachte sie an Imad. Nur Imad hatte ihr

Geheimnis erraten, als er sie im vorigen Winter zum erstenmal sah. Sie war gekommen, um seiner Schwester Unterricht im Englischen zu geben. Bei der Vorstellung ließen seine grünen Augen sich nicht von ihrer schwarzen Brille hemmen. Es war so, als legte er ihr die Brille lächelnd zu Füßen, als löste er ihren Haarknoten, so daß das Haar in schwarzen Fluten herabfiel, als befreiten seine Blicke sie gelassen, aber entschlossen von allen Titeln und Zeugnissen und dem groben Gewand, als glitten sie mit angenehmer Offenheit über ihre Arme und ihre Gestalt. In seinen Augen blieb sie kein »Fräulein Lehrerin«, sondern wurde zur armseligen Schauspielerin, der plötzlich bewußt wird, daß ihre Rolle so kindisch ist wie ihr Kostüm. Sie liebte und sie fürchtete seine Augen, und sein Lächeln weckte in ihr Wünsche, die sie noch nie gekannt hatte.

Dennoch gab sie die Unterrichtsstunde mit der gewohnten Nüchternheit und Sachlichkeit, und zum Abschied reichte sie ihm nur flüchtig die Hand. Aber als sie das Haus verließ, war ihr so, als blickten seine Augen von oben aus einer Wolke auf sie nieder und lachten sie spöttisch aus. Gereizt, herausgefordert legte sie ihre schwarze Brille ab, befeuchtete ihren Mund und versuchte, geziert wie eine Frau zu gehen, während ihre reife Unterlippe sich begehrlich vorschob. In jener Nacht hielt sie sich lange vor dem Spiegel auf und zählte alle ihre Vorzüge zusammen wie ein Geizhals seine Schätze. Und mitunter muß auch ein Geizhals erkennen, daß ihm nichts anderes übrigbleibt, als zu geben.

Und sie gab, gab seinen Augen ihre Schätze hin. Seine Schwester wurde krank, und er bat sie, zu bleiben und ihm Gesellschaft zu leisten. Sie saßen zusammen und plauderten über dies und jenes, und er bereitete ihr eine Tasse Kaffee. Wie anders schmeckte dieser Kaffee als jener im Büro! Angesichts seiner Augen stand die Zeit still. Mit klug gewählten Worten wandte er sich an die Frau, die vor ihm saß, und übersah die schwarze Brille. Die Lehrerin Tal'at ließ er nicht gelten, für sie gab es keinen einzigen Satz in seinen Gesprächen.

Die Krankheit seiner Schwester zog sich hin, und Tal'at kam dann und wann unter dem Vorwand, sich nach ihrem Befinden zu erkundigen, in Wahrheit aber, um bei Imad zu sitzen, mit ihm Kaffee zu trinken, ihm zuzuhören und seine Wärme zu spüren. Seine Blicke beruhigten sie, entspannten sie und ermatteten sie zugleich. Aber immer weiter redete sie sich ein, daß sie nur auf angenehme Weise ihre freien Stunden bei ihm verbrachte, so wie jeder Mann das tat, daß sie nur mit ihm spielte.

Dann wieder bezichtigte sie sich der Heuchelei. War das noch ein Spiel, wenn sie vor seinen fordernden Augen davonlief in die Sommernacht, wenn er mit der Zärtlichkeit seiner Lippen die Schleier ihrer vorgetäuschten Empfindungslosigkeit zerriß und sie dann an seiner Brust ein Seufzen unterdrückte und eine Träne verbergen mußte? Er übersah die Träne, er verstand sie, weil er sie liebte. Als er ihr sagte, er wolle sie vor sich selbst retten, blickte sie zu ihm auf und lachte. Aber ihr Lachen machte auf ihn keinen Eindruck.

Im Herbst, vor zwei Monaten, bat er sie, seine Lebensgefährtin zu werden. Sie erschrak, erstarrte und lachte wieder, konnte aber doch nicht der Vorstellung an ein eigenes Heim wehren, in dessen Küche das Essen dampfte, das sie zubereitet hatte, für ihn, für ihren Mann, auf dessen Urteil sie wartete, als hinge ihre Zukunft davon ab.

Warum nahm sie sein Angebot nicht an? Warum konnte sie nicht wie jede andere Frau reagieren? Warum war sie plötzlich wieder die »Lehrerin Tal'at« mit der schwarzen Brille und dem weiten Kleid mit dem männlichen Kragen? Warum meinte sie, weder Imads noch irgendeines anderen Mannes Frau werden zu wollen?

Sie weinte nicht, sie sagte nichts, als sie mit ihren Eltern am Abend zusammen saß. Nur daß sie gieriger als sonst an der Argile sog. Ihre Mutter mußte neue Holzkohlen bringen, und ihr Vater schüttelte sich vor Lachen. Als sie dann in ihr Schlafzimmer ging, zog sie sich im Dunkeln hastig aus und fiel erschöpft ins Bett. Aber Imads Stimme verfolgte sie, seine Worte kamen im Echo von den Wänden des Schlafzimmers: »Ich werde auf dich warten, jeden Abend. Du wirst zurückkommen, wenn du zu dir findest, wenn du die Welt mit meinen Augen siehst. Du wirst zurückkommen.«

Sie setzte ihr gewohntes Leben fort. War das ein Sieg, gar ein freudiger Sieg? Manchmal sah sie die Welt mit seinen Augen, aber jedesmal lehnte sie sich bald dagegen auf. Sie gab sich verloren, sie war ein Mannweib, und ihr Sieg bestand in ihrem völligen Versagen.

Laut las sie einige Zeilen einer Akte, aber auch dadurch konnte sie ihren Gedanken nicht entrinnen. Und ihr Kollege wurde unruhig. Sie legte die Akte für die morgige Ausschußsitzung zurück. Wie sie diese Sitzung fürchtete und haßte! Denn sobald sie zu sprechen begann, hörten alle ihr respektvoll zu, doch von irgendwoher im Saal blickten Imads Augen sie an. Mitleidig hefteten seine Blicke sich auf sie und spöttisch auf die Zahlen und Prozente in den Ordnern und Mappen. Spöttisch belächelten seine Augen ihre Anstrengung und erinnerten sie an den so aromatisch duftenden Kaffee, an das zarte Klopfen der Regentropfen auf das Fensterbrett, an ein Strandcafé im blutroten Sonnenuntergang.

Gab es kein Entrinnen von den aufdringlichen Erinnerungen? Wie hilfesuchend, blickte Tal'at auf die Uhr. In einer halben Stunde sollte sie bei ihrer Schulfreundin Salua sein, die sich noch während der Schulzeit verlobt hatte. Seitdem hatte Tal'at sie nicht mehr gesehen, wußte aber, daß sie geheiratet und nach drei Jahren einen Sohn geboren hatte. Es war nett von Salua gewesen, nach so langen Jahren anzurufen und um Privatstunden in Englisch zu bitten. In einigen Monaten wollte sie ihren Mann nach England begleiten, hatte sie am Telefon gesagt.

Tal'at verließ das Büro und dachte unterwegs an die arme Salua. Denn natürlich konnte sie als Ehefrau nur bemitleidenswert sein: fett, ungepflegt, mit einer roten Nase nach einer heftigen Szene mit ihrem Mann. Der Junge schrie, und im ganzen Haus roch es nach Knoblauch und Gewürzen. Das war die Ehe, was sonst! Zeigten nicht die Gesichter der Fußgänger hier, so unterschiedlich sie waren, alle dieselbe Falte aus Enttäuschung und Wehmut? Sie erblickte sich selbst in den Gesichtern der anderen. Aber Imads Augen beobachteten sie und weckten die Sehnsucht nach ihm. Könnte sie doch bei ihm sein, statt hier in der winterlichen Kälte zittern zu müssen, die vom ermüdeten Barada-Fluß heraufdrang. Der

Winter hatte den Barada mit seiner krankhaften Bläue aufgeschwemmt, und die große Bahnhofsuhr vorn war ein aufgezogenes Spielzeug wie sie selbst, konnte nur immer die Zeiger laufenlassen und die Stunden schlagen. Niemals durfte sie neunmal statt achtmal schlagen.

Vor Salwas Haus blieb sie stehen und las den Namen unter der Klingel: Mahmud Salem. Das klang wie eine friedliche dunkle Melodie und war durchaus nicht der erwartete Auftakt. Wütend über diese Enttäuschung drückte sie auf den Klingelknopf. Salwas Erscheinung gab die Antwort auf alle weiteren falschen Vorstellungen. Sie war schön und frisch, eine erstaunlich reife Frau, die von Fröhlichkeit und Glücksgefühl erfüllt war. Freudig umarmte sie ihren Gast und führte ihn in das »Nest«. Tal'at fühlte sich von einem Duft und einer Wärme eingehüllt, die sie bisher nur immer dann empfunden hatte, wenn sie bei Imad war. Aber hier kam die Wärme aus dem Dasein einer glücklichen Familie. Tal'at hatte das Gefühl, daß ihre schwarze Brille sich hier auflöste und der männliche Kragen ihres Kleides ihr den Hals würgte.

Tal'at sprach zerstreut, sosehr sie sich auch bemühte, sich zusammenzunehmen. Wie schön würde sie in Salwas Kleid erscheinen! So müßte Imad sie sehen!

»Die Englischstunde ist sehr wichtig für mich«, sagte Salua.

»Ja, wollen wir gleich anfangen?« fragte Tal'at. Wenn ich wieder zu Imad gehe, muß ich auch dieses zarte Parfüm benutzen. Und wie liebenswert dieses Kind ist! Könnte ich es doch umarmen und küssen! Laut sagte Tal'at zwischendurch: »Ich habe dir ein Lehrbuch mitgebracht. Es ist sehr praktisch angelegt. Nun, Salwa, wollen wir beginnen?«

Mahmud Salem, der den Gast bereits begrüßt hatte, kam herein und trat hinter seine Frau. Aus seiner Haltung sprach eine so liebevolle Zuneigung, daß Tal'at dachte: Warum quälen sie mich so? – Mahmud sagte etwas, aber Tal'at hörte nicht hin. Dann aber fragte sie: »Oh, verzeihen Sie, haben Sie etwas zu mir gesagt?«

»Salwa ist verlegen und schämt sich vor Ihnen. Sie hat nämlich bei Ihrer Verabredung vergessen, daß heute unser Hochzeitstag ist. Ich aber habe daran gedacht und einen Tisch im Restaurant des Flughafens bestellen lassen. Seien Sie bitte nicht böse. Aber wollen Sie nicht mit uns kommen? Bitte, nehmen Sie doch unsere Einladung an.«

»Danke, wie liebenswürdig von Ihnen. Aber ich bin ziemlich abgespannt. Nein, bitte keinen Kaffee für mich. Ich werde dann lieber gleich gehen.«

Grob und ungeschickt verabschiedete sie sich. Der ältere Junge, der erst jetzt zum Vorschein kam, winkte ihr von einem der Fenster aus nach. Tal'at winkte nicht zurück. Sie fürchtete sich plötzlich vor diesen Kindern und fühlte sich wie gelähmt. Aber da war auch die Erinnerung an die Wärme, die sie in dieser Familie gespürt hatte. Sie drängte sie zu Imad hin, und Tal'at konnte ihr keinen Widerstand leisten, denn sie barg alle ihre eigensten Wünsche und Empfindungen.

Die Sonne wird immer im Osten aufgehen; die Dunkelheit wird immer die Stadt und das All herausfordern; und Tal'at kennt den Weg zu Imad. Imad! Seine Augen blicken auf sie von überall her, warm, anklagend und voll Zärtlichkeit und Vertrauen. Sie beobachten sie wie das Schicksal: wild und hart.

So sag mir, was ich tun soll! Warte auf mich! Wer hat gesagt, daß ich ihn nicht liebe? Oh, deine Augen, Imad! Wohin soll ich vor ihnen fliehen? Wie könnte ich vor ihnen fliehen, da ich mich nach ihnen sehne?

Plötzlich begann sie zu rennen. Die Vorübergehenden schauten ihr verwundert nach. Es störte sie nicht. Sie rannte, und ihr Haarknoten löste sich, ihre Brille fiel zu Boden und zerbrach unter ihren Füßen. Sie rannte, und der Regen durchnäßte sie. Doch sie lächelte, denn Imad rief sie. Die Zahlen verschwanden aus den Ordnern und Akten, lösten sich im Regen auf und flossen mit ihm davon. Sie rannte und rannte.

Tunesien

Ein Verbrechen im Dorf K.

Es war ein Sommertag.

Einer von diesen Tagen, deren Hitze wütend und gnadenlos ist, deren Glut alles um sich verbrennt und vertilgt. An solchen Tagen retten sich die Vögel mit letzter Kraft in die Bäume, in die Höhlen der Berge und in die zerrissenen Bäuche der ausgetrockneten Flüsse, die Schlangen richten sich auf ihren Schwänzen auf und pfeifen wie Hirten, die Skorpione können plötzlich fliegen, und die Menschen wagen sich keinen Augenblick aus dem Schatten heraus.

Die Bewohner des Dorfes K. befanden sich in ihren Häusern oder saßen unter den Bäumen und schnappten nach Luft, ihre braunen, mageren Körper in Schweiß gebadet. Sie waren da, träge und stumm, mit erschlafften Zügen, wie Betrunkene, und fühlten, wie sich ihre Gehirne in ihren Schädeln verflüssigten. Die nahen Berge waren kahl und hell und bewegten sich mit den Felsen in einer fiebrigen Fata Morgana. Die Felder lagen da, nackt und verlassen. Ein Stöhnen der Ohnmacht umhüllte das glühende Dorf.

Östlich der Ortschaft, unter Mansurs Olivenbaum, hatten sich die Jugendlichen aus dem Dorf K. zusammengefunden. Sie lagen auf dem kühlen Sand und genossen mit geschlossenen Augen die Wohltat des Schattens. Sie träumten von den verschiedensten Dingen und unterhielten sich über dies und jenes, ereiferten sich immer mehr, und bald redeten alle durcheinander, bis plötzlich der Sohn der Barfüßigen* die Arme ausstreckte, den Sand unter sich zu umarmen versuchte und aus seinem tiefsten Inneren laut seufzte. Und als die Jungen ihn fragten,

---

* Der Sohn der Barfüßigen: Er wird so genannt, weil seine Mutter tatsächlich im Dorf barfuß geht. Auf diese Weise entstehen in arabischen Gemeinden Spitznamen. Sie sind fast immer zurückzuführen auf eine Angewohnheit, ein Gebrechen oder eine Tugend, die den Betroffenen tatsächlich auszeichnet.

was mit ihm los sei, sagte er, ohne seine Augen zu öffnen: »Stellt euch mal vor, Jungs, ich würde jetzt auf Nadschmas Brust liegen.« Der Satz wirkte auf sie wie ein Peitschenhieb auf einen trägen Esel. Es durchzuckte sie, und einer sagte: »Wie kannst du uns bei einer solchen Hitze an Nadschma erinnern?« Der Sohn der Barfüßigen tat, als ob er nichts gehört hätte, und fuhr mit seinem Stöhnen fort, in der festen Absicht, seine Freunde zu quälen. Jeder von ihnen mußte sich das Bild Nadschmas vergegenwärtigen: ihren herrlichen Körper, ihre Haare, die ihr wie eine tiefschwarze Nacht über die Schultern fielen und nach Amber und Muskat dufteten, ihre schwarzgeschminkten Augen, ihre wollüstige Stimme und ihr süßes Lachen. Und sie dachten alle bei sich: »Du, unsere Nadschma, du einzige Erfüllung unseres leeren und trüben Daseins!« Dann sagte der Sohn der Barfüßigen: »Was gäbe ich nicht alles dafür, an der Stelle ihres Mannes Mas'ud zu sein!« Und Tajeb fragte: »Glaubt ihr vielleicht, er genügt ihr! Dürr und ständig kränklich, wie er ist? Ich glaube nicht, daß er je das Verlangen ihres schönen Körpers stillen könnte...« Darauf Omar der Taube: »Ihre Augen sind ständig erfüllt von diesem Verlangen. Nicht zehn Männer könnten sie befriedigen!« Dann sagte Abd-al-Latif: »Die Frauen im Dorf behaupten, sie hätte ein Verhältnis mit Tuhami...« Da schrien sie ihm alle gleichzeitig entgegen: »Das stimmt überhaupt nicht!... Der Tuhami ist blöd und schüchtern und traut sich einer Frau nicht einmal in die Augen zu sehen!...« So suchten sie lange unter den männlichen Dorfbewohnern nach Nadschmas vermeintlichem Liebhaber, jedoch ohne Erfolg. Sie dachten an die umliegenden Dörfer, und suchten auch dort vergeblich. Schließlich stellten sie sich ihn vor: Ein Reiter, der aus einem weit entfernten Land auf einem fliegenden Pferd daherkäme... Er würde mit Nadschma in die tiefe Nacht hinausreiten..., sie nackt auf das Gras legen und sie im Feuer seiner Leidenschaft entflammen – einem Feuer, das der Einsame nur aus seiner unerfüllten Sehnsucht kennt –, dann würde er vor Anbruch der Morgendämmerung davonfliegen; seltsamer Reiter über die Berge, die Meere und die Wolken. Und von Nadschma kamen sie auf Aziza. Alle konnten sich an

Aziza erinnern, als sie noch ein kleines, albernes Mädchen war. Sie neckte die Knaben und lief den ganzen Tag mit ungekämmten Haaren und zerlumpten Kleidern im Dorf herum. Sie stahl Kirschen und Mandeln aus den Gärten und warf den Vögeln Steine nach, schwamm nackt in den Bächen, schlug sich mit den Jungen, ging im Winter barfuß und tanzte ohne Scheu auf den Festen vor den Männern.

Voriges Jahr erwachten sie plötzlich und fanden eine schöne junge Frau vor sich. Sie hatte einen gelassenen Gang und ein ruhiges Lachen. Sie sprach schamhaft und doch verführerisch und barg unter ihren schönen Gewändern einen Körper, der den Männern die Köpfe verdrehte und die längst erloschenen Sehnsüchte wieder aufflammen ließ. Jeder von den Jungen wünschte sich, er wäre ihr Auserwählter. Ihre Stimmen wurden immer lauter. Ein Streit drohte sich zu entfachen. Da erinnerte einer von ihnen an andere Frauen, und schon war Aziza vergessen, und die Welt bestand nur noch aus Brüsten und Schenkeln, und die Erde wurde immer weicher unter ihnen, und sie seufzten und stöhnten immerfort, und sie verfluchten die Welt und wünschten sich ein Land, wo alles erlaubt wäre, und als sie sich dann langsam beruhigten, fragte Omar der Taube: »Kennt ihr Halima, die Tochter von Hadsch Nasser?«

»Ja, was ist mit ihr?«

Mit der Selbstverständlichkeit eines Menschen, der sich ein Glas Wasser einschenkt, sagte Omar der Taube: »Ich habe mit ihr geschlafen.«

Für einen Augenblick verschlug es ihnen die Sprache, und sie starrten Omar den Tauben nur an. Er schwieg und blieb ruhig. Kein Zeichen auf seinem Gesicht, das Lüge oder bloßen Spaß verraten könnte. Dann sprach der Sohn der Barfüßigen: »Wir kennen dich doch, ... Du kommst oft mit Sachen daher, die dir nicht einmal im Traum einfallen würden!«

Aber Omar der Taube schwor bei Allah und seinen Propheten, bei seiner Mutter und allen Heiligen, daß er mit Halima geschlafen habe. Die Jungen richteten sich auf. Die Hitze wurde unerträglich, und sie verzehrten sich vor Gier. Sie wünschten sich, es möge ein mächtiger Sandsturm kommen und Omar den Tauben Lügen strafen. Doch nichts dergleichen geschah, und es kam auch kein Erdbeben. Die Erde blieb still unter ihnen. Was mochte wohl vorgefallen sein, dachten alle bei sich, daß dieser Junge, häßlicher als ein häßliches Insekt, sich zu Halimas Körper Zugang verschaffen konnte? Was war wohl in die Tochter des Hadsch Nasser, das schöne Mädchen Halima, gefahren, daß sie einen Jungen vom Land, dessen Schweiß strenger roch als der eines Ziegenbocks, anziehend finden konnte? Was mochte wohl geschehen sein? ... Dann sagte Omar, während er bequem auf dem Sand lag: »Ich weiß, ihr glaubt mir nicht, aber sagt mir nur, was ich tun soll, um es euch zu beweisen.«

Jeder von ihnen kannte Halima. Sie kam jedes Jahr im Herbst mit ihrem Vater, Hadsch Nasser. Sie verbrachte einige Tage im Dorf und ging wieder zurück in die Stadt. Alle im Dorf erzählten, daß Halima auf der Universität studierte, mehrere Fremdsprachen beherrschte und eines Tages eine große Persönlichkeit heiraten würde. Sie war der Stolz ihres Vaters, der überall herumerzählte, seine Tochter wäre mehr wert als zehn Männer zusammen. Was war los mit der Welt? ... Was war geschehen? Der Weltuntergang war sicherlich ganz nahe, wie könnte sich denn sonst so ein häßliches Insekt erdreisten, eine solche Behauptung aufrechtzuerhalten? ...

Keiner von ihnen könnte sich jemals auch nur vorstellen, sich Halima zu nähern, sie anzusprechen oder gar mit ihr zusammenzusein. Sie war in weiter Ferne, unerreichbar wie die Prinzessinnen aus den Sagen und Märchen.

Was war mit der Welt geschehen?

Sie rückten näher an Omar den Tauben: »Erzähl uns, wie es war.«

Omar der Taube sagte: »Gebt mir eine Zigarette!«

Sie gaben ihm eine Zigarette und zündeten sie ihm an.

»Also, erzähl, du Galgenvogel, erzähl uns deine schöne Lüge!«

»Solange ihr glaubt, es sei eine Lüge, erzähle ich euch nichts.«

Ihre Köpfe brannten vor Wut und Hitze: »Er kokettiert, der Hund!« Sie zwangen sich zu lächeln: »Komm, Omar, ... du Gazelle, ... du Mädchenverführer, ... erzähl es, und du bekommst, was du willst.«

Dann sprach Omar der Taube: »Anfang des Herbstes vorigen Jahres ging ich eines Tages am Fluß entlang. Irgendwann stieß ich auf Halima, die Tochter des Hadsch Nasser. Sie saß unter den Pappeln am Fluß und wusch sich. Ich sah ihre nackten Knie unter ihrem hochgezogenen Kleid. Was soll ich euch sagen, Jungs? Ich kann euch nicht beschreiben, wie mir in jenem Augenblick zumute war. Es war eine einzige Leere in meinem Kopf. Ich wußte nicht mehr, wo ich war und wer ich war. Ich blieb wie angenagelt stehen, und alles drehte sich. Als sie meine Anwesenheit bemerkte, zog sie ihr Kleid herunter und deckte ihre nackten Schenkel zu, dann sah sie mich an, und ich sah die Angst in ihren schönen Augen. Sie stotterte: – Wer ... wer bist du? –

Ich war unfähig, ihr zu antworten. Ich hatte einen Kloß im Hals, und in meinem Kopf drehte sich alles. Sie sagte: – Geh, oder ich schreie! –

Aber ich war taub und stumm. Mein Blick irrte hin und her; nur ein einziger Gedanke schoß durch meinen Kopf: Mach deine Mutter Messauda glücklich, du Narr, und nimm dir diese Frau gleich, hier und jetzt, und geschehe nachher, was will! So sagte ich mir und näherte mich ihr langsam. Sie blieb stehen. Als ich ganz in ihrer Nähe war, entblößte ich mich vor ihr. Sie seufzte wie ein Tier, das von der Kugel eines Wilderers getroffen wird. Dann begannen sich langsam, sehr langsam, ihre Züge zu lockern, ihr Gesicht bekam einen seltsam milden Ausdruck, das Verlangen zog sich über ihren Blick wie ein Schleier, und ich mußte an den Sonnenuntergang denken. Sie streckte ihre Hand aus und begann, mit meiner Nacktheit zu spielen. In jenem Augenblick schloß ich meine Arme um sie.«

Dann schwieg Omar ... Und sein Blick verlor sich in die weite Ferne.

Alle horchten noch gespannt. Ihre Augen glänzten. So verharrten sie eine Weile, aber Omar der Taube sagte kein Wort mehr. Dann schrien sie: »Erzähl doch weiter!«

Omar der Taube sagte: »Die Geschichte ist zu Ende, Jungs.«

»Zu Ende? Du machst dich lustig, du Sohn einer...«

Dann begann Omar der Taube ruhig und leise zu lachen. Als er aber jene Gier auf ihren Gesichtern sah, wurde sein Lachen heftiger, und ein seltsames Gefühl von Freude und Genugtuung bemächtigte sich seiner. Er wälzte sich im Sand vor Lachen und schlug mit Armen und Beinen auf die Erde. Sie schrien ihn an: »Erzähl weiter, du Ochse!«

Aber Omar der Taube hörte ihnen nicht zu. Er wälzte sich vor Lachen immerfort, und als sie ihn noch lauter anschrien, stand er auf und lachte und schlug sich, nach vorn gebeugt, auf die Schenkel. Der Sohn der Barfüßigen ging auf ihn zu, in seiner Hand einen dicken Schlagstock. »Willst du nun die Geschichte weitererzählen oder nicht?«

Aber Omar der Taube schien ihn nicht zu beachten, er lachte nur und lachte und lachte...

Der Schlagstock flog durch die Luft und traf den Kopf. Das Lachen erlosch wie die Flamme einer Kerze unter einer heftigen Windböe. Omar der Taube erhob seine Hände, aber sie fielen nieder, bevor sie den Himmel erreichen konnten. Seine Knie zitterten, bis er in sich zusammensackte, auf den Boden fiel und auf dem blutigen Sand liegenblieb. Die Jungen vom Dorf K. wichen ein paar Schritte vor ihm zurück. Die Hitze nahm noch zu. Irgendwo, in einem Haus im Dorf K., wachte Messauda, die Mutter von Omar dem Tauben, erschrocken auf, den Körper in kaltem Schweiß gebadet. Sie träumte gerade, einige Kerle wären dabei, ihren dicken Hahn, den sie mühsam für das Sommerfest gemästet hatte, zu schlachten, und sie stand da wie gelähmt und konnte nichts dagegen tun.

ABDELWAHAB MEDDEB
Hammam Fassi

Hammam fassi, eingangs bietet euch der Hausherr eine
Sebsi an, die Pfeife kreist unter den Männern, der Geruch
von Kif dringt durch meine Nasenlöcher, das trockene
Kraut verbrennt, mit jedem Zug läßt der tönerne Pfeifen-
kopf seine Glut aufleuchten, dann erlischt er, und der
Rauch verbreitet den Geschmack der Erde, die der Pflan-
ze eine Heimat bot, läßt die Sonne neu entstehen, die ihre
Blätter vergoldete, von den Blumen zu den Bienen staubt
der Pollen unter die gewaltige Kuppel, von einer Stufe
zur nächsten verengen sich die Waben, je höher sie das
Gewölbe erklimmen, dessen oberstes Fünftel tiefe und
konzentrische Rillen in Schwingungen versetzen; wir haben uns in der Garderobe ausgezogen, haben unsere Kleidung über das Geländer gehängt, oberhalb der Bank, die
längs der Mauer aufgestellt ist, obwohl die Kuppel unsere
Blöße schützt, spaltet die Kälte meinen Körper, durch-
fährt ein Schauder meine Haut, barfuß eile ich in die
Baderäume, ich stoße die schwere, von Feuchtigkeit
durchtränkte Holztür auf, mein Kopf beginnt zu glühen,
die Bilder überstürzen sich, die Schallwellen verwirren
die Sinne, der Schritt ist steif, die Füße rutschen auf dem
glitschigen Boden, man hat die glatten Steinfliesen entfernt und durch eine rauhe Zementschicht ersetzt, auf der
sich die Zehen festkrallen; die Brüstung des Tepidariums,
des mittleren Raumes ist mit einem Mosaik verziert, das
sich bewegt, grüne und weiße Vielecke lösen einander ab,
und dir schwindelt, die feuchte Wärme sammelt sich unter den Luken der durchbrochenen Kuppel, der Hitze-
schwall wirkt magnetisierend, das glühend heiße
Schwitzbad ist von niedrigen Gewölbebögen überdacht,
nebeneinanderliegende Gräber, der Fußboden brennt
und raucht, das kochende Wasser rieselt in das Becken in
der Nische, die Männer und Kinder sind in Tücher aus
Dampf gehüllt, die Kunststoffkübel rufen nicht die Geräusche des Jenseits herbei wie früher die Holzkübel, die
Hitze flämmt den Menschen, sie wühlt in seinen Poren,

sie höhlt seine Haut aus, sie setzt den Fäulnisgeruch in ihm frei, sie vergewaltigt ihn, sie dringt tief in sein Inneres, sie fördert die tödliche Schlacke zutage, die in seinen Urtiefen ruht, ich reise durch diese faulige Gegend, in der grauen Farbe, die zwischen meiner Haut und meinen Knochen nistet, stöbere ich den Dschinn auf, der mich in stillen Stunden umschmeichelt, ich verleihe ihm die Gabe des Sprechens, seine Stimme ist verbrauchter als meine, durch den Schleier aus Dampf spricht er zu mir, ich passe meine Atmung an, um seine Feuersprache besser zu verstehen, da ich ihn neben mir spüre, nähere ich mich körperlich meinem innersten Innenleben, an der Schwelle des Bewußtseins beherrsche ich meinen Körper, stoße meinen Atem aus, in langen Intervallen, nachdem ich ihn lange im Bauch gehalten habe, nachdem ich ihn von unten nach oben strömen ließ, von der weißen Farbe zur schwarzen Farbe, über Azur und Grün, und während ich mich eindringlich mit dem trüben Zustand des feuchten Lehms beschäftige, entspannt sich mein Geist, erhascht mein Herz das Bild Ayas, der Dschinn, aus der grauen Farbe gemacht, weigert sich, mir zu gehorchen, ich habe ihm den Befehl gegeben, auf der Bahn fortzufliegen, die ihn auf den Weg Ayas leiten würde, er lehnt es ab, die Rolle des Wiedehopfs zu spielen, will mich dazu bringen, den Faden meiner Atmung zu verlieren, er jagt die Intervalle, er tauscht das langsame Skandieren gegen das Hecheln eines Hundes, den die Augusthitze überwältigt, er möchte die gelbe Farbe heraufbeschwören, die Gefährtin des Fieberwahns, ich zerreiße das Banner, welches die Färbung des Sommer entfaltet, ich vergesse die Hitze, ich überfliege die Wüste, ich bewältige die Beklemmung, die mir fast das Herz eingeschnürt hätte, ich werde zum heiteren Verbündeten des Wüstenklimas, ich habe den Drachen niedergestreckt, mit dem der spöttische Dschinn mich am Fortkommen hinderte, ich gehe als Sieger aus dem drückenden Dunst hervor, der Tau perlt in den Gärten, die in die steilen Wände meines Herzens gemeißelt sind, in jedem Tropf strahlt eine Sonne, der Ton ist dumpf, die menschlichen Stimmen sind unverständliches Gemurmel wie in einem Traum, mit jeder Pause ändert der Schatten seine Schwärze, ich steige hinab in das Reich der

Wüste und des Salzes, ich schöpfe in mir, eine Quelle sprudelt hervor, ich stille meinen Durst, ich finde Ruhe in diesem Vorspiel, das die Waschung einleitet, ich löse den grauen Dschinn in einem Kübel eisigen Wassers auf, ich fühle mich bereit, ich verlasse das Schwitzbad, ich gehe durch die lauwarme Abteilung, ich komme im Abkühlungsraum wieder zu mir, ich kehre ins Tepidarium zurück, der Masseur, ein Sahraoui*, ist frei, ich komme zu ihm wie einer, der von der Pilgerreise zurückkehrt, ich gehe auf Zehenspitzen, um nicht auf der Erde des Vergessens auszurutschen, der Masseur fordert mich auf, mich direkt auf dem feuchten Boden auszustrecken, neben dem flachen Alkoven, ein Unterschlupf, stellenweise von Dampf und Halbschatten überflutet, er baut um den Ort des Geschehens (wo er mich waschen will) eine Wand aus etwa einem Dutzend Kübel, die bis zum Rand mit kochendem Wasser gefüllt sind, ich gebe mich hin, ich spiele den Reglosen (wie ein Verstorbener in den Händen des Totenwäschers), er dehnt meine Glieder, meine Gelenke schlitzen mich der Breite nach auf, er konzentriert sein ganzes Gewicht auf seine Hände, die er auf meinem Rücken niedersinken läßt, meine Knochen knacken, ein solches Gewicht könnte einen Toten erwecken, sein Kneten ruft alte Erinnerungen an meine Knochen wach, mit seinen rauhen und stumpfen Nägeln reibt er meinen Körper bis in die hintersten Winkel, frische Energie breitet sich in meinem Nervenlabyrinth aus, das Feuer kommt in meiner Brache, die Flammen sind fruchtbar wie beim Brandroden, aus meinem Aschegemisch gibt er mir Form, mit dem schwarzen Handschuh, weich und rauh, stellt er mich wieder her, er kittet meine verstreuten Scherben, er macht die wenigen verdorbenen Ablagerungen ausfindig, er schafft mir den Rest der grauen Schuppen vom Hals, er schüttet reichlich Wasser über meinen Körper. Sie werden sich fühlen wie neugeboren, sagt er mir, ich arbeite seit dreißig Jahren als Masseur und bin sechsundfünfzig, ich befreie die Kunden von den Dschinns, die in ihnen schlummern und die die Hitze erweckt, und alles ist in Ordnung.

---

* Einer, der aus der Wüste stammt.

Die arabische Literatur war schon im fünften Jahrhundert, also noch vor dem Islam, hoch entwickelt, aber die Poesie überragte alle anderen Formen der Literatur und war, wie übrigens bis in die Gegenwart hinein, weithin beliebt in der arabischen Welt. Am Vorbild des Koran, der in Reim-Prosa verfaßt war, entwickelte sich die arabische Kunstprosa, die daher auch als Reim-Prosa begann. Ihren Höhepunkt erreichte sie im zehnten Jahrhundert. Erst durch die Konfrontation mit Europa im 19. Jahrhundert mit dem Beginn des Kolonialismus entwickelten sich die moderne Kurzgeschichte, die Novelle und der Roman.

Der Beginn der literarischen Erneuerung steht in engem Zusammenhang mit dem Beginn nationaler arabischer Bewegungen. Hervorgerufen wurde dies durch das Eindringen der Europäer in den arabischen Raum, zuerst 1798 durch die französische Expedition Napoleons in Ägypten, später in Syrien. Diese Expedition konfrontierte Ägypten das erste Mal direkt mit den Errungenschaften Europas, insbesondere mit den Ideen der französischen Revolution und der europäischen Aufklärung, sowie mit den Entwicklungen vor allem im militärischen, wissenschaftlichen und wirtschaftlichen Bereich. Napoleon war es auch, der die erste Druckerei mit arabischen Typen nach Ägypten mitbrachte und so dort den Grundstein für eine literarisch-kulturelle Erneuerungsbewegung legte, die sich später auf den gesamten arabischen Raum ausdehnen sollte.

Nach dem Ende der französischen Expedition 1801 bestieg Mohammed Ali, ein aufgeklärter Despot, den Thron in Ägypten und leitete so eine Phase zunehmenden europäischen Einflusses ein. Seine Faszination durch Europa veranlaßte ihn, die ersten Stipendiaten nach Paris zu schicken, was nicht ohne weitreichende Folgen für die neuere arabische Litaratur blieb. Die zurückkehrenden Stipendiaten wurden nämlich dazu verpflichtet, mindestens ein wissenschaftliches Buch ins Arabische zu übersetzen. Der Monarch hoffte, dadurch den allgemeinen wissenschaftlichen Standard seines Landes anzuheben. So begann bald eine lebhafte Übersetzertätigkeit, die durch die Gründung einer Übersetzerschule noch beschleunigt wurde, und schon wenige Jahrzehnte später lagen die ersten großen literarischen Übersetzungen nicht nur aus dem Französischen, sondern auch aus dem Russischen und Englischen vor.

Die Vermittlung europäischer Literatur begann mit der Übersetzung der Prosa; dabei adaptierte man anfangs die Themen weitgehend, paßte jedoch die Helden und ihre Handlungen je nach den Bedürfnissen des kulturellen Umfeldes an die arabischen Gegebenheiten des jeweiligen Landes an. Obwohl diese Art der Übertragung aus den oben genannten Gründen sehr mangelhaft war und vieles zu wünschen übrig ließ – manche Übersetzungen erschienen nur noch als eine entfernte Wiedergabe des Originals –, wurden sie vom Publikum gerne gelesen und waren überaus beliebt. Dieses Vorgehen führte die arabischen Leser langsam an neue Literaturformen und an eine veränderte Sprache heran und machte sie mit den neuen Ideen vertraut. Dies ließ bei der Leserschaft im Laufe der Zeit ein verändertes ästhetisches Bewußtsein entstehen, das bald nicht mehr nur nach paraphrasierten Übersetzungen verlangte, sondern das europäische Original ohne die interpretierenden Beigaben des Übersetzers lesen wollte. Dieser Prozeß trug ganz erheblich zur Erneuerung und Auflockerung der bis dahin in sehr feste Formen eingebundenen arabischen Literatursprache bei.

Ein weiterer wichtiger Faktor, der die Kontakte des Nahen Ostens mit Europa verstärkte, war die Missionierung der arabischen Christen in Syrien und im Libanon durch die Franzosen im 18. Jahrhundert; es folgte die russisch-orthodoxe, die britisch-anglikanische und schließlich die amerikanisch-protestantische Mission. Die Missionare errichteten überall Schulen, Druckereien und Universitäten. Sie brachten nicht nur ihre jeweilige Sprache und Kultur mit, sondern pflegten auch die arabische Sprache und gaben so ungewollt einen Anstoß zur Entstehung eines Nationalbewußtseins. Träger des neuerwachten nationalen und kulturellen Selbstbewußtseins waren daher zuerst überwiegend christliche Intellektuelle, die sich vor allem in Ägypten, Syrien und im Libanon einen gesellschaftlichen Freiraum eroberten, der ihnen ermöglichte, sich in der Öffentlichkeit Gehör zu verschaffen. So trugen sie vor allem in der Anfangsphase erheblich zur kulturellen Erneuerung und zur politischen Bewußtwerdung in diesen Ländern bei.

Die Entwicklung der arabischen Erzählung verlief parallel zu der Entwicklung der gesellschaftlichen, politischen und kulturellen Veränderungen, die die arabische Welt im Verlaufe des letzten Jahrhunderts erschütterten. Diese Entwicklung veränderte auch den literarischen Geschmack und erzeugte eine neue literarische Sensibilität. Mehrere Faktoren spielten – außer dem schon erwähnten starke Veränderungen auslösenden Kontakt zu Europa – dabei eine wichtige Rolle. Als erstes ist hier die zunehmende Ausdehnung der Städte im »Maschriq« (arab. »Osten«) zu erwähnen, wobei sich mehrere Zentren , wie z. B. Kairo und Alexandria in Ägypten, Beirut und Tripolis im Libanon, Damaskus und Aleppo in Syrien, Bagdad im Irak, Jerusalem und Haifa in Palästina, herausbildeten. Im »Maghrib« (arab. »Westen«) was das Leben Anfang des zwanzigsten Jahrhunderts in den Städten wie auf dem Lande stark von den Traditionen geprägt. Die arabische Halbinsel kannte bis dahin kaum einen Prozeß der Verstädterung.

Die Rolle der Ausbildung läßt sich kaum unterschätzen. Der Maschriq erlebte eine vollständige Umwälzung des gesamten bisherigen Ausbildungssystems. Das religiöse Erziehungssystem (Koranschulen) wurde allmählich durch ein säkularisiertes Schulsystem ersetzt. Diese bahnbrechende Veränderung war eine maßgebliche Voraussetzung dafür, daß sich in den Städten neue Intellektuellenkreise bildeten, die sich in ihrem Denken auf die durch die europäische Aufklärung postulierte Rationalität bezogen, und daß sich das Lesepublikum in den arabischen Ländern dieser Region erheblich vergrößerte. So entstand ein Bedürfnis nach neuer Literatur, in der der Leser sich selbst und die Herausforderungen seiner Zeit wiederfinden konnte.

Die überlieferten stark reglementierten Formen der Literatur wurden als immer unzulänglicher empfunden, konnten sie doch die enormen gesellschaftlichen Umbrüche und die neu auftretenden Fragen kaum noch adäquat reflektieren.

Außerdem wurden die traditionellen Formen der Literatur von vielen Intellektuellen zunehmend als Einschränkung ihrer individuellen, künstlerischen Freiheit empfunden, die es ihnen nahezu unmöglich machten, neue Fragestellungen und Sichtweisen der Welt darzustellen. Es verwundert daher nicht, daß zahlreiche literarische Strömungen aus Europa, wie die Romantik oder der Realismus zuerst meist in kopierter, arabischer Form, später jedoch in durchaus eigenständiger, phantasievoller Prosa ihren Niederschlag fanden.

Das säkularisierte Ausbildungssystem, das auch Mädchen zum erstenmal die Möglichkeit der Schulbildung eröffnete, und das neu entstandene Pressewesen brachten eine veränderte, erneuerte Sprache mit sich, die durch die Notwendigkeiten nicht zuletzt auch des Journalismus stark vereinfacht wurde und dadurch auch größere Leserkreise erreichte. Die in der arabischen Sprache traditionellerweise herrschende Diskrepanz zwischen der geschriebenen und der gesprochenen Sprache verringerte sich dadurch zugunsten der gesprochenen Sprache. Während die Lyrik weiterhin an den überlieferten Formen der Sprache festhielt und sich erst mit einigen Jahrzehnten Verspätung von ihnen zu lösen begann, fanden die gesprochene Sprache und sogar umgangssprachliche Formen immer häufiger Eingang in die arabische neue Prosa.

Zahlreiche Erzählungen wurden zuerst in Zeitungen veröffentlicht und erschienen erst später in Sammlungen oder Anthologien. Sogar Romane wurden durch ihre erstmalige Publikation als Fortsetzungsroman in einer Zeitung bekannt, machten ihren Autor berühmt und fanden erst dann einen Verleger, der den Roman anschließend in Buchform veröffentlichte.

In anderen Teilen der arabischen Welt wurde die Erzählung als literarische Gattung wegen der Besonderheiten der kulturellen Bedingungen in diesen Ländern erst später entdeckt. Im Maghrib war man bemüht, die eigene kulturelle Identität, die durch die frühe Kolonialisierung dieser Länder oft verschüttet war, wiederzuentdecken. Die Kolonialisierung dieser Länder durch die Franzosen schon Anfang des neunzehnten Jahrhunderts bewirkte zudem eine Isolation von der übrigen arabischen Welt, die eine Sonderentwicklung einleitete und deren Spuren bis heute deutlich erkennbar sind.

Früher betrachtete man die Gattung der modernen Prosa in der arabischen Literatur als etwas ihr Fremdes, das in diese Literatur eingedrungen war – sie wurde damals als »Parasit« bezeichnet –, ganz im Gegensatz zur Poesie, die eine lange Tradition nachweisen konnte. Man war mißtrauisch der Prosa, insbesondere auch der Erzählung gegenüber.

Nicht zuletzt aufgrund von islamischen, religiösen Traditionen gab es anfangs deutliche Vorbehalte gegen eine allzu bildhafte Sprache, wie sie aus Europa in Übersetzungen in die arabischen Länder transportiert wurde. So wird auch verständlich, daß die arabischen Schriftsteller bis etwa zu Beginn dieses Jahrhunderts sich zuerst mehr auf die Form des zum Teil belehrenden und moralisierenden Essays konzentrierten; sie schufen sich so eine literarische Form, die sich so lange hielt, bis sie sich einen intellektuellen Freiraum in der Gesellschaft erobert hatten, der es ihnen ermöglichte, selbständig originäre Formen der arabischen Erzählung zu verfassen.

Es läßt sich schwer festlegen, wann die arabische Erzählung tatsächlich geboren wurde. Manche Literaturhistoriker fassen den Begriff der Erzählung relativ weit und betrachten daher jede Art von narrativem Text in der arabischen Literaturgeschichte schon als Erzählung. Festzuhalten bleibt jedoch, daß fast alle arabischen Kritiker und Literaturhistoriker die Geburt der modernen arabischen Erzählung auf das Jahr 1914 datieren, das Erscheinungsjahr des großen Gesellschaftsromans ›Zeinab‹ von Mohammed Hussein Haikal, der schon damals unter dem Pseudonym »ein ägyptischer Bauer« erschien. Denn es galt damals noch als unerhört, in dieser neuen Gattung der Literatur zu schreiben. Sogar der Autor empfand die Veröffentlichung dieses Romans rückblickend als ein Abenteuer, da die Romanform damals in der arabischen literarischen Welt nicht anerkannt wurde. Aber ›Zeinab‹

erregte überaus großes Interesse in der Öffentlichkeit und machte Haikal über Nacht berühmt.

In der Zeit zwischen den beiden Weltkriegen, einer Zeit, die in der gesamten arabischen Region von großer politischer Unruhe geprägt war, entwickelte sich die Erzählung zu einer eigenständigen arabischen Literaturform, die nun auch allgemein anerkannt wurde. Politisch gesehen war es die Zeit der vollständigen Kolonialisierung des arabischen Raumes durch die Engländer und die Franzosen, an die sich die Phase der Entkolonialisierung und der nationalen Unabhängigkeitsbestrebungen anschloß.

Gesellschaftliche Umstrukturierungen größeren Ausmaßes bewirkten, daß sich der selbständige Mittelstand eine eigenständigere Position schaffen konnte. Zahlreiche Intellektuelle gingen nun auch aus dem mittelständischen Bürgertum hervor und gaben der Literatur neue gesellschaftliche Impulse. Sie nahmen neue Themenbereiche auf wie zum Beispiel Schilderungen des Lebens im städtischen Milieu, der rechtlosen Stellung der Frau in der arabischen Gesellschaft oder auch des krassen Gegensatzes zwischen der Stadt- und Landbevölkerung. Immer häufiger bezogen sie Stellung für einen gesellschaftlichen Wandel, griffen die soziale Ungerechtigkeit an und ließen ihre Erzählungen zur öffentlichen Anklage der ungerechten Verhältnisse werden.

Nach dem Zweiten Weltkrieg kam der Prozeß der Entkolonialisierung zu einem vorläufigen Ende. Im Anschluß daran stürzten einige arabische Monarchien, wie z.B. in Ägypten und im Irak, und es bildeten sich zum erstenmal zahlreiche politische Parteien der unterschiedlichsten politischen Strömungen. Zu dieser Zeit erreichten auch die arabischen Schriftsteller eine immer größere Selbständigkeit und lösten sich zunehmend von ihren Vorbildern in Europa und in Amerika. Sie griffen immer häufiger Themen auf, die zur Weltliteratur gehörten und deutlich die Auseinandersetzung des Individuums mit existenziellen Fragen des Lebens in der Gesellschaft markierten. Die enorm erweiterten Möglichkeiten der internationalen Kommunikation überschwemmten die Intellektuellen mit Informationen über die unterschiedlichsten philosophischen Ansätze; die Freudsche Psychoanalyse, der Existenzialismus, der Surrealismus und besonders auch der Marxismus beeindruckten viele von ihnen, und das führte bald zu einer oft phantasievollen Auseinandersetzung und wenig später auch zu heftigen Debatten, die zum Teil öffentlich ausgetragen wurden. Dabei ging es immer wieder um die Möglichkeiten der Veränderung und Erneuerung der Gesellschaft sowie um die Verhinderung dieses Prozesses von seiten der Traditionalisten.

In dieser Zeit entwickelten sich hauptsächlich zwei kulturelle Drehscheiben, Beirut und Kairo, wobei Beirut das wichtigere war; denn in dieser Metropole hatte sich ein riesiges Zentrum des arabischen Verlagswesens etabliert, und es existierte Pressefreiheit. Dies verlieh Beirut eine fast magische Anziehungskraft, denn es ermöglichte vielen Schriftstellern, die im Exil lebten und durch die Zensur verfolgt waren, endlich die Veröffentlichung ihrer Literatur. So versuchten fast alle arabischen Intellektuellen in Beirut zu publizieren. Kairo dagegen, als Metropole des bevölkerungsreichsten arabischen Landes, erhielt durch die politischen Hoffnungen, die der Nasserismus bei vielen Intellektuellen weckte, seine Anziehungskraft.

Das politische Engagement der arabischen Intellektuellen, das sich auch in ihren Erzählungen immer wieder zeigte, vertiefte sich und setzte etliche unter ihnen der Verfolgung aus. Immer wieder beschäftigten sie sich auch mit dem Palästina-Problem, das nicht nur ein Anliegen palästinensischer Autoren blieb, sondern ein Thema war, das die meisten arabischen Intellektuellen interessierte.

Auffallend ist auch, daß sich in dieser Zeit immer mehr Frauen schriftstellerisch zu Wort meldeten. Diese jungen Autorinnen zeigten ein außergewöhnliches Selbstbewußtsein und erreichten, daß Themen aufgegriffen wurden, die vorher weitgehend gesellschaftlich tabuisiert waren, wie zum Beispiel die Beziehungen zwischen den Geschlechtern, die gesellschaftliche Ohnmacht vieler Frauen und nicht zuletzt auch die Sexualität, ein Thema, das selbst von den männlichen Schriftstellerkollegen bisher kaum berührt worden war.

Eine besondere Position innerhalb der arabischen Literatur nimmt die Literatur ein, die von französisch schreibenden Autoren veröffentlicht wurde. Vor allem Schriftstellerinnen aus dem Maghrib, sowie auch teilweise aus Ägypten und vor allem aus dem Libanon schrieben unter dem Einfluß des Kolonialismus in dieser europäischen Sprache, was zeitweise zu Diskussionen über deren intellektuelle Selbständigkeit gegenüber Europa führte. Es dauerte einige Zeit, bis auch die französischsprachige Literatur in der arabischen Welt wieder Anerkennung fand und als ein Bestandteil der arabischen Literatur angesehen wurde.

Die vorliegende Sammlung von Erzählungen aus der arabischen Welt, die erste ihrer Art in deutscher Sprache, enthält abgeschlossene Erzählungen aus fast allen arabischen Ländern von Autoren und Autorinnen des 20. Jahrhunderts. Sie will anhand prägnanter Beispiele arabischer Kurzprosa einen Eindruck von der modernen arabischen Erzählkunst vermitteln und auf literarischem Weg kulturelle, soziale, historische und politische Informationen liefern, die den Lesern den Zugang zur arabischen Welt erleichtern können. Zahlreiche Beiträge, aus dem Arabischen oder Französischen übersetzt, liegen hier zum erstenmal in deutscher Sprache vor. Wenn einzelne Regionen beziehungsweise Länder mit mehr Autoren als andere vertreten sind, so entspricht das der Vielfalt des literarischen Lebens in diesen Ländern und hat kulturhistorische Gründe, die sich aus den oben beschriebenen unterschiedlichen Bedingungen innerhalb des arabischen Kulturkreises ergeben.

In den letzten Jahren hat in Deutschland das Interesse der Leser an arabischer Literatur merklich zugenommen. Das spiegelt sich in der zunehmenden Zahl von Übersetzungen aus dem Arabischen. Wenn diese Sammlung dazu beitragen kann, den arabischen Beitrag zur Weltliteratur zu dokumentieren und klischeehafte oder romantisierende Vorstellungen zurechtzurücken, so hat sie ihren Zweck erfüllt.

Suleman Taufiq
November 1990

Autoren

YAHYA AT-TAHIR ABDALLAH, geboren 1942 in Karnak al-Qadima/ Ägypten, Besuch der Oberschule, danach verschiedene kurzfristige Tätigkeiten. Anschließend machte er sein Landwirtschaftsdiplom. 1964 zog er nach Kairo. Er war Mitarbeiter bei verschiedenen Kinderzeitschriften. 1971 erhielt er ein Förderungsstipendium des Kulturministeriums. Sein Werk umfaßt mehrere Erzählbände und Kurzromane. Abdallah kam 1981 bei einem Autounfall ums Leben. Die Erzählung ›Der Zigeuner‹, dt. v. Nagi Nagiub, ist entnommen aus ›Sprache im technischen Zeitalter‹, Nr. 96, LCB, Berlin, Dezember 1985.

ABD AL-ZIZ AL-MASCHRI, geboren in Saudi-Arabien, veröffentlichte Romane und Erzählungen, lebt in Saudi-Arabien und arbeitet auch für die Presse dort. Die Erzählung ›Geschichten von Abu Salim‹, dt. v. Suleman Taufiq, ist entnommen aus der Zeitschrift ›Al-Naqid‹, Nr. 2 und 4, London 1988.

TAUFIK JUSSUF AWWAD, geboren 1911 in Bhersaf/Libanon, studierte Philosophie und nahm als Journalist an der libanesischen Unabhängigkeitsbewegung teil. Er war dann viele Jahre im diplomatischen Dienst tätig. 1957 gab er seine erste Kurzgeschichtensammlung heraus. Sein literarisches Werk machte ihn schon früh zu einem Wegbereiter des realistischen Gesellschaftsromans im Libanon. Sein Werk wurde in viele Sprachen übersetzt. Er starb 1988, als sein Haus von einer Rakete getroffen wurde. Die Erzählung ›Der Kaffeeverkäufer‹, dt. v. Johann-Christoph Witt, ist entnommen aus ›Die Taube der Moschee. Syrien und Libanon in Erzählungen der besten zeitgenössischen Autoren‹, hrsg. v. Sam Kabbani, Horst Erdmann Verlag, Stuttgart 1966.

SAMIRA AZZAM, geboren 1927 in Akka/Palästina, gestorben 1967. Sie studierte an der Amerikanischen Universität in Beirut und veröffentlichte viele literarische Übersetzungen aus dem Englischen. Sie schrieb zahlreiche Erzählungen und Romane. Die Erzählung ›Der Palästinenser‹, dt. v. Ortrud u. Bernd Schirmer, ist entnommen aus ›Erkundungen, 16 palästinensische Erzähler‹, Verlag Volk und Welt, Berlin 1983.

SALWA BAKR, geboren 1949 in Ägypten, arbeitet dort als Journalistin und Schriftstellerin. Sie veröffentlichte hauptsächlich Erzählungen. Die Erzählung ›Einunddreißig schöne grüne Bäume‹, dt. v. Cornelia Höhling, ist entnommen aus ›Erkundungen. 32 ägyptische Erzähler‹, Verlag Volk und Welt, Berlin 1989.

Tahar Ben Jelloun, geboren 1944 in Fez/Marokko, studierte in Rabat Philosophie und in Paris Psychologie. In Paris promovierte er über sozialpsychiatrische Probleme nordafrikanischer Einwanderer. Er lebt und publiziert seit 1971 in Paris. Er schreibt auf Französisch. Von ihm sind bis jetzt acht Romane, sieben Gedichtbände und zwei große Essays auf französisch erschienen. Für den Roman ›Sohn ihres Vaters‹ erhielt er den literarischen Antirassismus-Preis der Bewegung »SOS-Racisme«. Für die ›Nacht der Unschuld‹ erhielt er 1987 den Prix Concourt. Die Erzählung ›Die Mädchen von Tetuan‹, dt. v. Helmut T. Heinrich, ist entnommen aus ›Die Mandelbäume sind verblutet. Prosa und Lyrik‹, Aufbau Verlag, Berlin/Weimar 1979, und erscheint hier mit freundlicher Genehmigung der Éditions La Découverte, Paris.

Rachid Boudjedra, geboren 1941 in Ain Beida/Algerien. Von 1952 bis 1959 besuchte er das College Sadiki in Tunis, um die in Algerien verbotene arabische Sprache zu erlernen. Gehörte der algerischen Befreiungsarmee an; 1960 Verwundung und Behandlung in der Sowjetunion. Studierte Philosophie und Mathematik in Algier und Paris. Lehrte an verschiedenen Universitäten Nordafrikas, des Nahen Ostens, Europas und Nordamerikas und lebt zur Zeit in Algier. Er ist Vorsitzender einer der drei algerischen Menschenrechtsligen und des Schriftstellerverbands. Er schrieb auf französisch, aber seit 1982 schreibt und publiziert er auf arabisch. Die Erzählung ›Umm Hani‹, dt. v. Bernd Schirmer, ist entnommen aus ›Erkundungen, 22 algerische Erzähler‹, Verlag Volk und Welt, Berlin 1973.

Edward al-Charrat, geboren 1926 in Ägypten, übte nach seinem Studium der Rechtswissenschaft verschiedene Tätigkeiten im Geschäfts -und Bankbereich aus. Wegen seines politischen Engagements war er Ende der vierziger Jahre in Haft. Seit 1983 im Ruhestand, arbeitet er heute als freier Schriftsteller und ist aktiv im literarischen und kulturellen Bereich. Er hat mehrere Romane und Erzählbände veröffentlicht. Die Erzählung ›Die widerspenstigen weißen Wolken‹, dt. v. Gerhard Höpp, ist entnommen aus ›Erkundungen, 32 ägyptische Erzähler‹, Verlag Volk und Welt, Berlin 1989.

Mohamed Choukri, geboren 1935 in Marokko, lernte erst mit einundzwanzig Jahren im Gefängnis von Tanger Lesen und Schreiben. Er schrieb seine Geschichten zunächst in Straßencafes. 1973 schrieb er seinen autobiographischen Roman ›Das nackte Brot‹ auf Arabisch, den er dem amerikanischen Autor Paul Bowles auf spanisch diktierte, worauf dieser eine englische Version zusammenstellte, die 1973 in England erschien. 1980 erschien die französische Ausgabe und machte ihn in Europa berühmt. Der Roman blieb bis heute in Marokko verboten. Choukri lebt heute in Tanger und betreut dort eine Literatursendung im Rundfunk. Die Erzählung ›Die Sandalen des Propheten‹, dt. v. von Georg Brunold u. Viktor Kocher, ist entnommen aus dem Band ›Das nackte Brot‹, Greno Verlag, Nördlingen 1986, und erscheint hier mit freundlicher Genehmigung des Vito von Eichborn Verlags, Frankfurt.

ALBERT COSSERY, geboren 1913 in Kairo. Er ist syrisch–libanesischer Abstammung, kam jedoch schon früh mit der europäischen Kultur in Berührung. Nach dem Besuch der französischen Schule in Kairo studierte er in Paris und London. Seit 1945 lebt er in Paris. Er schreibt auf französisch. In seinen Werken versucht Cossery zwei literarische Traditionen zu verbinden, und zwar die orientalische Märchenerzählung mit der europäischen literarischen Avantgarde. Die Erzählung ›Das Mädchen und der Haschisch-Raucher‹, dt. v. Kurt Wagenseil, ist entnommen aus ›Das Sandkorn‹, hrsg. v. François Bondy, Diogenes Verlag, Zürich 1962, und erscheint hier mit freundlicher Genehmigung des Autors.

ASSIA DJEBAR, geboren 1936 in Algerien, war die erste Algerierin, die zum Studium an der »Ecole Normale Superieure de Sèvres« zugelassen wurde. 1957 veröffentlichte sie ihren ersten Roman. Sie schreibt nur auf französisch und ist heute die bedeutendste Autorin des Maghreb. Sie arbeitet zur Zeit als Schriftstellerin, Historikerin und Filmemacherin und lebt in Paris. Die Erzählung ›Ein Tag des Ramadan‹, dt. v. Hannelore Jubisch, ist entnommen aus ›Erkundungen, 22 algerische Erzähler‹, Verlag Volk und Welt, Berlin 1973.

AHMED IBRAHIM AL-FAQIH, geboren in Libyen. Veröffentlichte mehrere Romane und Erzählbände. Arbeitet auch bei der Presse. Die Erzählung ›Der Regen und die Träume‹, dt. v. Suleman Taufiq, ist entnommen aus ›al-Naqid‹, Nr. 16, London 1989.

GAMAL AL-GHITANI, geboren 1945 in Gahina/Ägypten, wuchs in der Altstadt von Kairo auf. Ab 1962 lernte er Teppich-Design an einer technischen Oberschule und arbeitete bis 1968 in diesem Beruf. Aus dieser Zeit stammen seine ersten literarischen Versuche, Kurzgeschichten, die in libanesischen und ägyptischen Zeitschriften erschienen. 1968 wechselte er seinen Beruf: Er wurde Journalist bei der Tageszeitung ›al-Akhbar‹, deren Feuilletonchef er heute ist. Zeitweilig war er Militärkorrespondent für die Suez-Zone. Ghitani gehört zu den produktivsten und erfolgreichsten Schriftstellern der jüngeren Generation. Bis heute hat er neun Romane und zehn Erzählbände publiziert, in deutscher Übersetzung auch einen Beitrag in ›Gesteht's! Die Dichter des Orients sind größer . . .‹, Bd. 2 Arabische Literatur, Berlin 1991. Die Erzählung ›Die Straßenbahn‹, dt. v.

Adel Karasholi, erscheint hier mit freundlicher Genehmigung des Hauses der Kulturen der Welt, Berlin.

EMIL HABIBI, geboren 1920 in Schafa/Palästina. Schriftsteller, Journalist, Lehrer, Politiker und Gewerkschaftler. Lebt in Haifa. Er war Chefredakteur der arabischen Tageszeitung ›Al-Ittihad‹. Beteiligte sich an der Redaktion mehrerer Zeitschriften. Er gehört zu den bekannten Prosaschriftstellern der arabischen Welt. 1990 gründete er einen eigenen Verlag für arabische Literatur in Haifa. Die Erzählung ›Das Mandelbaumtor‹, dt. v. Erika Pabst, ist entnommen aus ›Erkundungen, 16 palästinensische Erzähler‹, Verlag Volk und Welt, Berlin 1983.

GHALIB HALASA, geboren 1931 in Amman/Jordanien, gestorben 1989 in Damaskus. 1952 mußte er aus politischen Gründen Jordanien verlassen. Er ging zuerst nach Beirut, dann nach Bagdad, von 1955 bis 1976 lebte er in Ägypten. 1976 wurde er aus Ägypten ausgewiesen und lebte bis zu seinem Tod in Damaskus. Er gab viele Zeitschriften heraus und schrieb Romane, Erzählungen und viele Essays. Die Erzählung ›Der Fremde‹, dt.v. Regina Karasholi, ist entnommen aus seinem Erzählband ›Wadi, die Heilige Milade und die anderen‹, Kairo 1968.

GEORGES HENEIN, geboren 1914 in Kairo. Er war ein französisch schreibender Dichter. Entdeckte 1934 während seiner Studienzeit in Paris den Surrealismus. 1937 gründete er in Kairo die Gruppe »Art et Liberté«, in deren Umkreis alle freien Geister Ägyptens versammelt waren. 1947 betreute er mit Alexandrian und Pastoureau das Sekretariat des surrealistischen Informations- und Verbindungsbüros »Cause«. 1950 entfernte er sich von der Pariser Gruppe. 1960 verließ er mit seiner Frau Ägypten und ging nach Rom, später nach Paris, wo er 1973 starb. Die Erzählung ›Vage Geschichte‹ (Histoire Vague), dt. v. Maggy Origer, ist entnommen aus dem Band ›Notes sur un pays inutile‹, Puyraimond, Genf 1977.

ALFA AL-IDLIBI, geboren 1912 in Damaskus/Syrien, mußte mit 17 Jahren ihr eben erst begonnenes Studium abbrechen, weil die Familie ihre Heirat beschlossen hatte. Autorin zahlreicher Romane und Erzählbände, die hauptsächlich das Milieu von Damaskus beschreiben. Die Erzählung ›Ein unlösbares Problem‹, dt. v. Doris Erpenbeck, ist entnommen aus ›Erkundungen. 22 syrische Erzähler‹, Verlag Volk und Welt, Berlin 1978.

DSCHALIL AL-KAISSI, geboren 1938 im Irak, erhielt seine Ausbildung an einer englischen Schule im Irak. Bis zum Ausbruch seiner schweren Krankheit, arbeitete er mehrere Jahre in einem Erdölinstitut. Er veröffentlichte Erzählungen und Theaterstücke. Die Erzählung ›Sulaiha – die Ferne rückt näher‹, dt. v. Doris Erpenbeck, ist entnommen aus ›Erkundungen. 28 irakische Erzähler‹, Verlag Volk und Welt, Berlin 1985.

GHASSAN KANAFANI, geboren 1936 in Akka/Palästina. Sein Vater war Anwalt. 1984 flüchtete er mit seiner Familie nach Libanon; von dort nach kurzer Zeit Umsiedlung nach Syrien. In einem Flüchtlingslager in Damaskus schloß er seine Schulausbildung ab. 1954 machte er sein Abitur und immatrikulierte sich an der Universität Damaskus. 1956 ging er als Sport- und Zeichenlehrer nach Kuwait. 1960 zog er nach Beirut, um die Redaktion der Zeitung ›al-Muharrir‹ zu leiten. Er übernahm auch die Redaktion der linken Zeitschriften ›al-Hurriyya‹ und später ›al-Hadaf‹. 1972 wurde er in Beirut durch eine Bombe getötet, die vom israelischen Geheimdienst an seinem Wagen angebracht war. Er war ein Erzähler, Historiker, Literaturkritiker, politischer Journalist, Maler und politischer Aktivist. Die Erzählung ›Über die Grenze hinaus‹, dt. v. Doris Erpenbeck, ist entnommen aus ›Erkundungen. 16 palästinensische Erzähler‹, Verlag Volk und Welt, Berlin 1983.

ELIAS KHOURI, geboren 1948 in Beirut/Libanon. Studierte Geschichte und Soziologie in Beirut. Gab viele literarische Zeitschriften heraus. Arbeitet heute als Feuilletonist der bekannten libanesischen Tageszeitung ›as-Safir‹. Er veröffentlichte viele Romane und Erzählbände. Die Erzählung ›Die dritte Frau‹, dt. v. Suleman Taufiq, erschien zuerst in der Tageszeitung ›as-Safir‹, Beirut, vom 6. 7. 1980.

NAGIB MACHFUS, geboren 1911 in Kairo/Ägypten als Sohn eines kleinen Beamten, gehört zu den bedeutendsten arabischen Erzählern der Gegenwart. Von 1930 bis 1934 studierte er Philosophie an der Kairoer Universität, anschließend trat er in den Staatsdienst ein und war lange Jahre im Minsterium für religiöse Stiftungen tätig. Bis zu seiner Pensionierung Ende 1972 war er im Amt für Schöne Künste, im Verwaltungsrat, der staatlichen Film-Förderungsgesellschaft und im Kulturministerium tätig. Zuerst schrieb er historische Romane, dann wandte er sich der realistischen Darstellung gesellschaftlicher Themen zu. Seine überragende Stellung in der arabischen Literatur der Gegenwart gründet sich vor allem auf seine 1956/1957 erschienene Romantrilogie ›Zwischen den zwei Palästen‹, für die ihm der ägyptische Staatspreis für Literatur verliehen wurde. Sein Werk ist sehr umfangreich. 1988 wurde er mit dem Nobelpreis für Literatur ausgezeichnet. Die Erzählung ›Die Moschee in der Gasse‹, dt. v. Wiebke Walther, ist dem gleichnamigen Erzählband entnommen (Unionsverlag, Zürich 1988).

ABDELWAHAB MEDDEB, geboren 1946 in Tunis in einer Familie von islamischen Schriftgelehrten. Er studierte Literaturwissenschaft, Kunstgeschichte und Archäologie in Tunis und Paris. Nach dem Studium besuchte er mehrere Städte Europas (u. a. Rom, Florenz, Venedig), um europäische Kunstgeschichte zu studieren. Er war Dozent an der École des Beaux-arts in Paris und arbeitete bei verschiedenen Verlagen. Er verfaßte zahlreiche Essays, die sich mit den Beziehungen zwischen der europäischen und der arabischen Kultur beschäftigen, und veröffentlichte Romane und Gedichte. Er schreibt auf französisch. Die Erzählung ›Hammam Fassi‹, dt. v. Barbara Rösner, ist entnommen aus ›Hanîne, Prosa aus dem Maghreb‹, hrsg. v. Regina Keil, Verlag Das Wunderhorn, Heidelberg 1989.

RACHID MIMOUNI, geboren 1945 in Boudouaou/Algerien, stammt aus einer armen Bauernfamilie. Studium der Chemie in Algier, dann zwei Jahre Zusatzstudium in Montreal. Arbeitet gegenwärtig als Dozent in der Ausbildung von Leitern am Nationalinstitut für Produktion und industrielle Entwicklung der Universität Boumerdes in der Nähe von Algier. Er schreibt in französischer Sprache. Er veröffentlichte zunächst Erzählungen und später Romane. Mit seinem Roman ›Tombeza‹ gelang ihm der Durchbruch. Die Erzählung ›Der Ausbrecher‹, dt. v. Corinna Wagner u. Regina Keil, ist entnommen aus ›Hanîne, Prosa aus dem Maghreb‹, hrsg. v. Regina Keil, Verlag Das Wunderhorn, Heidelberg 1989.

HASSOUNA MOSBAHI, geboren 1950 in Massiuta/Tunesien, stammt aus einer alten Beduinenfamilie. Nach dem Besuch der Koranschule machte er das Abitur und studierte Geschichte und Literatur in Tunis. Danach arbeitete er dort als Lehrer. Wegen gewerkschaftlicher Aktivitäten wurde er aus dem Schuldienst entlassen. Heute lebt er in Deutschland und arbeitet als Journalist. Er publizierte Erzählungen, Essays und Kritiken. Die Erzählung ›Ein Verbrechen im Dorf K.‹, dt. v. Mouhammed Al-Zarrouki, ist entnommen aus seinem Erzählband ›So heiß, so kalt, so hart‹, Greno Verlag, Nördlingen 1989, und erscheint hier mit freundlicher Genehmigung des Vito von Eichborn Verlags, Frankfurt.

BUSSAINA AL-NASSIRI, geboren 1943 in Tikrit/Irak. Studium der Anglistik, Mitarbeiterin bei verschiedenen irakischen Kulturzeitschriften. Lebt heute in Kairo. Sie ist Autorin mehrerer Sammlungen von Erzählungen. Die Erzählung ›Tod eines Hundes‹, dt. v. Ikbal Hasson, ist entnommen aus ›Die schwarze Abaya‹, Verlag Express Edition, Berlin 1985.

Laila al-Osman, geboren 1943 in Kuwait. Sie stammt aus einer wohlhabenden Familie. Ihr Vater heiratete neun Frauen, er kümmerte sich kaum um seine Tochter, der er eine Ausbildung untersagte. Veröffentlicht seit 1965 Erzählungen und Romane. Lebt heute als freie Schriftstellerin in Kuwait. Die Erzählung ›Aus der Akte einer Frau‹, dt. v. Suleman Taufiq, ist entnommen aus dem Erzählband ›Die Wände zerreißen‹, Edition Orient, Berlin 1988, und erscheint hier mit freundlicher Genehmigung des Verlags.

Hani Rahib, geboren 1939 in Lathakia/Syrien, studierte Anglistik in Damaskus und England. Bis 1986 hatte er eine Professur für englische Literatur inne. Bereits 1966 veröffentlichte er seinen ersten Roman; sein literarisches Werk umfaßt heute zahlreiche Romane, Erzählbände und Dramen. Er schreibt auch Literaturkritiken. Die Erzählung ›Zwei Heimkehrer‹, dt. v. Regina Karasholi, ist entnommen aus dem Band ›Die Verbrechen von Don Quijote‹, Damaskus 1978.

Fawzia Raschid, geboren in Bahrein. Arbeitet dort als Journalistin und Schriftstellerin. Autorin von mehreren Erzählbänden. Die Erzählung ›Eine unbeendete Geschichte‹, dt. v. Suleman Taufiq, ist entnommen aus ›Frauen in der arabischen Welt‹, hrsg. v. Suleman Taufiq, Deutscher Taschenbuch Verlag, München 1987.

Alifa Rifaat, geboren 1930 in Kairo/Ägypten. Bis 1948 besuchte sie die Haushaltsschule. 1951 wurde sie ungefragt mit einem Geologen verheiratet. Sie weigerte sich jedoch, die Ehe zu vollziehen. 1952 heiratete sie dann ihren Cousin. Er war ein Polizeioffizier und stieg zum Polizeioberst auf. 1955 veröffentlichte sie ihre erste Erzählung. Ihr Mann schickte sie wegen dieser Veröffentlichung zurück zu ihrem Vater. Sie mußte auf den Koran schwören, daß sie nicht mehr schreibt und veröffentlicht. 1971 litt sie unter einer schweren psychosomatischen Krankheit. Ihr Mann entband sie von dem Schwur. 1979, nach dem Tod ihres Mannes, konnte sie wieder frei schreiben. Die Erzählung ›Wenn der Nil über die Ufer tritt‹, dt. v. Suleman Taufiq, erscheint hier mit freundlicher Genehmigung der Edition Orient, Berlin.

Tayyeb Salih, geboren 1929 im Nordsudan, stammt aus einer bäuerlichen Familie. Er studierte in Khartoum und arbeitete zuerst als Lehrer, bevor er, wie viele andere sudanesische Studenten, die Ausbildung in England fortsetzte. Dort heiratete er eine Engländerin und arbeitete lange für die arabische Abteilung des BBC. Heute ist er in den arabischen Golfstaaten tätig. Er gehörte zu den bekanntesten Erzähler der arabischen Welt. Die Erzählung ›Eine Handvoll Datteln‹, dt. v. Suleman Taufiq, ist entnommen aus seinem Erzählband ›Doumat oud Hamid‹, Dar-Al-Aouda, Beirut 1980.

GHADA SAMMAN, geboren 1942 in Damaskus/Syrien. Studium der Anglistik in Damaskus, Beirut und London. Tätigkeit als Dozentin an der Universität Damaskus, als Redakteurin und Autorin bei Presse und Funk sowie als Übersetzerin. Ab 1964 lebte sie als freie Schriftstellerin in Beirut/Libanon und gründete 1967 einen eigenen Verlag (Edition Gahada Samman), um ihre Bücher zu verlegen. Ihr Werk umfaßt inzwischen etwa dreißig Bände, zumeist Erzählungen. Heute zählt sie zu den bedeutendsten Autoren und Autorinnen in der arabischen Welt. Ihre Bücher gehören zu den meistgelesenen arabischen Büchern und wurden in mehrere Sprachen übersetzt. Sie lebt zur Zeit in Paris. Die Erzählung ›Deine Augen sind meine Schicksal‹, dt. v. Sam Kabbani, ist entnommen aus ›Die Taube der Moschee. Syrien und Libanon in Erzählungen der besten zeitgenössischen Autoren‹, hrsg. v. Sam Kabbani, Horst Erdmann Verlag, Stuttgart 1966.

HANAN AL-SCHEICH, geboren 1945 im Libanon. Nach dem Studium in Beirut und Kairo arbeitete sie als Journalistin im Libanon. Seit 1975 lebt sie als freie Schriftstellerin in London. Ihr literarisches Werk umfaßt bis heute vier Romane und zwei Sammlungen von Erzählungen. Die Erzählung ›Der persische Teppich‹, dt. v. Regina Karasholi, ist entnommen aus dem Band ›Wardat Al-Sahra‹, Beirut 1982.

AHMED SEFRIOUI, geboren 1915 in Fez/Marokko. Nach der Koran-Schule und der französichen Schule, besuchte er das College Moulay Idriss in Fez. Die Eltern konnten ihm kein Studium finanzieren, bis sich ein Onkel seiner annahm. Er absolvierte die Kunstgewerbeschule und wurde Leiter des Museums von Batna. Vorher übte er verschiedene Berufe aus, u.a. als Dolmetscher, Anwaltsgehilfe. Zum Schluß war er höherer Verwaltungsangestellter im Kulturbereich. Er schreibt auf französisch und veröffentlichte mehrere Romane und Erzählbände. Die Erzählung ›Kindheit in Fez‹, dt. v. Fritz Jaffe, ist entnommen aus ›Das Sandkorn und andere Erzählungen aus Nordafrika‹, hrsg. v. François Bondy, Diogenes Verlag, Zürich 1981.

SAKARIJA TAMER, geboren 1931 in Damaskus/Syrien, verließ mit dreizehn Jahren die Schule und arbeitete bis 1960 als Schmied. Autodidakt. Sein erstes Buch erschien 1960 in Beirut und machte ihn mit einem Schlag berühmt. Von 1969 an war er im syrischen Kultur- und Informationsministerium tätig und übernahm dann den Posten des Chefs der Abteilung Drama beim syrischen Fernsehen; gleichzeitig war er Herausgeber verschiedener Kulturzeitschriften. Seit 1981 lebt er in London als freier Schriftsteller. Schreibt seit 1957, vor allem Kurzgeschichten und auch Erzählungen für Kinder.

Die Erzählung ›Frühling in der Asche‹, dt. v. Wolfgang Werbeck, ist entnommen aus dem Erzählband ›Frühling in der Asche‹, Lenos Verlag, Basel 1987.

Fuad at-Tekerli, geboren 1927 in Bagdad/Irak, studierte Jura in Bagdad und Paris und war einige Jahre ehrenamtlicher Chefredakteur der Literaturzeitschrift ›al-Adib al-Mu'assir‹. Seit vielen Jahren ist er in Bagdad als Richter tätig. Er schrieb mehrere Romane, Erzählbände und Theaterstücke. Die Erzählung ›Der Backofen‹, dt. v. Wiebke Walther, ist entnommen aus ›Erkundungen. 28 irakische Erzähler‹, Verlag Volk und Welt, Berlin 1985.

Abdassalam Udscheili, geboren 1918 in Rakka/Syrien. Studium der Medizin in Damaskus. 1947 Parlamentsabgeordneter, 1962 Kultusminister in Syrien. Reisen durch Europa, Nordamerika und die arabischen Länder. 1936 veröffentlichte er seine erste Erzählung in der ägyptischen Literaturzeitschrift ›al-Risala‹. Sein Werk umfaßt heute zahlreiche Romane und Erzählbände. Die Erzählung ›Die Frösche‹, dt. v. Sophia Grotzfeld, ist entnommen aus ›Die Taube der Moschee‹. Syrien und Libanon in Erzählungen der besten zeitgenössischen Autoren, hrsg. v. Sam Kabbani, Horst Erdmann Verlag, Stuttgart 1966, und erscheint hier mit freundlicher Genehmigung von Sam Kabbani.

Tahir Wattar, geboren 1936 in Algerien, gehört zu den wenigen algerischen Autoren, die auf Arabisch schreiben. Arbeitete als Journalist für arabischsprachige Zeitungen. Schrieb Dramen, Erzählungen und vor allem Romane. Er ist über die Grenzen Algeriens hinaus in der ganzen arabischen Welt sehr bekannt. Heute ist er als Direktor des algerischen Rundfunks tätig. Die Erzählung ›Die Waisen‹, dt. v. Harald Funk, ist entnommen aus ›Erkundungen. 22 algerische Erzähler‹, Verlag Volk und Welt, Berlin 1973.

Kateb Yacine, geboren 1929 in der Gegend von Constantine/Algerien. Sein Name Kateb (bedeutet Schriftsteller) weist auf die Schriftgelehrtentradition seiner Familie. Am 8. Mai 1945 nimmt er an der blutig niedergeschlagenen antikolonialistischen Demonstration in Setif teil und wird hier als Sechzehnjähriger verhaftet. Arbeitete nach der Entlassung aus der Haft als Reporter. Bereiste als Journalist den Mittleren Osten und zahlreiche europäische Länder. Lebte bis zu seiner Rückkehr nach Algerien 1970 vorwiegend in Frankreich. Aufbau einer Wanderbühne, danach Theaterdirektor in Sidi Bel Abbes. 1987 wurde er in Frankreich mit dem »Grand Prix National des Lettres« ausgezeichnet. Er starb 1989 in Paris. Yacine schrieb auf französisch und später auf kabylisch. Der Roman ›Nedschma‹ machte ihn international berühmt und wurde in viele Sprachen übersetzt. Die Erzählung ›Garten mitten in Flammen‹, dt. v. Bernd Schirmer, ist entnommen aus ›Erkundungen. 22 algerische Erzähler‹, Verlag Volk und Welt, Berlin 1973.

Herausgeber und Verlag danken allen Autoren und Verlagen, die die Erlaubnis zum Abdruck gegeben haben. Trotz aller Bemühungen konnten nicht alle Rechteinhaber festgestellt oder erreicht werden. Der Verlag verpflichtet sich, rechtmäßige Ansprüche jederzeit abzugelten.

Derzeit lieferbare Einzelausgaben der ausgewählten Autoren

Yahia at-Tahir Abdallah:
  Menschen am Nil. Zwei ägyptische Novellen, (Lenos Verlag) Basel 1989
Taufik Jussuf Awwad:
  Tamima, Roman, (Unionsverlag) Zürich 1984
Tahar Ben Jelloun:
  Die Nacht der Unschuld, Roman, (Rotbuch Verlag) Berlin 1987
  Der Gedächtnisbaum, Roman, (Rotbuch Verlag) Berlin 1989
  Sohn ihres Vaters, Roman, (Rotbuch Verlag) Berlin 1986
  Harrouda, Roman, (Rotbuch Verlag) Berlin 1990
Rachid Boudjedra:
  Der Pokalsieger, Roman, (Unionsverlag) Zürich 1989
  Die Verstoßung, Roman, ebd. 1991
Mohamed Choukri:
  Das nackte Brot, Roman und Erzählungen, (Eichborn Verlag) Frankfurt/M 1989
Albert Cossery:
  Gewalt und Gelächter, Roman, (Schelzky & Jeep Verlag) Berlin 1984
Assia Djebar:
  Fantasia, Roman, (Unionsverlag) Zürich 1990
  Die Schattenkönigin, Roman, (Unionsverlag) Zürich 1988
Gamal al-Ghitani:
  Seini Barakat, Roman, (Lenos Verlag) Basel 1988
Ghassan Kanafani:
  Das Land der traurigen Orangen, Erzählungen 1, (Lenos Verlag) Basel 1983
  Bis wir zurückkehren, Erzählungen 2, (Lenos Verlag) Basel 1984
  Männer in der Sonne. Was euch bleibt, Zwei Kurzromane, (Lenos Verlag) Basel 1985
  Umm Saad. Rückkehr nach Haifa, Zwei Kurzromane, (Lenos Verlag) Basel 1986
Nagib Machfus:
  Das Hausboot am Nil, Roman, (Edition Orient) Berlin 1982
  Der Dieb und die Hunde, Roman, (C. H. Beck Verlag) München 1986
  Die Midaq-Gasse, Roman, (Unionsverlag) Zürich 1985
  Die Moschee in der Gasse, Erzählungen, (Unionsverlag) Zürich 1988
  Miramar, Roman, (Unionsverlag) Zürich 1989
  Die Kinder unseres Viertels, Roman, (Unionsverlag) Zürich 1990

Rachid Mimouni:
Tombeza, Roman, (Pahl-Rugenstein Verlag) Köln 1989
Hassouna Mosbahi:
So heiß, so kalt, so hart, Erzählungen, (Eichborn Verlag) Frankfurt/M 1991
Laila al-Osman:
Die Wände zerreißen, Erzählungen, (Edition Orient) Berlin 1988
Alifa Rifaat:
Zeit der Jasminblüte, Erzählungen, (Unionsverlag) Zürich 1988
Erste Liebe letzte Liebe, Erzählungen, (Edition Orient) Berlin 1989
Die zweite Nacht nach tausend Nächten, Erzählungen, ebd. 1991
Salih Tayyib:
Die Hochzeit des Zain, Erzählung, (Edition Orient) Berlin 1983
Ghada Samman:
Alptraum in Beirut, Roman, (Lamuv Verlag) Bornheim-Merten 1988
Mit dem Taxi nach Beirut, Roman, (Edition Orient) Berlin 1990
Hanan al-Scheich:
Sahras Geschichte, Roman, (Lenos Verlag) Basel 1989
Zakaria Tamer:
Frühling in der Asche, Erzählungen, (Lenos Verlag) Basel 1987
Tahir Wattar:
Maultierhochzeit, Roman, (Edition Orient) Berlin 1991
Kateb Yacine:
Nedschma, Roman, (Suhrkamp Verlag) Frankfurt/M 1987

Zu Schreibung und Aussprache der arabischen Namen und Begriffe

Die Schreibung der Eigennamen und Begriffe innerhalb der Beiträge wurde für diese Ausgabe von Kirsten Jakubczyk vereinheitlicht. Sie entspricht der tatsächlichen Aussprache im jeweiligen Dialekt und soll für die deutschen Leser eine möglichst verständliche und einfache Aussprache ermöglichen. Doppellaute werden, wenn sie nicht durch einen Stimmabsatz (') getrennt sind, wie Diphtonge ausgesprochen; dh wie in engl. »there«; gh wie Zäpfchen-r in (hochdeutsch) »Rinde«; h immer als Hauchlaut; kh wie der Reibelaut in »Bach«; r immer wie Zungen-r; y wie deutsch j und z wie s in »Sand«. Die Schreibung von quasi eingedeutschten Namen und Begriffen wie »Scheherezade« oder »Scheich« wurde beibehalten.

Frauen
der Welt
im dtv

Frauen in Spanien
Erzählungen

dtv

Frauen in Thailand
Erzählungen

dtv

Frauen in Afrika
Herausgegeben von
Irmgard Ackermann
dtv 10777

Frauen in der
arabischen Welt
Hrsg. v. Suleman Taufiq
dtv 10934

Frauen in China
Hrsg. v. Helmut Hetzel
dtv 10532

Frauen in der DDR
Hrsg. v. Lutz W. Wolff
dtv 1174

Frauen in Frankreich
Herausgegeben von
Christiane Filius-Jehne
dtv 11128

Frauen in Griechenland
Herausgegeben von
Maria Bogdanu u.a.
dtv 11396

Frauen in Indien
Herausgegeben von
Anna Winterberg
dtv 10862

Frauen in Irland
Hrsg. v. Viola Eigenberz
und Gabriele Haefs
dtv 11222

Frauen in Italien
Herausgegeben von
Barbara Bronnen
dtv 11210

Frauen in Japan
Hrsg. von Barbara
Yoshida-Krafft
dtv 11039

Frauen in
Lateinamerika 1
Herausgegeben von
Marco Alcantara
und Barbara Kinter
dtv 10084

Frauen in
Lateinamerika 2
Herausgegeben von
Marco Alcantara
dtv 10522

Frauen in New York
Herausgegeben von
Margit Ketterle
dtv 11190

Frauen in Persien
Herausgegeben von
Touradji Rahnema
dtv 10543

Frauen in der Schweiz
Herausgegeben von
Andrea Wörle
dtv 11329

Frauen in Skandinavien
Herausgegeben von
Gabriele Haefs und
Christel Hildebrandt
dtv 11384

Frauen in der
Sowjetunion
Herausgegeben von
Andrea Wörle
dtv 10790

Frauen in Spanien
Herausgegeben von
Marco Alcantara
dtv 11094

Frauen in Südafrika
Herausgegeben von
Dorothea Razumovsky
dtv 11347

Frauen in Thailand
Herausgegeben von
Hella Kothmann
dtv 11106

Frauen in der Türkei
Herausgegeben von
Hanne Egghardt und
Ümit Güney
dtv 10856

Yaşar Kemal
im dtv

Das Lied der tausend Stiere

»Es ist die große Ballade vom Kampf eines Nomadenstammes der türkmenischen Karacullu um ihr angestammtes Winterquartier, das ihnen von den ansässigen Bauern und Hirten immer heftiger streitig gemacht wird ... In einer reichen Sprache, in allen erdenklichen Schattierungen von Freude, Hoffnung und Verzweiflung, von Mut und Niedergeschlagenheit, von Trotz und Ergebung ziehen die Gestalten des Stammes vorüber ...«
(Neue Züricher Zeitung)
dtv 10377

Anatolischer Reis

Ein junger Landrat nimmt den Kampf auf gegen ausbeuterische Großgrundbesitzer, die in der anatolischen Landschaft Cukurova ohne Rücksicht auf die verarmte und von Malaria geplagte Bevölkerung riesige Landstriche für den Reisanbau überfluten lassen.
dtv 10704

Gelbe Hitze
Erzählungen

Yaşar Kemal greift in diesen sechzehn Erzählungen die Tradition der Wandersänger und Geschichtenerzähler auf und verbindet sie mit seiner eigenen Lebenserfahrung und dem Wissen um die soziale und politische Wirklichkeit seines Landes zu einem anschaulichen Bild des Lebens der Menschen in Südanatolien. dtv 10933

Die Ararat Legende

Dem Hirten Ahmet, der an den Hängen des Berges Ararat lebt, ist ein wunderschönes Pferd zugelaufen. Ein Geschenk Allahs, sagen alle. Doch eines Tages erhebt der Pascha, dem das Pferd gehört, Anspruch darauf. Seine schöne Tochter stellt sich auf Ahmets Seite ... Yaşar Kemal hat eine alte kurdische Legende neu belebt und zur politischen Parabel geformt.
dtv 11147

Rafik Schami
im dtv

Foto: Alexa Gelberg

Das letzte Wort der Wanderratte
Märchen, Fabeln und
phantastische Geschichten

Warum verläßt Momo ihren Ehemann Rudolf S. und brennt mit J.R. durch? Wie legt ein kleiner Rabe einen Pfau aufs Kreuz? Was hat eine Wanderratte ihrem Volk oder vielmehr uns zu sagen? Auf solche Fragen weiß Rafik Schami sehr überraschende Antworten.
dtv 10735

Die Sehnsucht fährt schwarz
Geschichten aus der Fremde

Durch seine Märchen ist Rafik Schami berühmt geworden, aber er weiß in den siebzehn Geschichten dieses Bandes auch vom ganz realen Leben zu erzählen, zum Beispiel vom Heimweh und der Diskrimierung der Arbeitsemigranten.
dtv 10842

Der erste Ritt durchs Nadelöhr
Noch mehr Märchen, Fabeln & phantastische Geschichten

Zehn Geschichten entführen in eine bunte und bezaubernde Märchen- und Fabelwelt voller Geister, Könige, Riesen und kluger sprechender Tiere. Doch neben den altgewohnten Märchenfiguren begegnen wir auch dem Zahnarzt, dem kleinen Mädchen von nebenan und dem fremdländischen Jungen, die aus ihrem Alltag heraus eine Reise in das Reich des Phantastischen antreten. dtv 10896

Das Schaf im Wolfspelz
Märchen & Fabeln

Neun neue Märchen und Fabeln – vom Schaf, das so gerne eine Wolfsnatur gehabt hätte, vom Bäcker, der vor lauter Geldgier bereit ist, an Wunder zu glauben, und davon, was die Grille im Winter macht.
dtv 11026

Der Fliegenmelker
und andere Erzählungen

Geschichten aus dem Damaskus der fünfziger Jahre. Im Mittelpunkt steht der unternehmenslustige Bäckerjunge aus dem armen Christenviertel, der Rafik Schami einmal gewesen ist. dtv 11081

Malula
Märchen und Märchenhaftes
aus meinem Dorf

Rafik Schami versteht es, in diesen Geschichten den Zauber, aber auch den Alltag und vor allem den Witz und die Weisheit des Orients einzufangen. dtv 11219

Gerhard Konzelmann
im dtv

Der Nil
Heiliger Strom unter Sonnenbarke,
Kreuz und Halbmond

Die bewegte Geschichte der Länder
am Nil von den Pharaonen bis zu
Mubarak und den westpolitischen
Machtblöcken der Gegenwart –
geschrieben von dem exzellenten
Nahostkenner Gerhard
Konzelmann. Er macht die politi-
sche Brisanz vielfältiger kultureller
Brüche aus rund 5000 Jahren
deutlich. dtv 10432

Jerusalem
4000 Jahre Kampf um eine
heilige Stadt

Konzelmann erzählt detailliert und
kenntnisreich die viertausend-
jährige Geschichte dieser Stadt,
die sowohl für Juden wie für
Mohammedaner und Christen die
»heilige Stadt« ist. Ein wichtiges
Buch für jeden, der den Ursprün-
gen des unversöhnlichen Streites
um Jerusalem nachgehen möchte.
dtv 10738

Der unheilige Krieg
Krisenherde im Nahen Osten

Ein Versuch, das für den westlichen
Beobachter schier unentwirrbare
Knäuel verschiedener Einflüsse
und Strömungen im libanesischen
Bürgerkrieg zu entwirren und
durch geschichtliche Rückblicke
die Ursachen des Konflikts auf-
zudecken. dtv 10846

Die islamische Herausforderung

Der Ruf »Allah ist über allem!«
hat eine ungeheure Aufbruchstim-
mung unter allen Völkern des Islams
bewirkt, die die Rettung der Welt
zum Ziel hat. Der allumfassende
Anspruch und die Kompromiß-
losigkeit dieser Religion geben
der neuen islamischen Bewegung
ihre Kraft. Konzelmann vermittelt
das Wissen, das zum Verständnis
der islamischen Revolution nötig
ist, mit der das Abendland sich die
nächsten Jahrzehnte wird ausein-
andersetzen müssen.
dtv 10873